우리가 잠들지 못하는 11가지 이유

우리가 잠들지 못하는 11가지 이유

모든 게 터지기 일보 직전인 4050 여성들을 위한 인생 카운슬링

에이다 칼훈 지음 | 노진선 옮김

라이팅하우스

이 책에 등장하는 여성 대다수는 이름으로만 혹은 익명으로 소개된다. 그들이 결혼 생활이며 통장 잔액, 야한증(잘 때 땀을 흘리는 증상—옮긴이)을 안심하고 솔직히 말할 수 있게 해 주고 싶었기 때문이다. 하지만 X세대인지라 제니, 에이미, 멜리사 같은 이름이 꽤 많다.[1]

꼭 밝혀야 할 경우를 제외하고는 이 책에 나오는 여성들의 인종, 성적 취향, 그 외의 다른 인구 통계학적 지표에 독자들 관심을 끌고 싶지 않다. 비록 그들의 구성이 미국의 인구 구성을 반영하기는 해도. 그들은 혼자 혹은 동반자와 함께 살며, 엄마이거나 자식이 없고, 백인, 흑인, 동양인, 라틴계이며, 종교가 있거나 무신론자이고, 알래스카주를 포함해 미국의 거의 모든 주에 살고 있다.

나는 친구들 및 각 분야의 전문가에게 소개를 받거나 《O 매거진》 소셜 미디어 계정에 광고를 내거나, 인터넷 커뮤니티 게시판은 물론 전문직 세미나, 놀이터, 병원 대기실, 교회, 술집에서 그들을 찾아냈다.

그들은 시골, 도시, 교외에 산다. 직업이 있는 사람도 있고, 없는 사람도 있으며, 예전에 직장을 다니다가 그만둔 사람, 앞으로 취업할 계획인 사람도 있고, 사진작가, 성직자, 엔지니어, 변호사, 의사, 교사, 통신 회사 경영자도 있다. 원피스 사이즈는 0을 입는 사람부터 28+를 입는 사람까지 있다. 그럭저럭 괜찮은 중년으로 사는 사람도 있지만 대다수는 이런저런 이유로 힘들게 산다. 그리고 누구 말대로 "모든 게 터지기" 일보 직전인 사람도 있다.

나는 두 가지 기준으로 내 조사에 한계를 두었다. 첫째는 당연히 나이이고, 둘째는 계층이다. 미국의 극빈층 여성은 이 책이 다루려는 범위를 훌쩍 넘어서는 힘든 삶을 살고 있다. 또한 아주 부유한 여성은 이미 그들의 삶을 보여 주는 리얼리티 프로그램이 많다. 그래서 나는 중산층 가정에서 태어난 덕분에 자신에게 기회와 성공이 주어질 것으로 적당히 기대하며 자란 여성들에게 초점을 맞췄다.

요즘처럼 양극화된 시대에 동년배 여성들과 이토록 공통점이 많다는 사실에 안심이 되면서도 약간 우울하기도 하다. 정치와 인종, 지역과 관계없이 X세대 미국인 여성들은 다수의 문화적 시금석을 공유한다. 인기 시트콤 〈인생의 사실들Facts of Life〉 주제가부터-"세상이 결코 당신 꿈에 부응하지 않는 듯해도!"-우주 왕복선 챌린저호 폭발 사고가 일어났을 때의 기억까지. 또한 비슷한 환경도 공유한다.

많은 여성을 만나 이런 인터뷰를 할 수 있어서 영광이었다. 그들이 자신의 후회와 두려움을 털어놓으면서 인터뷰는 종종 감정적으로 변해 갔다. 한번은 인터뷰를 시작하면서 중년 여성으로서 어떤 삶을 살고 있는지 말해 달라고 하자 질문을 받은 여자가 울기 시작했다. 나는 혹시 내가 말실수를 했나 싶어서 걱정되었다. 내가 그녀를 중년 여성으로 취급했다는 사실에 화가 난 걸까? 아니었다. 그녀가 눈물을 흘린 이유는 충격을 받아서였다. 지금까지 줄곧 투명 인간 취급을 받아왔기 때문이다. 그녀는 이렇게 말했다.

"지금까지 나에 대해 물어봐 준 사람이 아무도 없었어요."

차·례

폭발 일보 직전의 4050
여성들을 위한 인생 카운슬링

당신은 이곳, 중년에 도달한다.

어쩌다 여기까지 왔는지 모르지만

갑자기 거울 속에 쉰 살의 얼굴이 보인다.

고개를 돌려 지난 세월을 돌아보면

당신이 살았을 수도 있는 다른 삶의 환영이 나타난다.

집집마다 당신이었을 수도 있는 사람들이 유령처럼 살고 있다.

_힐러리 맨텔, 《유령을 포기하다 Giving up the Ghost》

내가 아는 한 여자는 바라던 걸 모두 가졌다. 사랑하는 남편, 두 아이, 자신이 좋아하는 일, 심지어 자기 마음대로 일정을 정할 수 있는 자유까지. 하지만 그녀는 여전히 지독한 절망을 떨쳐 내지 못한다. 몇 달간 수소문한 끝에 아직 기저귀도 못 뗀 딸을 돌봐 줄 베이비시터를 찾아내고는 낮에 혼자 영화를 보러 가 어둠 속에서 울었다.

전 직장 동료는 내게 링크트인에 올라간 자신의 프로필이 보기에만 그럴싸할 뿐 현실은 전혀 그렇지 못하다고 말했다. 사실 그녀는 능력 이하의 일을 하고 있으며, 해고된 후 몇 년 동안 보수가 낮은 임시직을 전전했다. 미혼에 아이가 없는 점은 괜찮지만 곧 다가올 쉰 살 생일이 점점 두려워진다. 아마 죽을 때까지 집을 못 살 테고, 저축한 돈이라고 해 봐야 노후 자금 근처에도 못 간다는 걸 깨달았기 때문이다.

다둥이 엄마인 옆집 여자는 자신이 좋아하는 일을 파트타임으로 하고 있다. 아이 아빠는 자상하고 성실한 남자다. 하지만 그녀는 가끔씩 남편에게 알 수 없는 분노가 치민다. 심지어 이혼하면 자신이 더 행복할지 모른다는 생각마저 든다. 하루는 내가 인사를 건넸더니 그녀가 느닷없이 이렇게 말했다.

"내가 돈만 더 있었어도 남편이랑 헤어졌을 거예요."

또 다른 여자는 혼자 죽게 될까 봐 두렵다고 말했다. 결혼한 친구들과 마찬가지로 그녀 역시 좋은 대학을 졸업하고, 좋은 직장에 다니며, 집을 멋지게 꾸미고, 몸매도 잘 관리했다. 하지만 무슨 이유에서인지 그녀는 동반자를 찾지 못했고, 아이도 없다. 한밤중에 잠에서 깨면 이런저런 의문이 들었다. 대학 때 사귀던 남자와 결혼해야 했나? 난자를 냉동해 두어야 했나? 혼자라도 아이를 낳아야 했나? 데이팅 앱으로 남자를 좀 더 만나야 했나? 언젠가는 친구들 SNS에서 미소 짓는 아들이나 딸 사진을 보며 더는 참지 못하고 창밖으로 노트북을 던져 버릴 것 같다.

한 지인은 남편이 죽은 뒤 혼자서 세 가지 일을 동시에 하며 아이를 키우는 게 너무 버겁다고 털어놓았다.

어느 금요일, 그녀는 모처럼 아이와 시간을 보내기 위해 주말 여행을 계획했다. 퇴근 후 짐을 싸기 시작한 시간은 밤 10시. 출발 시각인 새벽 5시까지 3~4시간은 잘 수 있을 것 같았다. 그녀는 열한 살짜리 아들에게도 짐을 싸라고 말했지만 아들은 꿈쩍도 하지 않았다. 그녀는 화를 삭이며 한껏 가라앉은 목소리로 다시 짐을 싸라고 말했다. 그러나 소용없었다.

"지금 당장 짐 싸지 않으면 네 아이패드를 박살 낼 거야."

그녀가 말했다.

하지만 아들은 여전히 꼼짝하지 않았다.

그녀는 무언가에 홀린 듯이 망치를 집어 들어 아이패드에 내리쳤다.

그 이야기를 들었을 때 나는 내가 아는 부모 중에서 그런 장면을 상상하거나 그렇게 하겠다고 협박한 사람이 얼마나 많았을지 생각했다. 그런데 여기, 정말로 그 일을 실행한 사람이 있었다. 나는 웃음을 터뜨렸다.

"그래요, 내 친구들도 다 너무 웃긴다고 하더군요. 하지만 사실은 우울하고 끔찍한 이야기죠."

그녀가 말했다.

깨진 아이패드를 내려다보며 그녀가 맨 처음 한 생각은 이것이었다.

'좋은 심리 치료사를 찾아야겠다. 지금, 당장.'

2년 전 마흔 살이 된 뒤로 나는 동년배 여성 그리고 그들이, 아니 우리가 돈, 인간관계, 일, 존재론적 두려움으로 겪는 고충에 천착해 왔다.

이 책을 쓰기 위해서는 더 많은 여성을 만나 봐야 했으므로 친구 타라에게 도움을 청하기로 했다. 나보다 서너 살 많은 타라는 캔자스시티 출신의 성공한 기자였다. 10년 전에 이혼하고 장성한 세 자녀를 두었으며, 지금은 워싱턴 DC의 조용하고 녹음이 우거진 거리에서 남자 친구와 함께 사는데 최근에 유기견을 입양했다.

평소 직장에서 좀처럼 쉴 틈이 없는 그녀가 마침 쉬고 있을 때 통화를 하게 되었다.

"저기, 주변에 혹시 중년의 위기를 겪는 사람 있어? 얘기 좀 나누고 싶은데."

전화기 너머에서 잠시 정적이 흐르더니 타라가 말했다.

"안 겪는 사람이 있나 생각해 봤어."

오늘날 중년 여성은 X세대 그리고 1946년에서 1964년 사이에 태어난 베이비 붐 세대의 끝물에 속한다. 퓨 리서치 센터에 의하면 X세대 출생 연도는 1965년부터 1980년까지다.[1] X세대라는 이름은 더글러스 커플랜드가 1991년에 발표한 소설 《X세대:가속화된 문화를 위한 이야기들Generation X:Tales for an Accelerated Culture》을 통해 널리 알려졌다. 그 전에는 빌리 아이돌이 속한 1970년대의 훌륭한 영국 펑크 밴드 이름이었다. 그 밴드는 1964년에 영국 10대 청소년들을 인터뷰한 책의 제목에서 이름을 따왔는데, 책 표지에는 다음과 같이 적혀 있었다.

"길들여지지 않은 영국 젊은이들의 반항적인 분노 이면에는 무엇이 있는가? 그들이 마약, 술, 신, 섹스, 계급, 쾌락에 대해 정말로 어떻게 느끼는지 그들의 입을 통해 직접 들어보자."

'X세대'라는 용어는 확신이 없고 아직 결정되지 않은 정체성을 의미하게 되었다. 그러다 시간이 흐르며 확고한 정체성 부족이 핵심이 되었다. 우리의 문제가 무엇인지 아무도 정확히 몰랐고, 따라서 우리는 불가사의한 세대로 여겨졌다. 한동안 몇몇 전문가는 우리에게 '열세 번째 세대'라는 별명을 붙이기도 했다. 왜냐하면 우리는 미국 건국의 아버지들로부터 열세 번째 세대이기 때문이다.[2] 1990년대에 'X세대란 누구인가'라는 제목의 표지 기사가 몇 번 실린 후 대중문화는 어깨를 으쓱이고는 이 세대에 관심을 잃고 돌아서 버렸다.

퓨 리서치 센터의 말을 인용하자면 X세대는 "미국의 홀대받은 '둘째 아이'로 …… 떠들썩한 두 거대 조직을 이어 주는, 곧고 낮게 뻗은 다리"이다.[3] 우리는 둘째 딸 세대로 우리보다 나이가 많은 베이비 붐 세대(우리 부모님, 이모, 삼촌)에 치이고, 나이 어린 밀레니얼 세대(우리가 학생 시절에 아르바이트로 돌봐 주던 아기들)에 치인다. 일단 수적으로 5500만 명이라서 7600만 명인 베이비 붐 세대나 6200만 명인 밀레니얼 세대보다 열세이고,[4] 결코 미국에서 가장 큰 집단이 되지 못할 것이다. 곧 밀레니얼 세대의 수가 베이비 붐 세대의 수를 능가해도 X세대는 여전히 두 집단보다 작을 것이다.[5]

2019년 1월 CBSN에서 발표한 세대 보고서에는 X세대가 아예 누락되어 있다. 같은 주에 〈새터데이 나이트 라이브Saturday Night Live〉의 퀴즈 쇼에서 밀레니얼 세대와 베이비 붐 세대가 서로 이기려고 경쟁하는 내용이 나왔다. 그때 사회를 보던 키넌 톰프슨은 이렇게 말했다.

"난 X세대라서 그냥 옆에서 세상이 불타는 걸 지켜보기만 하면 됩니다."[6]

X세대는 사람들 무관심 속에서 중년이 되었고, 자신들이 유례없이 불운한 집단이라는 사실을 알아차리지 못했다.

"X세대는 특히 분열이 심하고 위험한 시기에 '인생의 전성기'를 맞았어요. 경제적으로 힘들고, 문화적으로는 축출되었죠. X세대는 빚이 엄청나고, 어린 자식과 나이 든 부모 사이에 끼어 있어요. 성인으로서 제 역할을 하기가 여간 힘든 게 아니죠. X세대가 지치고 혼란스러운 것도 무리가 아니에요."[7]

베이비 붐 세대의 마케팅 전문가 페이스 팝콘의 말이다.

나는 전형적인 X세대로 1976년에 태어났고, IBM 셀렉트릭 타자기로 타자를 배웠다. 비디오 게임이 유행했을 때 집에서는 게임기로 〈문 패트롤〉을, 학교에서는 PC로 〈카르멘 샌디에이고는 어디에 있나?〉를 하면서 놀았다. 10대 시절에는 출력소에서 일했고, 학보에 진정성 터지는 칼럼을 썼으며, 멜빵바지를 입고 레블론 블랙베리 립스틱을 바르고 다녔다. 졸업 후에는 음악 잡지 《스핀》에서 인턴으로 일했는데 당시 표지에는 너바나가 실렸다.

자신을 X세대로 규정할지 말지는 본인에게 달려 있지만, 만약 당신이 나처럼 레이건이 대통령일 때 어린 시절을 보냈고, 쿠시 볼을 샀으며, 전화식 모뎀에서 나던 소리를 기억한다면 X세대다.

X세대 여성은 20대 후반이나 30대 혹은 40대에 결혼했거나 아예 하지 않았고, 30~40대에 출산을 했거나 아예 출산하지 않았다. 우리는 태어날 때부터 '원하는 것은 모두 다 가져라'[8]라는 지겨운 클리셰를 들으며 자란 첫 세대다. 그러다가 성인이 되면서 모두는 고사하고 일부라도 갖기가 지독히 어렵다는 걸 알게 되었다. 가정을 꾸렸든 안 꾸렸든 마찬가지다.[9]

1990년대 이후 X세대 고연령층이 결혼하기 시작하면서 우리는 '전업주부 VS 일하는 엄마의 전쟁'이라는 지겨운 프로파간다 캠페인에 선동되어 서로 충돌해 왔다. 이 거짓 논쟁은 우리가 전업주부가 되기로 선택했느냐 혹은 일하는 엄마가 되기로 선택했느냐는 문제의 본질이 아니라는 진실을 감출 뿐이다.

X세대 여성에게 중요한 본질은 따로 있는데 그것은 바로 우리가 더 많이 성취하고, 더 만족스럽고, 다재다능한 미국 여성상을 만들어 내는 실험 대상이었다는 사실이다. 중년에 이르러 대다수 X세대 여성은 그 실험이 대체로 실패했음을 깨닫는다.

우리는 잘나가는 커리어와 행복한 가정생활이라는 두 마리 토끼를 다 잡고, 부모님 세대보다 더 많은 것을 이룰 줄 알았다.

하지만 대다수는 이룬 것이 거의 없다.

브루킹스 연구소의 경제학자 이저벨 V. 소힐에 따르면 미국의 전형적인 마흔 살 여성은 현재 직장에서 풀타임으로 일할 경우 3만 6000달러의 연봉을 받는다. 거기서 양육비와 월세, 식비, 세금을 제하고 나면 고작 1000달러 정도의 가처분 소득이 남는다.[10] 그보다 돈을 더 많이 버는 여성들도 자신들의 미래 재정 상태에 대해 불안해할 수 있고, 일주일을 버티는 것조차 힘들어서 망연자실할 수도 있으며, 자신들에게 기회가 얼마나 적은지 깨닫고 실망할 수도 있다.

이런 여성들의 불만을 부당한 투정으로 치부해 버리면 우리 세대 전체를 깎아내리는 것이나 다름없다. 사회적·역사적·경제적 흐름은 많은 여성에게 중년으로 진입하는 과정을 걱정의 장으로 만들었다. 또한 우리가 함께 구멍 난 배에 타고 있다는 사실을 깨닫게 하기보다는 서로 질투하게 했다. 이 책을 통해 여성들의 걱정을 투정이 아닌 잘못된 아메리칸 드림을 바로잡는 방책으로 받아들이기를 바란다. 아메리칸 드림은 우리 세대에서 이뤄지지 못했으며, 아마 우리 아이들 세대에서도 이뤄지지 못할 것이다.

누군가는 그래도 다른 나라 여성이나 미국의 다른 세대와 비교하면 미국 X세대 여성이 더 쉬운 삶을 살았다고 할 것이다. 베이비 붐 세대와 밀레니얼 세대는 자신들의 삶도 만만치 않다고, 혹은 더 힘들다고 주장할 수 있다.

이 책의 전제를 들은 베이비 붐 세대의 한 여성은 이렇게 말했다.

"아니, 원하는 걸 다 가질 수 있다는 말을 맨 처음 들은 세대는 바로 우리야."

그런 개념이 베이비 붐 세대에 대두되기는 했다. 베이비 붐 세대는 거침없는 남녀 차별주의와 미묘한 차별에 맞서 새로운 길을 열었고, 자신의 꿈을 포기하지 않으면서 동시에 아이를 키운 공적은 인정받을 만하다. 하지만 X세대는 '원하는 건 다 가질 수 있어'가 새로운 선택지가 아닌 의무적 사회 조건인 상태로 인생을 시작했다.

그런가 하면 밀레니얼 세대인 한 여성은 이렇게 말했다.

"우리도 원하는 걸 다 할 수 있다고 배웠어요. 하지만 그럴 수 없다는 걸 알았죠."

확실히 밀레니얼 세대는 어마어마한 학자금, 전례 없는 사회적·경제적 불평등, 불쾌한 정치적 양극화, 그리고 많은 기업이 유동적으로 급변하는 상황에서 성인기에 접어들었고, 취업과 동시에 자신에게 무한한 가능성이 있다는 환상도 광범위하게 공격받았다. 그러나 그로 인해 비교적 빨리 좀 더 현실적인 기대치를 갖게 된 것도 사실이다.

우리 모두 '원하는 건 다 가질 수 있어' 바이러스에 감염되기는 했지만 X세대가 특히 더 독한 변종에 감염되었다는 말이다. 하지만 베이비 붐 세대와 밀레니얼 세대 모두 이 책을 읽고 같은 감정을 느낄 것이다.

X세대가 중년에 접어든 10여 년 전, 종합 사회 조사 기관 정보를 분석한 두 작가는 이렇게 주장했다.

"여러 가지 객관적 척도로 볼 때 미국 여성의 삶은 지난 35년간 크게 향상했다. 하지만 주관적 웰빙 수치를 보면 여성의 행복도가 남성과 비교해 절대적으로 그리고 비교적 하락했음을 알 수 있다."[11]

이 발언은 종종 2세대 페미니즘이 어리석었다는 주장의 근거로 인용되곤 한다. 그러니까 여성들이 집에서 살림만 했으면 더 행복했을 거라는 말이다. 이 얼마나 하나만 알고 둘은 모르는 소리인가. 사실 우리는 그 페미니스트들의 주장을 제대로 시도하지도 않았다. 여자들이 취업 전선에 뛰어든 것은 사실이지만 가정에서 남여 역할은 그대로였고, 유급 휴가 제도도 없었으며, 실현 가능한 변화를 일으킬 어떤 요인도 없었다. 법을 새롭게 만들기만 했을 뿐 시행하지도 않았는데 그 법이 잘못되었다고 할 수 있을까?

2017년에 또 다른 연구를 통해 여성에게 가장 큰 스트레스를 주는 두 가지 요인은 일과 아이이며 둘 모두를 가진 사람은 복합적인 영향을 받는 것으로 밝혀졌다.[12] 여성들은 예전에 남자의 전유물이던 재정적 의무를 지면서 동시에 집안 살림을 도맡는 전통적 의무까지 지고 있다. 이런 이중고에 시달리면서 직장과 육아 스트레스는 정점에 달한다. 그것도 우리 엄마와 할머니

대다수는 이미 자식을 다 독립시킨 나이이던 40대에.

미국 중년 여성 넷 중 하나는 항우울제를 복용한다.[13] 1965~ 1979년에 태어난 사람 중에서 거의 60퍼센트가 현재 스트레스를 받는다고 응답했는데 밀레니얼 세대보다 13퍼센트 높은 수치다.[14] 1965~1977년에 태어난 여성은 4명 중 3명꼴로 "재정 상태에 불안을 느낀다".[15]

한동안은 회사에 출퇴근하는 여자들만 일과 육아를 병행하기가 힘들 것으로 생각했다. 그런데 온갖 다양한 직장과 가정생활을 하는 여성들에게서도 똑같이 불안한 목소리가 들렸다. 나는 최근에 한 친구를 만나고 충격을 받았다. 지금까지 한 번도 흥분한 모습을 보인 적이 없는 그 친구는 40대가 되면서 두 아이를 키우고, 직장에 다니고, 부업을 하고, 결혼 생활을 유지하고, 아픈 아버지를 돌보느라 너무 지쳐 있는 데다 돈 걱정이 머리를 떠나지 않아 잠을 푹 잔 적이 언제인지 기억도 나지 않는다고 했다.

전국 각지의 여성들과 대화를 나누며 나는 그들의 이야기가 너무 비슷하다는 사실에 놀라움을 금치 못했다.

텍사스주에 사는 한 성공한 독신 여성은 작은 식당에서 나와 함께 아침을 먹으면서 지금쯤이면 가정을 이뤘을 줄 알았다며 "내가 뭘 잘못했을까요?"라고 말했다.

오리건주에 사는 세 아이의 엄마는 잠든 아기를 품에 안은 채 지금쯤이면 다시 직장에 다닐 줄 알았다며 "내가 뭘 잘못했을까요?"라고 물었다.

지난 10년간 노화를 다룬 과학적 연구는 늘어난 반면, 중년은 여전히 연구 대상에서 누락되고 있다.[16] 설사 중년을 연구한다 해도 그 대상은 주로 남자다. 중년 여성을 대상으로 한 몇 안 되는 책은 주로 베이비 붐 세대가 직장에서 겪는 실망감이나 결혼 생활에서의 환멸을 다룬다.[17] 혹은 목주름을 강조하며 노화의 육체적 신호를 조롱의 대상으로 삼으려 한다.

'중년의 위기'[18]라는 용어는 정신분석학자 엘리엇 자크가 처음 사용했다. 그는 1965년에 한 저널에 단테, 괴테, 베토벤, 디킨스 같은 남성 예술가의 창조적 표현이 서른다섯 살을 지나면서 내용과 질에 변화가 생긴다고 썼다. 그리고 이렇게 덧붙였다.

"중년의 위기를 돌파하기 위해서는 청소년기에 겪은 절망감과 다시 싸우되 죽음에 대한 성숙한 통찰력이 필요하다."[19]

1970년대에는 발달 심리학자 대니얼 레빈슨이 자신이 연구한 남자들의 80퍼센트가 중년이 되면 "내면에서는 자신과, 그리고 외면에서는 바깥세상과 떠들썩한 투쟁을 벌인다"고 주장했다.[20] "삶의 모든 부분에 의문을 품게 되고 밝혀진 사실에 몸서리치는" 그들은 아마 자신이 안정된 수입을 위해 창조적 꿈을 포기했거나 자기 가치를 희생했음을 깨달을 것이다. 이는 소설과 영화에서 끊임없이 인기를 얻는 주제이기도 하다. 1955년에 출간된 소설 《회색 양복을 입은 사나이The Man in the Gray Flannel Suit》부터 1996년 영화 〈제리 맥과이어〉에 이르기까지.

대중문화에서 그려지듯이 남자들이 겪는 정형화된 중년의 위기에는 모든 것이 망가진다. 주로 결혼 생활이 어긋나지만 경력, 원칙, 명성도 망가진다. 그들은 머리숱이 줄어들면서 패닉에 빠지고, 그 결과 대학 시절에 듣던 음반을 미친 듯이 다시 듣는다. 치료법은 어린 여자들과 주기적으로 사귀고, 화려하게 치장한 오토바이를 타고 다니는 것이다.

그런 남자들이 나오는 영화나 책은 널리고 널렸다. 우디 앨런의 영화나 〈아메리칸 뷰티〉, 〈사이드웨이〉 등을 보면 열정적인 삶을 갈망하는 남자 옆에 여자들이 지루한 배경으로 등장한다. 소리를 빽빽 질러 대는 아내나 말이 많은 이모, 슬픔에 잠긴 여동생 같은. 그리고 남자들의 열정적인 삶의 대상은 종종 10대 여자아이들이 된다.

반면 중년 여성은 중년에 겪는 위기를 발산하지 못한다. 내가 관찰한 바로도 그렇고, 내가 만난 많은 전문가가 단언한 대로 여자는 남자보다 훨씬 더 조용하게 우는 경향이 있다. 가끔은 진지하게 바람을 피운다든지 새로운 일을 시작한다든지 뒷마당의 창고를 자신만의 공간으로 꾸미기도 하지만, 대개는 직장에 다니고 아이를 돌보는 틈틈이 고통을 느낀다.

겉으로는 별문제 없어 보인다. 그저 혼자 텔레비전을 보는 동안 와인 한 병을 다 비우기도 하고, 긴장을 풀기 위해 칸나비디올이 함유된 젤리 한 통을 다 먹기도 하고, 매일 오후 아이를 데리러 학교에 가서 기다리는 동안 울기도 한다. 혹은 한밤중에 잠이 저만치 달아나 침대에 누운 채 천장만 바라볼 때도 있다.

자동차 앞 유리창 너머를 응시하며 한숨 쉬는 여자를 주인공으로 한 블록버스터 영화는 아직 나오지 않았다. 그래서일까? 자신이 맡은 일을 잘 해내는 여자들일수록 약간의 불편감이나 우울감, 역경의 시기를 겪는 과정에 '위기'라는 단어를 붙이는 것은 너무 거창하다고 생각하는 사람들이 있다. 나는 그들의 심정도 충분히 이해한다.

나는 유명한 심리학자이자 뇌 과학자인 수전 크라우스 휘트번과 함께 어느 방송 프로그램에 패널로 나간 적이 있다. 그때 휘트번은 중년에 위기가 찾아온다는 과학적 증거는 전혀 없으며, 중년에 겪는 스트레스를 '중년의 위기'로 부르는 것은 '나쁜 짓을 하려는 핑계'에 불과하다고 말했다. 그녀는 어느 잡지에서 다음과 같이 주장하기도 했다.

"중년이 되어서 우울증에 걸렸다면 거기에는 많은 이유가 있을 수 있다. 그 이유가 '나이'일 확률은 가장 낮다."[21]

하지만 그런 그녀조차 X세대는 특히 불행한 집단이고, 이 세대 여성은 "아주 큰 스트레스에 시달린다"고 했다.

나도 그녀의 의견에 전적으로 동의한다. 만약 어떤 여성이 내적으로는 괴로울지라도 회사에서는 잘 만든 파워포인트로 프레젠테이션을 하고, 학기 마지막 날에는 아이의 선생님들에게 줄 선물 상자를 공들여서 만든다면 그녀가 정말로 '위기'에 처했다고 할 수 있을까?

내 친구의 언니 제니는 세 아이를 둔 엄마로 연방 예산 삭감 때문에 최근 해고되기 전까지 교육과학기술부에서 일했는데 자신은 중년의 위기를 겪은 적이 없는 것 같다고 했다. 그러더니 얌전히 이렇게 덧붙였다.

"아, 내 결혼 생활이 흔들리고, 파산하고, 집을 담보로 잡히고, 시애틀에서 26년이나 살다가 로스앤젤레스로 이사 오고, 동맥류 진단을 받은 게 중년의 위기에 포함되는 거야? 그럼 나 인터뷰해도 돼."

볼티모어에 사는 친구 에이미에게 지금 중년의 위기를 겪고 있느냐고 물었더니 그녀는 아니라고 했다. 그러더니 다음과 같이 말했다.

"잠깐만, '내가 지금까지 뭐 하고 살았고, 난 누구지?'라는 생각이 들면서 갑자기 겁이 덜컥 나는 거 말이야? 그런 거라면 나도 당연히 있지."

내가 이 책을 위해 만난 200명 이상의 여성 중 대다수에게는 여전히 저렇게 겸연쩍은 단어겠지만, 그래도 나는 '중년의 위기'라는 표현을 선호한다. 왜냐하면 우리가 겪는 일을 중대한 문제처럼 들리게 하고, 또 중대한 문제가 맞다고 믿기 때문이다.

내 경험상 X세대 여성은 불편하거나 혼란스러운 느낌을 별것 아닌 일로 치부하는 데 많은 시간을 보낸다. 그들은 종종 그런 감정을 입 밖으로 꺼내기조차 민망하다고 말한다. 내가 만난 불행한 여성 중에는 극도로 지치고 우울한 상태인데도 '징징거려서' 미안하다고 사과한 사람들도 있었다. 또한 거의 모든 사람이 자신을 '행운아'라고 칭했다.

그 말은 사실이다. 우리는 여러 면에서 행운아다. 현재 미국은 우리 할머니나 엄마 세대보다 우리에게 훨씬 더 많은 기회를 제공했다. 비록 많은 여성이 최저 임금으로 생활하기는 해도 (그리고 딱히 중년이 아닌데도 위기를 겪지만) 남자와의 임금 격차는 전반적으로 줄어들고 있다. 요즘 남자들은 집안일을 많이 한다. 또 남녀 차별에 대한 거부감도 크다. 그러니 우리에게는 기분 나쁠 만한 이유가 없다. 학벌 좋은 중산층과 상위 중산층 여성의 불만은 폄하되기 십상이다. 일시적으로 돈이 떨어졌거나, 치료 가능한 호르몬 불균형이거나, 소위 제1세계문제(선진국에 거주하는 사람들이 일상에서 겪는 사소한 불편을 의미하는 말―옮긴이)일 뿐이다.

좋다. X세대 여성은 기분이 나쁘면 안 된다고 치자.[22]

그런데 우리는 왜 기분이 나쁜 걸까?

이 책을 쓰기 시작했을 때 난 기분이 좋지 않았는데 정확한 이유를 알 수 없었다. 끔찍하고, 좋은 일이라고는 하나도 없는 최악의 6월을 보내기는 했다. 바나나라마의 히트곡 〈Cruel Summer〉가 어울릴 정도였다.[23]

나는 내가 정말로 행운아이고 불평할 이유가 없다는 말을 입에 달고 살았다.

결혼한 지 17년이 되었고, 열한 살인 아들은 훌륭한 공립 중학교에 입학했다. 스물세 살인 의붓아들은 대학원에서 전공할 물리 치료 프로그램을 알아보고 있었다.

일에서도 더할 나위 없이 좋았다. 최근 새 책이 출간되었고, NBC 〈투데이쇼〉나 일간지 《워싱턴 포스트》 같은 언론 매체에도 소개되었다. 심지어 잡지 《스타》에서는 "요즘 뜨는 책"이라고까지 했다.

겉보기에는, 그리고 소셜 미디어로만 본다면 나는 완벽히 부러운 삶을 살고 있었다.

그런데 왜 불행할까? 그해 여름 난 매일 새벽 4시만 되면 잠에서 깨 의심과 걱정에 시달렸다. 침대에 누운 채 해야 할 일들을 생각했다. 혹은 후회되는 일 목록을 훑어보거나 절대 일어나지 말아야 할 일들을 떠올렸다.

눈을 뜨면 숫자가 보였다. 2만 달러. 우리 가족이 갚아야 할 신용카드 빚이었다. 나는 걱정 구름을 달고 다녔다. 그해 봄, 우리는 돈이 들어올 줄 알고 그랜드 캐니언으로 가족 여행을 갔고, 몇 군데 집수리도 했다. 그런데 가을까지 우리에게 안락한 생활을 제공하고 신용카드 빚도 갚아 줄 예정이던 프리랜서 일자리 세 개가 날아가 버렸다. 한 군데는 내가 잘 해냈다고 생각한 일을 전달한 직후에 연락이 끊겼다. 또 다른 곳에서는 나 대신 다른 사람을 고용했다. 세 번째 일은 그냥 사라져 버렸다. 그리고 이제는 일을 구하기가 가장 힘든 여름이었다. 우리 수중에는 겨우 한 달 치 생활비만 있었고, 그 돈은 급속도로 사라져 갔다.

거의 10년간 프리랜서로 일한 나는 정규직에 지원하기 시작했다. 2009년에 정리 해고가 되기 전까지만 해도 꽤 높은 금액을 연봉으로 받고 보조금도 꽉꽉 채워서 받았다. 그런데 이제는 일정한 수입과 감히 바라건대 보험까지 적용되는 일자리라면 어떤 일이든 상관없었다. 우리 가족 앞으로 내는 건강 보험이 한 달에 1186달러였다. 그것도 1년에 몇천 달러씩 공제되는 가장 저렴한 보험인데도(그리고 이번에도 나는 행운아다. 미국 중년 여성의 3분의 1 내지 절반은 비용 때문에 건강 보험을 포기한다).[24]

난 늘 정규직으로 복귀하는 것이 혹시 모를 '대비책'이라고 생각했다.

기업들을 향해 이렇게 말하는 날 상상했다.

"그래, 좋아요! 이제 날 가지세요!"

하지만 이제 기꺼이 복귀하려는데 날 원하는 회사가 아무 데도 없었다.

여러 회사와 연구 단체에 미친 듯이 지원하면서 나는《엄마 찾아 삼만리》의 주인공이 된 듯한 기분이었다. 수십 군데에 이력서를 넣었지만 겨우 두 군데에서 면접을 보러 오라는 연락을 받았다.

하나는 6주 동안 600달러를 받는 교사직이었다. 중간에 수업 준비를 하고 시험 채점하는 시간까지 다 합하면 내가 대학생 때 아르바이트로 일한 사무직보다 시급이 낮은데도 난 그 일을 수락했다.

또 다른 면접은 내가 15년 전에 하던 일보다 보수가 훨씬 적은 정직원 자리였다. 별로 안정적이지 않아 보이는 회사에 다니는 건 내게는 강등이나 다름없었다. 하지만 알 게 뭔가. 경제는 나쁘고, 그래도 어쨌든 취직은 취직이다. 면접은 순조로웠다. 집으로 돌아가는 길에 난 내 꿈과 희망을 접었다. 내 능력에 한참 못 미치는 일자리이고 회사는 불안정해 보이지만 그래도 다니기로 했다.

하지만 그 회사에서는 연락조차 오지 않았다.

나는 범위를 좀 더 넓혀서 내가 가진 선택지를 다시 살펴보기로 했다.

선택지. 중년에도 선택지가 있기는 하다. 너무 추상적으로 보일 수 있다는 게 문제지만. 그렇다. 난 대학원에 가서 박사 학위 과정을 밟을 수 있다. 하지만 등록금은 어떻게 마련하지? 직업을 바꿀 수도 있다. 심리 치료사나 정빙기 운전사가 유망할 것이다. 하지만 이 나이에 정말 스무 살짜리들에게 둘러싸여 바닥부터 시작하고 싶은 걸까? 영화 〈먹고 기도하고 사랑하라〉에서처럼 여행을 떠난다면 등교한 우리 아들은 누가 데리러 갈까?

"당신이 살면서 앞으로 나아가기 위해 내리는 모든 결정은 당신을 잘못된 길로 들어서게 할 수 있다. 길을 따라가다가 어딘가에서 경솔한 결정 두어 개만 내려도 세월을 낭비하게 된다. 하지만 그렇다고 너무 조심조심 기어 다니기만 해서는 모험을 할 수 없다. 적절한 균형을 맞추기가 어렵다.”[25]

영국의 뮤지션 비브 앨버틴이 중년을 돌아보는 자서전에 쓴 내용이다.

사실 ‘어렵다’는 단어는 너무 약하다. 이젠 그만 꿈을 포기해야 할 때라는 걸 어떻게 알 수 있을까? 주위 사람이 다들 ‘네가 널 속이고 있다’고 나무라는데도 절대 굽히지 않고 끝내 성공하는 성공담 속 주인공이 나인지, 이제 자신을 그만 속이고 현실을 직시하며 철이 들어야 할 얼간이가 나인지 어떻게 구분할 수 있을까?

가족들이 즐거운 여름을 보내는 동안 나는 생각에 잠겼다. 내 경력은 끝났고, 빚을 져서 너무 수치스러웠으며, 뭘 해야 할지 몰라 괴로웠다. 머릿속에는 부정적인 생각뿐이었다.

‘프리랜서를 하는 게 아니었어.’

‘만약을 대비해서 돈을 모아 뒀어야 하는데.’

‘남편이 주식 중개인이었으면 얼마나 좋아.’

‘가족 여행을 가다니 멍청했지.’

아침마다 거울을 보면 피곤에 지친 중년 여자가 있었다. 더는 젊지도 않고 생기도 없었다. 나는 마흔한 살이었지만 내 눈에는 서른아홉 살 때보다 백 살은 더 들어 보였다. 눈 주위에는 깊은 주름이 있고, 안색이 나쁘고, 팔 안쪽 살은 덜렁거렸다. "중년이 되면 똥배가 나오기 쉽다"는 말을 많이 들었는데 이제야 그 말을 이해하게 되었다. 내 몸은 옆으로 퍼지기 시작했고, 난 그게 마음에 들지 않았다. 허영심에서 비롯된 절망감일 수도 있었지만 그래도 대체 이 뚱뚱한 아줌마가 누구인지 알 수 없어서 혼란스러웠다.

아, 그리고 생애 첫 유방 조형술을 받은 결과 '이상'이 발견되었다. 1000달러 넘게 부담해야 하는 두 번의 초음파 검사와 생체 검사, 그리고 몇 주간 두려움에 떨며 지낸 끝에 아무 문제 없다는 통보를 받았지만, 그 경험은 차를 팔 때가 되었음을 알려 주는 이상한 소리를 처음 들었을 때의 느낌이었다.

게다가 생리는 또 어떻고. 어떨 때는 두 달 간격이었다가 어떨 때는 2주 간격이었다. 어떨 때는 하는 둥 마는 둥 하고, 어떨 때는 양이 너무 많아서 탐폰과 생리대를 다 적시고 청바지까지 물들였다. 생리통은 하늘이 무너지는 듯했다. 기분은 맨날 오락가락했는데 돈과 일 스트레스 때문이라기에는 너무 심했다. 서랍을 쾅쾅 닫았고, 너무 짜증이 나서 남편을 똑바로 보기가 힘들었다. 한 달에 하루 이틀은 누가 죽기라도 한 것처럼 펑펑 울었다.

병원에 갔더니 몸에는 아무 이상이 없다고 했다. 의사는 기분이 나아지도록 월경 전 증후군을 줄여 주는 약과 매달 40달러씩 내는 온라인 정기 신청을 통해서만 배달되는 스웨덴 꽃가루를 처방해 주었다. 가슴 통증에는 달맞이꽃 오일을 처방해 주면서 종합 비타민과 칼슘, 비타민 D를 복용하라고 했다. 그런데도 전혀 효과가 없으면 항우울제를 먹어 보자고 했다. 나는 항우울제를 먹지 않겠다고 버티고 있었는데, 10년 전에 항우울제를 복용했다가 성욕이 떨어지고 10킬로그램이나 찌고 글이 쓰기 싫어졌기 때문이다.

영양제는 도움이 안 되는 듯했지만 그래도 매일 먹으면서 효과가 있을 거라고 주문을 걸었다. 그러는 동안 책이나 인터넷에 나오는, 적은 돈으로 기분이 나아지기를 원하는 사람들에게 제시하는 합리적인 충고는 모두 따랐다. 자연 속에서 오랫동안 산책하고, 엘리베이터 대신 계단으로 걸어 다니고, 물을 많이 마시고, 알코올과 카페인을 줄이고, 채소를 먹고, 자외선 차단제를 바르고, 도시락을 싸서 다니고, 플랭크를 했다.

아침마다 일어나서 샤워하고, 아들을 챙기고, 치과에 가고, 장을 보고, 그날 있던 일을 말하는 남편 이야기를 들어 주고, 옆집 여자아이가 고등학교에 지원하는 걸 도와주고, 눈썹을 다듬었다. 중년이 힘들어 보여도 실은 기회라는 내용의 책들도 읽었다. TED 강연을 듣고 상담해 주는 방송도 들었다.

"그래서 이제 맨날 상담 방송만 듣는 거야?"

어느 날 남편이 괴로워하며 말했다.

좋다는 일을 모두 다 했으니 아마도 내 기분이 조금은 나아……졌겠지? 하지만 방심은 금물. 여전히 돈 걱정, 내 경력이 끝났다는 느낌과 지독한 피로가 남아 있었다.

물론 잠깐씩 즐거울 때도 있었는데 특히 친구들이 놀러 오면 그랬다.

한번은 밤에 친구에게서 문자가 왔다.

"나 좀 나가고 싶어."

"맥주 마실래?"

내가 답장을 보냈다.

"좋아."

친구가 답했다.

몇 분 뒤 친구는 우리 집에 와서 조금 전에 남편과 싸운 일, 집안의 생계를 주로 담당하는 사람으로서 느끼는 부담, 가족의 요구 앞에서 자신의 야망을 종종 미뤄야 하는 데서 오는 분노 등을 말했다. 친구는 직장 동료들이 하나같이 자기보다 어리다면서 지금까지는 자신의 외모에 만족하며 살았는데 이제는 '비침습성 시술'을 검색한다고 했다.

"얼굴에는 손댄 적 없어, 아직은. '나는 외모 따위는 신경 안 쓰기 때문에 민얼굴로 다닌다'라는 태도가 나을지, 아니면 화장을 잔뜩 하고 안간힘을 쓰는 사람으로 보이는 게 나을지 고민 중이야."

친구가 말했다.

친구는 어려 보이는 데 돈을 쓰는 것이 장기적으로는 이익이 될 수도 있다고 생각했다. 그녀의 자리를 노리는 밀레니얼 세대에게 밀려나지 않도록 해 줄 수 있기 때문이다. 하지만 친구는 어떤 시술도 할 돈이 없다는 결론을 내렸다.

내가 그해 여름에 몰랐던 사실은 역사적 요인이 X세대 여성들 삶에 끼어들고 있었다는 것이다.

우리는 경제가 나쁠 때 태어났고, 범죄율과 아동 학대율 그리고 이혼율이 급증할 때 어린 시절을 보냈다. 아이들이 특별한 존재가 되기 전 시절이라서 참가상이라는 것도 없었을 뿐만 아니라 요즘 아이들처럼 삶의 흉측한 면으로부터 보호받지도 못했다.

우리는 1990년대 초반 리세션이 시작됐을 때 고용 시장에 뛰어들었고, 리세션은 "고용 없는 성장"[26]으로 이어졌다. X세대 후반기에 태어난 사람이라면 주식 시장이 정점을 찍은 1999년 무렵 취업했을 것이다. 그러다 닷컴 버블이 시작되면서 다시 2001년 리세션으로 이어졌다. 다행히 경제는 회복되기 시작했고, 2000년대 중반까지는 대출도 쉽게 받을 수 있었다. 그러나 산더미 같은 빚을 다 갚기도 전에 2008년 서브프라임 사태로 하늘이 무너졌다.

이제 중년이 된 X세대는 다른 어느 세대보다 빚이 많다.[27] 베이비 붐 세대보다는 82퍼센트, 그리고 미국 소비자 평균보다는

대략 3만 7000달러나 많다.[28]

다른 세대에 비해 저축액이 적고, 여자가 남자보다 저축액이 적다. 베이비 붐 세대가 우리 나이였을 때보다 물가가 훨씬 올랐는데 특히 집 같은 필수품들이 그렇다.[29]

X세대는 번영을 상징하는 아메리칸 드림에도 종지부를 찍는다. 우리 세대는 부모와 비교해 계층이 하강 이동했으며 직장 안정도도 하락했다. 예전에는 각 세대가 부모보다 더 나은 삶을 꿈꿀 수 있었지만 새로운 연구에 따르면 X세대는 그렇지 못할 것이다.

우리 세대의 대다수는 결혼과 육아를 30~40대로 미뤘다.[30] 이는 우리가 어린 자녀와 노쇠해진 부모를 동시에 돌보게 될 확률이 높다는 뜻이다. 또한 사회적으로는 직장에서 승진을 요구하고 더 적극적으로 참여하라는 등쌀에 시달린다.

이로 인한 스트레스로도 모자라 폐경 전의 호르몬 변화와 오락가락하는 기분이 더해진다. 설상가상으로 호르몬이 널뛰는 증상은 스트레스로 인해 악화되고 이 증상은 다시 스트레스 지수를 올라가게 한다.

또한 무시무시한 뉴스 특보와 타인이 자신의 성공을 보여 주기 위해 선별한 소셜 미디어 속 사진들, 일과 관련된 끝없는 업무가 쏟아진다. 친구나 가족의 전화, 문자, 이메일은 말할 것도 없다. 오늘날 고위 관리직에 종사하는 사람들은 일주일에 평균 72시간은 언제든 일할 태세를 갖춘다고 한다.[31]

우리 인생은 테트리스 게임 후반부처럼 막대들이 점점 더 빨리 떨어져 쌓이는 듯하다.

심지어 이렇게 정신없이 바쁜 상황에서 일생일대의 힘든 결정까지 내려야 한다.

내 사업을 시작하겠다는 꿈은 이제 그만 버려야 할까? 직업을 바꿔야 할까? 결혼을 해야 할까? 이혼을 해야 할까? 아이는 그만 낳아야 할까? 아이를 가져야 할까? 아이를 어떤 학교에 보내야 할까? 치매에 걸린 부모님을 요양원에 보내야 할까? 그렇다면 그 비용은 누가 내야 할까? 내 꿈을 실현하기에는 너무 늦었을까?

이렇게 까다로운 질문에 시달리며 중년의 압박감을 견뎌 내기란 전혀 훈련받지 않은 위급 상황을 대면하는 것과 같고, 따라서 효율적으로 대처하기가 힘들다.

이런 상황에서 X세대는 별로 도움이 되지 않는 냉소주의를 발전시킨다.

어릴 때 본 영화 〈금지된 사랑〉에서는 낭만적인 킥복싱 선수인 남자 주인공 로이드 도블러가 저녁 식사 자리에서 멋진 대사를 한다. 당시 많은 X세대가 그 대사를 달달 외우며 심오하다고 생각했을 것이다.

"전 샀거나 가공된 물건을 팔 생각이 없고, 팔렸거나 가공된 물건을 살 생각이 없으며, 팔렸거나 샀거나 가공된 물건을 가공할 생각이 없고, 팔렸거나 샀거나 가공된 물건을 수리할 생각이 없습니다."

이 현명한 말도 이제는 구닥다리가 되었다.

얼마 전 내 친구는 이렇게 말했다.

"도블러의 통합 철학은 사랑스럽고 독창적이고 기발해서 1989년에는 통했을지 모르지만 이제 그 남자는 페이브먼트 (1989년에 인기를 끈 밴드―옮긴이) 티셔츠를 입고 네 소파에 누워서 비디오 게임이나 하고 있다니까."

내가 태어난 해에 게일 쉬이는 초대박 베스트셀러《여정 Passages》을 출간했다. 이 책은 남자와 여자가 중년이 되면서 자신들에게 죽음이 얼마 남지 않았다는 사실을 깨닫는 과정을 진지하고 깊이 있게 다루며 삶의 예측 가능한 단계를 설명한다. '미운 세 살'처럼 '노력하는 20대', '버림받은 40대' 같은 꼬리표를 붙여서.

이는 영향력 있는 심리학자 에릭 에릭슨이 삶을 심리 사회적 8단계로 나눈 분류를 새롭게 해석한 것이다. 에릭슨은 유아기 때는 신뢰와 불신 사이에서 갈등한다고 했다. 그 단계를 성공적으로 마치면 희망이라는 기본 덕목을 얻게 된다. 사춘기 시절은 정체성과 역할 혼돈이 충돌하며 위기를 겪는다. 열여덟 살부터 마흔 살까지는 친밀감과 고립감이 충돌한다. 에릭슨에 따르면 마흔 살부터 예순다섯 살까지의 중요한 문제는 침체기를 피하는 것이다. 또한 사회에 투자한다는 목표를 가져야 하는데 이는 '후학 양성 욕구'로 이어지며 세상에 마지막 영향을 미쳐서 물려줄 유산을 만든다.

게일 쉬이에 따르면 서른다섯 살부터 마흔다섯 살까지는 '마감 기한'인데 이 시기에 사람들은 시간이 부족하다고 느낀다. 그녀는 에릭슨의 발달 단계는 오로지 남자에게만 적용된다고 주장했다.

"중년 남자의 투쟁이 후학 양성 욕구를 통해 침체기를 이겨내야만 하는 것으로 귀결된다면, 여성의 경우에는 자기 선언을 통해 의존성을 초월해야 한다."[32]

2006년에 쉬이가 《여정》의 새 도입부를 썼을 때 그녀는 X세대 여성이 완전히 새로운 게임을 하고 있음을 인정했다.

"성인기에는 여전히 일반적이고 포괄적인 단계가 존재하고, 그 단계들 사이에 예측할 수 있는 과정이 있다. 하지만 수명이 적어도 10년은 늘어났고, 지금도 계속 늘어나고 있다. 인생에서 주요 사건을 겪는 나이의 기준은 이제 매우 탄력적이다. 더는 표준화된 생활 주기가 없으므로 사람들은 자신이 원하는 대로 삶을 만들 수 있다."[33]

쉬이는 X세대 여성이 "처음부터 다시 시작하고 또 시작해야 하는 주기적인 삶"을 살고 있다고 말했다.

X세대 여성은 자신에 대한 기대치가 하늘을 찌를 듯이 높다.

그러나 중년이 되면 어릴 때 우리가 받은 "넌 뭐든 될 수 있어"라는 가르침과 대비되는 냉혹한 현실을 마주하게 되고-최선을 다했는데도 동반자를 찾지 못했거나 임신하지 못했거나 노후 자금을 모으지 못했거나 집을 사지 못했거나 보험이 보장되는 직장을 구하지 못했을 때-우리는 가장 용기가 필요한 순간에 패배자가 된 기분을 느낀다. 술을 마시고 나면 몸이 회복되는 데 시간이 더 오래 걸리고, 거절당했을 때 정신이 회복되는 데도 시간이 더 오래 걸린다. 결국 우리는 이런 의문이 들 수 있다.

"내 인생이 다시 좋아질 수 있을까?"

또 다른 여자는 이렇게 말했다.

"돈은 바닥날 수도 있고 바닥나지 않을 수도 있지만, 시간은 틀림없이 바닥날 거예요."

이런 이야기가 우울하게 들릴 수 있지만 그래도 우리에게는 희망을 품어야 할 이유가 있다.

최근에 어떤 남자에게 내가 이런 책을 쓰고 있다고 했더니 그가 "수많은 여성에게 그들이 얼마나 불행한지 말해야 한다니 참 우울하겠네요"라고 말했다.

하지만 사실은 그 반대다. 이 책을 쓰면서 나는 훨씬 덜 외로워지고, 나와 친구들의 인생을 명확히 볼 수 있게 되었다. 이제야 비로소 위기에서 벗어날 길이 보인다. 그것은 우리 삶을 있는 그대로 마주하고, 자라면서 자신에게 품은 기대를 내려놓고, 우리를 지지해 주는 네트워크를 만들고, 이 힘든 시기가 영원하지 않음을 깨닫는 것이다. 사실 우리 세대가 어떤 난관에 빠져 있었는지 생각한다면, 우리는 미래를 기대할 이유가 없던 것치고는 잘하고 있다.

[바닥난 시간]

공허한 밤마다
흐느끼는 자매들에게

"X세대는 불평하는 데 죄책감을 느껴요.
자신에게는 엄마에게 없던 선택지가 있었으니까요.
하지만 선택지가 있다고 해서 사는 게 더 쉽지는 않잖아요?
가능성이 커질수록 부담도 늘어나죠."

1970년대에 어린 시절을 보낸 켈리는 여자도 무슨 일이든 할 수 있다고 믿었다. 블루칼라 부모님의 딸로 태어나 뉴저지주 북부 교외에서 자란 그녀는 그 집안의 첫 대학 졸업자였다.

어릴 때 켈리와 친구들은 당시 시트콤 〈메리 타일러 무어 쇼 The Mary Tyler Moore Show〉에서 영감을 받아 도시에서 자기 힘으로 생계를 유지하며 살아가는 독립적이고 섹시한 여자들을 흉내 내며 놀았다. 켈리는 목장에서 말을 타고 일하는 여자나 공주가 아닌 '세상을 정복하러 나선 일하는 독신 여성'이 될 작정이었다. 그 시트콤의 주제가인 〈You're going to make it after alllll!〉도 너무 좋아했다. 여주인공이 하늘을 향해 모자를 던지는 장면이나 회사에서 마음 맞는 사람들을 찾아내 가족처럼 지내는 것도 좋았다.

켈리는 1972년에 연방법 '타이틀 나인Title IX'이 통과된 직후 학교를 다녔다. 타이틀 나인은 정부에서 지원하는 교육 프로그램과 방과 후 활동에서 남학생과 여학생이 평등한 대우를 받아야 한다는 법안이었다. 따라서 등록금 지원이나 신입생 모집, 입학, 운동 경기 등에 있어서 남녀 차별은 불법이 되었다.[1] 다들 좀 더 공정한 경쟁이 이뤄지고 여학생들이 크게 성공할 것으로 예상했다.

자신의 꿈을 펼치지 못한 엄마 때문에 켈리에게는 성공이 더욱 중요했다.

"엄마는 날 통해 대리 만족을 느꼈어요. 그래서 엄마를 실망시킬까 봐 늘 두려웠죠."

이런 현상은 미국 각지에서 벌어졌다. 1세대 페미니스트는 19세기에 접어들면서 여성의 참정권을 얻기 위해 싸웠다. 1960년대 초반 여성의 권리를 위해 싸운 2세대 페미니스트는 이제 딸에게 자신의 신념을 물려주었고, 그들이 새로운 차원의 성공을 이룰 수 있게 해 주었다. 간호사가 아닌 의사가 되고, 강사가 아닌 교수가 되고, 비서가 아닌 CEO가 되도록. 우리 조부모가 농사를 짓고 부모님이 중간 관리자로 힘들게 일했다면, 우리 세대는 고급 사무실을 얻게 될 터였다. 가정을 이루고 멋진 집에서 살며 화려한 사교 생활을 누리는 건 말할 것도 없고.

2세대 페미니스트 엄마들이 주문처럼 외웠던 말이 우리의 귓가에 쟁쟁했다.

"여자도 무슨 일이든 할 수 있단다. 대통령도 될 수 있어!"

중서부 출신의 한 지인은 고향에 있는 대학에 다니고 싶었지만, 젊었을 때 타지 대학으로 진학하지 못한 어머니가 자기 딸만큼은 고향을 떠나 타지에서 대학을 다니게 하겠다고 우겼다. 가족은 그녀의 대학 등록금을 마련하려고 두 번이나 대출을 받왔다. 이제 40대가 된 지인이 그때를 회상하며 말했다.

"그해 봄 내내 그리고 집을 떠나 대학 기숙사까지 차를 모는 13시간 동안 나는 엄마에게 고향을 떠나고 싶지 않다는 말을 어떻게 해야 할지 고민했어. 불쌍한 엄마. 기숙사에 도착해 짐을 푸는 순간, 엄마는 완전 신이 났지만 난 울음을 터뜨렸지."

켈리는 인터뷰 도중 악명 높은 엔졸리 향수 광고 노래를 흥얼거렸다.

"당신은 일해서 돈도 벌고, 요리도 하고…….".[2]

이 노래는 라이프 시리얼 광고와 함께 아직까지 많은 사람의 기억 속에 남아 있다.

1980년에 방송된 엔졸리 광고에는 금발 여자가 등장해서 1962년의 히트곡 〈I'm a Woman〉[3]을 개사해서 부르는데 자신은 일해서 돈도 벌고, 집에 오면 요리도 하고, 남편에게는 그가 남자라는 사실을 절대 잊지 않게 해 준다고 말한다. 하루를 보내는 동안—물론 그녀의 향수는 절대 약해지지 않는다—여자는 돈을 벌 때는 바지 정장을 입고, 집에서 요리할 때는 칼라 달린 셔츠에 바지를 입고, 남편을 유혹할 때는 몸에 붙는 짧은 원피스를 입고 관능적으로 보이려고 입술을 내민다. 그러고는 이런 카피가 등장한다.

"24시간 '여자'로 만들어 주는 8시간짜리 향수."

24시간을 정말 저렇게 보내고 싶은 '여자'가 있을까?

놀랍게도 켈리를 포함해 이 광고를 보고 자란 많은 여자아이들이 그렇게 생각했다. 이 광고가 남자들로 하여금 부인에게 엔졸리 향수를 사 주게 하려는 터무니없고 퇴행적인 판타지라고 생각하는 대신 충만한 삶을 보여 주는 미래상이라고 믿었다.

'나도 저렇게 할 수 있어. 직장과 살림을 병행하면서 온종일 성적 매력을 잃지 않을 거야. 학창 시절에 공부하면서 배구팀 주장도 하고, 졸업 앨범 편집도 맡고, 스프레이를 적당히 뿌려서 앞머리도 잘 세우고 다닌 것처럼.'

1984년에 제럴딘 페라로가 부통령으로 출마했을 때 켈리는 열광했지만 놀라지는 않았다. 여자들이 유리 천장을 깨고 있었으니까. 여자가 회사 CEO나 대통령이 되는 건 결국 시간문제라고 켈리는 생각했다.

1987년 영화 〈베이비 붐〉의 오프닝에서는 어깨에 패드가 들어간 재킷을 입은 여주인공이 당당하게 대기업 사무실로 들어간다. 1988년 영화 〈워킹 걸〉에서 멜러니 그리피스는 해리슨 포드에게 이렇게 말한다.

"나는 사업할 머리에 죄지을 몸을 가졌어요. 그게 뭐 잘못됐나요?"4

해리슨 포드는 당황하며 아니라고 말한다.

켈리와 그녀의 친구들은 큰 꿈을 꾸고 계속 공부했다. 머리와 몸을 모두 갖춘 그들은 언젠가 재계를 정복하고 자신만의 해리슨 포드도 생기리라 생각했다.

〈메리 타일러 무어 쇼〉를 잇는 시트콤 〈머피 브라운Murphy

Brown〉은 냉소적인 캔디스 버건이 주연을 맡았고, 그녀는 켈리의 미래상이 되었다. 1992년 시즌 4 마지막 회에서 머피 브라운이 방송국 아나운서라는 힘든 직업을 계속 유지하며 미혼모가 되었을 때 켈리는 또다시 메시지를 받았다. 여자도 일과 사랑 모두에서 성공할 수 있다고. 그러기 위해 필요한 건 근면 성실한 태도와 자신을 지지해 주는 친구들, 일하는 동안 아이를 돌봐 줄 베이비시터뿐이었다.

켈리는 그런 여자가 될 작정이었다. 하지만 일단 어른이 되고 나자 현실이 끼어들었다. 워싱턴 DC에서 대학을 다니는 동안 켈리는 약속의 땅에 도달하기가 예상과 달리 쉽지 않음을 알아차렸다. 꿈을 이루는 데 가장 큰 문제는 돈이 든다는 것이었다.

대학을 다니던 켈리는 심리학 분야에서 자신이 원하는 바를 이루려면 박사 학위가 필요하다는 사실을 깨달았다. 부모님은 더는 학비를 지원해 주지 않을 터였다. 대학 등록금만으로도 그녀는 이미 많은 빚을 졌고, 결국 빈털터리가 되어 고향으로 돌아가게 될까 봐 무서웠다. 그래서 일단 취업해서 빚을 갚기로 마음먹었다. 박사 학위를 따서 심리학 분야에서 일하는 방법은 나중에 찾아낼 계획이었다.

하지만 그 방법은 끝내 찾아내지 못했다. 켈리가 대학을 졸업했을 때는 불경기였고, 일자리를 구하는 것 자체가 힘들었다. 오랜 구직 활동 끝에 성장할 기회가 거의 없는 행정직에 합격했다. 이직할 기회가 생기자마자 켈리는 보험 업계로 옮겼고,

그다음에는 스카우트 업계로 옮겼다. 근무 시간은 길고 성취감보다는 초라한 기분이 들었지만, 그래도 오래 일할 수 있는 업종이었다. 하지만 대학원 등록금은 결코 모이지 않았다.

켈리는 몇 년 동안 연애하다가 스물여덟 살에 결혼을 했고 서른한 살에 첫딸을 낳으면서 직장을 그만두었다. 그리고 2년 후에는 둘째를 낳았다. 그녀는 아이들이 초등학교에 입학하면 다시 취업할 생각이었다. 하지만 아이들이 입학하기 2년 전, 가족이 교통사고를 당해 세 살이던 둘째 딸이 외상성 뇌 손상을 입었다. 아이는 더 많은 보살핌이 필요했는데 그것은 당연히 켈리의 몫이었다.

내가 만난 많은 여자가 집안일 혹은 자기 자신이나 가족의 건강 문제로 직장을 그만두었다. 원인은 알 수 없으나 우리 세대에서는 자녀에게서 지적 장애나 발달 지연 증상이 나타나는 경우가 많았다. 2003년부터 2011년까지 자신에게 주의력 결핍장애가 있다고 생각하는 학생이 많이 늘었는데,[5] 자폐 범주성 장애 진단율을 봐도 2000년에 1000명의 아이 중 10퍼센트이던 수치가 2010년에 이르러 1000명의 아이 중 50퍼센트로 급증했다.

이런 장애가 없어도 일하는 부모가 아이를 제대로 부양하기는 힘들 수 있다. 혼자서 아이를 키우던 한 여자는 출장에서 돌아와 보니 베이비시터가 아기를 방치해 둔 탓에 심각한 발진에 시달렸다고 한다. 그 후로 그녀는 출장을 거부했고, 몇 달 후 불

성실한 근무 태도로 해고되었다.

1992년 케어린 제임스는 《뉴욕 타임스》에 다음과 같은 글을 기고했다.

"댄 퀘일 부통령이 머피 브라운을 가리켜 '지적이고 고액 연봉을 받는 오늘날 전문직 여성의 완벽한 본보기'라고 칭했을 때 많은 여자가 머피를 자신과 동일시했다. 그들은 '머피 브라운? 그건 바로 나야'라고 생각했다. 문득 '그런데 엘딘은(머피 브라운의 베이비시터-옮긴이) 어디 있지?'라는 생각이 들기 전까지는."6

켈리는 셋째를 낳았고, 그 아이는 지금 열 살이다. 켈리는 두 번 다시 취업하지 못했다.

"거의 22년간 풀타임으로 근무한 적이 없어요."

켈리가 부끄럽다는 듯이 말했다. 이제 아이들은 어느 정도 다 자랐고, 뇌 손상을 입은 둘째 딸도 상태가 안정되어 켈리는 얼마든지 직장에 복귀할 수 있었다. 은퇴할 나이까지는 적어도 15~20년이 남아 있었다. 하지만 누가 그녀를 고용하겠는가. 직장을 그만둔 지 너무 오래돼서 더는 도와줄 인맥도 없고, 무엇보다 그녀는 스카우트 업계를 별로 좋아하지 않았다.

"제 나이에 만족스러운 직장을 찾을 수 있을까요? 시누이가 나보다 두 살 많은데 직장을 다니다가 해고됐어요. 지금 다시 정규직을 구하느라 아주 애를 먹고 있죠. 아무래도 나이 때문에 힘든 것 같대요. 그래서 이력서에서 아예 졸업 연도를 빼 버렸다더군요."

켈리가 말했다.

켈리는 창조적인 일을 동경한다. 그래서 장애가 있는 아이를 키운 경험을 남편과 함께 글로 쓰고 있다. 비록 교정은 별다른 진전이 없고 출판하려고 알아보지도 않았지만.

켈리는 매일 출근하면서 일과 살림을 병행해야 할 필요 없이 이런 일들을 생각해 볼 기회가 있어서 행운이라고 말한다. 하지만 마음 깊은 곳에서는 자신보다 남편이 더 행운아라고 생각한다. 그는 집을 떠나서 하루 종일 다른 곳에 있을 수 있다. 점심을 먹거나 몽상에 잠길 휴식 시간도 있다.

켈리는 병원을 정기적으로 방문하고, 아이들을 학교에 데려다주고, 은행 일을 보고, 청소와 요리를 하는 등 규칙적인 의무가 절대 줄어들지 않기 때문에 자기 생각을 행동으로 옮길 여유가 없다는 기분이 든다. 그래서 "가끔씩 화가 치밀기도 한다"고 말했다.[7]

켈리의 맏딸은 열한두 살 무렵 켈리와 함께 차를 타고 가면서 이런 말을 했다고 한다.

"엄마를 기분 나쁘게 하고 싶지는 않지만, 난 집에서 살림만 하는 주부는 되지 않을 거야."

켈리는 다음과 같이 대답했다.

"기분 안 나빠. 엄만 네가 뭐든 행복해지는 일을 하면 좋겠어. 일하는 엄마가 되고 싶다면 그렇게 해. 엄마가 되고 싶지 않다면 그것도 괜찮아. 아예 결혼하고 싶지 않다면 그것도 좋고. 뭐든 널 행복하게 만드는 일을 하렴. 엄마가 바라는 건 그뿐이야. 그저 네가 행복하고 건강한 거.”

켈리는 딸에게 낮은 기대라는 선물을 주었지만 정작 자신에게는 여전히 그런 선물을 허락하지 못한다. 켈리는 매일 아침 잠에서 깨면 구직 활동을 해야 하고, 책을 쓰고, 좀 더 생산적인 사람이 되어야 한다는 의무감에 사로잡힌다. 그리고 이제는 설사 모두가 단합해서 그녀가 꿈을 이루도록 도와준다 해도 너무 늦은 게 아닐까 매일 걱정한다.

베이비 붐 세대로 필라델피아에서 병원을 운영하는 심리 치료사 데버라 루에프니츠는 이렇게 말했다.

“내가 보기에 X세대 환자들은 기진맥진해 있어요. 그들은 불평하는 데 죄책감을 갖죠. 자신에게는 엄마에게 없던 선택지가 있었으니까요. 하지만 선택지가 있다고 해서 사는 게 더 쉽지는 않아요. 가능성이 커질수록 부담도 늘어나죠.”

우리는 원하는 건 무엇이든 될 수 있다는 말을 듣고 또 들었다. 자신들보다 더 많이 이룰 거라고 주장하며 우리를 뒷바라지해 주는 엄마 밑에서 자랐다. 타이틀 나인 법 덕분에 방과 후 체육 활동도 남학생들과 동등하게 할 수 있었다. 텔레비전에 나오는 여성들은 가정을 이루면서 동시에 멋진 직업도 가졌다. 그러니까 만약 우리가 실패한다면 이유는 무엇일까? 남은 건 자책뿐인 것이다.

베이비 붐 세대인 나의 지인 캐럴라인 밀러는 1976년에 신문 기자로 언론인 생활을 시작해 잡지 《세븐틴》과 《뉴욕》의 편집장을 역임했다. 하루는 캐럴라인과 점심을 먹고 헤어진 뒤 그녀로부터 이메일을 받았는데, 다음과 같이 적혀 있었다.

"내가 40대에 누렸던 사회적 분위기, 다시 말해 단지 경제적 호황뿐 아니라 '해방된' 여자로 살아가는 방법을 알아냈던 기쁨이 부당하게도 이젠 존재하지 않는 것 같아. 기대하는 바가 전혀 없을 때는 기대치를 뛰어넘기가 훨씬 쉽지. 뭘 하든 이기게 되는 거고. 내가 네 나이였을 때는 스트레스라는 개념조차 없던 것 같아."

X세대의 스트레스가 시작된 때를 말하라면 나는 1970년대 중반이라고 답하겠다. 1970~1980년대를 그리워하는 마음 때문에 사람들은 종종 그때가 여러 면에서 아이들에게 힘든 시기였다는 사실을 간과하곤 한다. 당시 범죄율은 높이 치솟았고, 경제는 추락했다. 아이들을 괴롭히는 문제에서는 '한없는 관용' 정책을 펼쳤고, 아이들에게는 알아서 자신을 지켜야 한다는 믿음이 있었다.

뉴저지주에서 자란 X세대 친구는 고등학교 때 상담 선생님에게 "가정 교육이 잘못되어서 성공하기는 글렀다"는 말을 들었다고 한다. 또 다른 친구는 상담 선생님이 학교 식당에서 완전히 폭발해서 학생들에게 "너희들은 다 패배자로 살다가 죽을 것"이라고 소리를 질러 댔다고 한다.

이런 이야기를 들을 때마다 우리 학교 선생님은 대부분 학생들에게 무관심해서 차라리 다행이었다는 생각이 든다. 내 친구 에이저는 교장 선생님과 특별 상담 시간을 가졌는데, 다음과 같은 대화가 오갔다고 한다.

"에이저, 왜 그 남학생을 때렸니?"

"걔가 에릭 리를 괴롭혔어요."

"저런. 그럼 괜찮다. 네 친구를 위해 나서다니 잘했어. 하지만 교장실에서 나가면 다른 애들에게는 선생님에게 혼났다고 말해라."

당시 자유방임 교육의 장점은 아이들이 자유로웠다는 것이다. 단점은 어른의 보호가 없었기에 우리는 더 쉽게 괴롭힘을 당할 수 있었다는 것이다.

중학교 때 남학생들은 복도에서 재미로 여학생들의 브래지어를 잡아당겼다. 선생님들이 보는 앞에서 그럴 때도 많았는데 선생님들은 남학생들을 나무라지 않았다.

'낯선 사람은 위험해!'라는 문구를 마음에 새기고, 특히 위험한 동네에서는 열쇠 끝이 밖으로 삐죽 나오게 주먹을 쥔 채 자유롭게 돌아다녔다. 우리는 방과 후에 빈집으로 돌아오는 아이들이었고, 일찌감치 자립을 했다. 비록 매일 점심시간마다 다른 아이의 사진이 실린 우유갑을 마주했지만.

그 사진 밑에는 '실종'이라고 적혀 있었다. 뉴욕시에 있는 우리 집에서 멀지 않은 곳에서 살다가 여섯 살이던 1979년에 실종된 에탄 패츠의 사진이었다. 어른들은 우리에게 그 애가 유괴되어 살해됐을 것이라고 말했다(나중에 그 말은 사실로 밝혀졌다). 당시에는 사탕발림이 없었다. 음식 말고는.

1980년대 일리노이주 스프링필드 외곽에서 자란 밸러리는 어릴 때 자전거를 타고, 길 건너 옥수수밭과 콩밭에서 뛰어놀고, 나무가 드문드문 있는 숲에서 나무를 타고, 큼직한 목제 콘솔 상자 안에 든 텔레비전으로 세 개의 채널을 보고, 스티븐 킹 소설 읽는 걸 좋아했다.

X세대는 식당이든 비행기 안이든 할 것 없이 뿌연 담배 연기 속에서 간접흡연을 하며 어린 시절을 보냈다. 우리는 우리가 어떤 위험에 노출되어 있는지도 모른 채 놀았다. 픽업트럭 짐칸에 타고, 헬멧도 없이 자전거를 타고, 자외선 차단제도 바르지 않은 채 햇볕 아래 누워 있던 일들(나의 한 지인은 X세대의 또 다른 이름은 '구릿빛 세대'라고 했다)이 밸러리가 가장 사랑하는 어린 시절 추억이다.

"우리 부모님은 항상 나를 차에 남겨 둔 채 일을 보러 다녀오시곤 했어요. 지금은 상상도 할 수 없는 일이죠. 요즘은 가게에 가도 차에 아이를 두고 오지 않았는지 확인하라는 팻말이 걸려 있잖아요."

밸러리가 말했다.

밸러리가 열 살이 됐을 때 아빠가 엄마를 떠났다. 그녀는 엄마가 인공 감미료와 다이어트 콜라를 마셔 가며 끊임없이 다이어트를 했는데도 과체중이었기 때문에 아빠가 떠났다고 믿었고, 이런 생각 때문에 자신도 늘 음식과 싸우는 것 같다고 했다.

많은 X세대 아이와 엄마는 이혼과 함께 재정적으로 파탄에 이르렀다.[8] 1980년대에 부부가 이혼하면 아이들은 거의 예외 없이 엄마와 함께 살았고, 아이를 키우는 집의 수입은 급속도로 감소했다. 한 연구 결과에 따르면 대략 42퍼센트 감소했다.[9] 엄마 혼자 가장 노릇을 하는 일부 가정이 결국 다시 부유해지기도 했지만, 대다수는 예전의 풍족한 상태로 돌아가지 못했다.[10]

그동안 미국은 스태그플레이션과 워터게이트, 석유 파동, 제철소 폐쇄 같은 사건을 겪었다. 지미 카터 대통령은 스웨터를 입고 텔레비전에 나와서 근검절약을 격려하기도 했다.[11]

진 M. 트웽이는 《나의 세대Generation Me》에 다음과 같이 썼다. "걷잡을 수 없이 늘어나는 이혼, 불안정한 경제, 치솟는 범죄율, 싱글족 문화 때문에 1970년대는 아이들에게 매우 힘든 시기였다."[12]

이혼 가정의 아이는 부모의 불안과 새로운 이성을 사귀기 힘든 고충을 들어 주는 어린 상담가가 됐을 수 있다. 그래서 어린 아이라기보다는 어른의 눈과 귀로 보고 들을 수 있는, 덩치만 작은 사람으로 다뤄졌을 것이다.

2016년 이후 다시 신문 헤드라인에 러시아가 등장하면서 많은 X세대가 어린 시절의 반러시아 문화를 떠올렸다. 1983년 영화 〈위험한 게임〉에서 매슈 브로더릭이 연기한 고등학생 해커는 우발적으로 국방부 컴퓨터에 들어갔다가 지구를 핵전쟁에서 구해야 하는 처지가 된다. 같은 해 미국인 1억 명은 ABC에서 방영한 텔레비전 영화 〈그날 이후〉를 시청했다. 소련과 미국 사이에 핵전쟁이 일어나 수많은 사람이 죽고 사회는 무너지고 땅은 폐허가 되는 내용이었다.[13] 1984년의 영화 〈젊은 용사들〉은 러시아와 쿠바 군인이 콜로라도주 마을을 침략해 사람들을 죽이고 재교육한다는 내용으로, 소수의 젊은이(패트릭 스웨이지, 찰리 신, 리 톰프슨이 연기하는 인물들)가 무장 민병대를 조직해 싸운다.

X세대 한 여성은 어릴 때 로널드 레이건 대통령에게 제발 핵전쟁을 피해 달라는 편지를 보냈다고 한다. 그녀가 받은 답장은 위로가 아니라 핵 위협을 알리는 세부 정보가 담긴, 어린아이에게 부적합한 책자였다.

우리가 핵전쟁으로 인해 아무 경고 없이 소멸될 수 있다는 생각은 1991년까지 뉴스와 연예계의 주요한 주제였다. 1979년에 펜실베이니아주 스리마일섬 원자력 발전소에서 노심의 절반 이상이 녹아내리는 사고가 발생했고, 1986년 체르노빌 원자력 발전소 폭파 사고로 핵전쟁은 턱밑까지 다가온 듯했다. 1980년대 심리학 보고서들을 보면 핵전쟁 위협으로 많은 아이가 극도의 불안에 시달렸다. 한 신문 기사에 따르면 그나마 우리가 "급속도로 냉소적이고 냉담해"[14]졌기 때문에 마음을 오래 졸이지는 않았다.

그뿐 아니라 지구의 생존 자체도 불확실하다고 믿게 되었다.

밸러리는 이렇게 말했다.

"매일 밤 우주에 지구 종말이 오지 않게 해 달라고 기도했어요. 가끔은 반심리학을 시도하기도 했죠."

우주가 자신의 소원을 외면할 것으로 확신한 밸러리는 어둠 속에서 침대에 누워 세상이 폭발했으면 좋겠다고 중얼거렸다.

텔레비전 프로그램과 영화는 대부분 아이들을 겁에 질리게 하는 내용일 뿐 아니라 너무 많이 소비된다는 점이 문제였다. 나는 학교에서 돌아오면 자기 전까지 계속 텔레비전을 봤다. 내게 그 시절은 〈형사 가제트Inspector Gadget〉, 〈우디 우드페커 쇼The Woody Woodpecker Show〉 같은 만화, 〈가격은 옳다 The Price is Right〉, 〈발칙한 기부쇼Family Feud〉 같은 게임 프로그램, 〈헤드 오브 더 클래스Head of the Class〉, 〈치어스Cheers〉, 〈패밀리 타이스Family Ties〉, 〈나이트 코트Night Court〉, 〈제퍼슨 가족The Jeffersons〉, 〈라번과 셜리Laverne and Shirley〉, 〈슈퍼소녀 비키Small Wonder〉, 〈벤슨Benson〉 같은 시트콤, 〈맥가이버 MacGyver〉, 〈전격Z작전Knight Rider〉 같은 드라마가 희미하게 합쳐져 있다. 또 〈리딩 레인보Reading Rainbow〉 같은 약간의 교육 방송도 섞여 있다. 일요일이 가장 슬펐는데 그날은 미식축구와 교회 예배, 뉴스만 방송했기 때문이다.

〈X세대 사고방식 목록〉에 따르면 "부모가 고학력자일수록 오후 4시에 수업이 끝나고 집에 돌아오는 X세대를 맞이하는 것은 전자레인지와 MTV만 있는 빈집일 확률이 높았다."[15] 1981년 8월 1일, 버글스의 〈Video Killed the Radio Star〉와 함께 개국한 MTV는 당시 중고생에게 반드시 봐야 하고 늘 틀어 놓아야 하는 채널이 되었다. MTV를 볼 수 없는 도심 외곽(내가 아는 어떤 동네에서는 악마의 방송이라면서 MTV를 금지해 버렸다)에 살던 친구들 사이에서는 방송을 녹화한 120분짜리 비디오테이프가 방과 후 어디서 만나자는 쪽지처럼 돌아다녔다.

당시에는 DVR과 넷플릭스가 없어서 광고를 많이 봤다. 2017년 연구에 따르면 X세대의 83퍼센트는—다른 어떤 세대보다 많은 수치다—텔레비전에 나오는 광고를 믿는다.[16] X세대는 물질주의를 혐오하는 동시에 매우 물질주의적인데 거기에는 시사하는 바가 있을 것이다. 1980년대에 인격이 형성된 X세대는 탐욕과 폭식에 푹 젖어 있었다. 여피족이 되어 BMW를 몰고, 아르마니 옷을 입고, 스포츠카를 타고, 월 스트리트에서 일하고 싶어 했다. 그에 대한 반항심으로 구제 옷을 사기는 해도 마음 깊은 곳에는 더 많은 물건을 원하는 욕구가 심어져 있었다.

이런 물욕은 우리가 탐욕스럽다기보다 《시계태엽 오렌지》 주인공처럼 사람을 조종하는 광고에 길들여진 필연적 결과라고 해야 하지 않을까? 세상에서 무슨 일이 벌어지고 있든 내 머릿속에서는 이 노래가 계속 돌아간다.

"슬링키! 슬링키! 놀라운 장난감! 슬링키! 슬링키! 남녀 모두 재미있게 즐길 수 있지!"[17]

초콜릿은 깨물 때 항상 아삭 소리가 나고, 멘토스는 기분을 상쾌하게 해 주며, 오로지 나만 산불을 막을 수 있다는 사실을 영영 잊지 못하리라(각각 네슬레 크런치와 멘토스, 산불 예방 공익 광고의 카피−옮긴이). 내가 사 먹는 볼로냐소시지 이름은 죽을 때까지 O−S−C−A−R일 것이다(오스카 마이어 제육 회사 광고에 등장하는 꼬마가 이렇게 노래한다−옮긴이).

불안정한 경제 속에서 텔레비전이나 영화를 통해 거의 매일 아동복, 장난감, 유원지, 게임기 등의 광고를 보고 자란 아이들이 나중에 성인이 되어 대형 할인점 매장 통로에서 짜릿한 기쁨을 느끼거나 하드커버 책과 화장품, 아이들 잠옷을 아마존 프라임 장바구니에 무분별하게 담는 건 당연하지 않을까?

쏟아지는 광고와 뉴스, 각종 연예 오락 프로그램을 통해 우리가 받은 메시지는 이상하고 혼란스러울 수 있다. 특히 섹스와 마약에 대해서는 더욱더 그렇다.

베이비 붐 세대가 10대였을 때는 우드스톡과 비틀스가 있었다. 하지만 X세대에게는 부작용 없이 탐닉할 수 있는 대상이 없었다.

말기 베이비 붐 세대는 음주에 너그러운 사회적 분위기를 즐겼고, 열여덟 살부터 술을 마실 수 있는 도시가 많았다. 이는 시골 마을에서는 언니나 오빠와 함께 술집에 가면 다정한 바텐더가 칵테일 럼앤콕을 주었다는 뜻이다. 반면 대다수 X세대에게는 음주가 순수하게 즐길 수 있는 오락거리라는 환상이 전혀 없었다. 1980년에는 음주 운전에 반대하는 어머니 모임이 결성되었고, 1983년에는 약물 남용 반대 교육 프로그램이 만들어졌다. 1984년에는 전국 최소 음주 법령에 따라 미국 모든 주에서 스물한 살 미만은 술을 마실 수 없었다. 신분증은 위조가 더 힘들어졌다. 음주 운전 법은 더 엄격해졌다. 케빈 길버트는 1995년에 발표한 〈Goodness Gracious〉에서 어린 X세대는 "너무 어려서 참석할 수 없는 파티의 청소부"라고 노래했다.[18]

1960년대 초반 피임약이 도입되면서 임신 외의 목적으로 하는 섹스가 훨씬 덜 무서워졌다. 20년쯤 후에 에이즈 위기가 강타하기 전까지는. 고연령층 X세대는 에이즈가 알려졌을 때 이미 성인이었다. 따라서 그들은 앞으로 하게 될 섹스가 아닌 예전에 한 섹스를 떠올리며 패닉에 빠졌다. 에이즈 공포는 안전하고 자유롭게 섹스하고 싶은 어린 X세대의 희망을 파괴해 버렸다. 1987년에 WHO는 에이즈 확산을 억제하는 캠페인을 시작했다. 1993년에는 전 세계적으로 에이즈 환자가 250만 명이 넘었다. 1990년대 초반 우리 학교에서는 성교육 시간에 성병에 걸렸을 때 나타나는 발진을 생생한 사진으로 보여 주었다. 친구들과 나는 배낭에 콘돔을 넣어 다녔고, 콘돔 없이 섹스했다가는 죽을 거라고 확신했다.

우리보다 더 어린 X세대는 1991년 변호사 애니타 힐이 당시 대법관 후보이던 클래런스 토머스에게 당한 성추행 증언을 통해 반(反)성교육을 받았다(클래런스 토머스가 애니타에게 누가 자신의 콜라 캔에 음모를 넣었느냐고 한 발언부터 청문회 심사 위원이던 상원 의원들이 그녀에게 "앙심을 품고 있느냐"고 거만하게 물어본 일까지). 그리고 물론 《스타 보고서The Starr Report》도 있었다. 1998년에 출판된 이 책은 케네스 스타 특별 검사가 클린턴 대통령과 모니카 르윈스키의 성관계를 상세하게 묘사해 의회에 제출한 보고서로 "미즈 르윈스키는 나중에 대통령의 정액 자국이 묻은 것으로 밝혀진 원피스를 제출했다"[19]처럼 성욕을 식게 만드는 문장도 있었다. 확실히 섹스는 자칫하면 죽거나 아니면 세상에서 가장 강력한 나라의 정치를 위태롭게 했다.

나는 여덟 살이던 1984년 텔레비전에서 〈Like a Virgin〉에 맞춰서 엉덩이를 흔들어 대는 마돈나를 보며[20] 속옷을 겉옷처럼 입을 수 있다는 사실을 배웠고, 아홉 살 때 〈패밀리 타이스〉의 알렉스 P. 키턴과 엘런 리드를 보며 사랑을 배웠다. 열세 살 때는 〈더티 댄싱〉을 보며 나도 열일곱 살에 스물다섯 살 댄스 강사를 만나 메렝게와 섹스를 동시에 배울 수 있으면 얼마나 좋을까 생각했다.

당시는 인터넷이 존재하기 전이었고, 책을 좋아하는 사춘기 소녀이던 나는 도서관에서 질 오르가슴이 음핵 오르가슴보다 우월하다고 적힌 옛날 책을 발견했다. 그러고는 질 오르가슴이

든 음핵 오르가슴이든 어떻게 해야 느낄 수 있는지 감도 못 잡은 채 책을 다 읽었다. 1991년에 영화 〈양들의 침묵〉에서 한 죄수가 조디 포스터에게 정액을 던지는 장면에서 처음으로 정액을 봤다. 이 주제에 대한 또 다른 정보는 신시아 하이멜의 풍자적인 작품《소녀들을 위한 섹스 팁Sex Tips for Girls》에서 얻었는데, 여기에는 정액을 삼켜야 한다고 적혀 있었다.[21]

"어릴 때 재미로 야한 영화 보러 다닌 거 기억해? 우리가 〈포키스〉를 보러 가고 싶다고 하면 부모님이 '그래라' 하셨잖아. 마치 사탕 하나 더 준다는 듯이."

최근에 친구 레베카와 함께 우리 아이들이 볼 만한 PG-13등급의 영화를 찾아 코먼센스미디어 웹 사이트를 뒤질 때 레베카가 한 말이다.

1990년대에는 3세대 페미니즘 운동이 시작되며 성교육의 공백을 메웠다. 많은 X세대 여성은 에이즈로 인해 그들에게 주입된 불안을 해소하기 위해 점차 섹스를 긍정적으로 받아들였다. 잡지《새시》, 그리고 종종 복사하고 스테이플러로 찍어서 음반 가게나 서점에서 팔던 동인지에는 섹스에 대한 정보가 많았다. 수지 브라이트, 애니 스프링클, 벨 훅스 같은 작가나 라이엇 걸 운동(Riot Grrrl Movement:1990년 초에 형성된 페미니스트 하위문화 운동—옮긴이)에 참여한 음악가들은 위험 부담이 크고 임신이 보장된 섹스에 좀 더 재미있게 접근하는 방법을 제공했다. 리즈 페어가 1993년에 발표한 앨범 〈Exile in Guyville〉은 섹스에 대한 열정과 낭만적 환멸이 어우러진 신선한 작품이다.

1994년 잡지 《에스콰이어》에서는 3세대 페미니즘 운동을 이끄는 리더들을 '나랑 하자' 페미니스트라고 지칭했다. 기사 제목은 '예스Yes'이고, 내용은 다음과 같다.

"그것이 섹스(그리고 남자도!)를 포용하는 신세대 여성 사상가들의 메시지다. …… 하지만 그렇다고 해서 섹스에 만족하지 못한 여자들이 남자의 페니스를 잘라 수풀에 버리는 일까지 막을 수 있을까?"[22]

위기에 처한 페니스를 구하는 것이야말로 페미니즘의 목표였기 때문이다. 라이엇 걸의 만트라이던 '걸 파워Girl Power'는 여자들끼리의 우정을 노래하면서 정작 옷은 미니스커트와 배꼽티를 입을 권리가 필요하던 걸 그룹 스파이스 걸스가 빼앗아 갔다.

1993년에 〈새터데이 나이트 라이브〉에서는 안티오크 대학에서 제정한 성범죄 금지 정책을 조롱했다. 이는 대학 캠퍼스에서 발생한 성폭행 때문에 제정된 것으로, 성관계에 있어서 분명하게 동의하는 문화를 만들기 위해서였다. 〈새터데이 나이트 라이브〉에서는 '데이트 강간일까요?'라는 이름의 악의적인 게임 코너에 셰넌 도허티가 연기한 참가자가 나온다. 피해자화 과정을 연구하는 그녀는 거의 모든 상황마다 '데이트 강간'이라고 외쳐 게임에서 이긴다.[23]

같은 해에 내가 다니던 고등학교에서 영어 선생님이 수업 시간에 영화 〈피고인〉을 보여 주셨다. 영화 속에서 조디 포스터가 연기한 여주인공이 탁구대 위에서 강간을 당하는데, 바에 앉아 있던 다른 남자들이 환호한다. 그 장면을 보던 한 여학생은 얼굴이 창백해지더니 교실에서 뛰쳐나갔다.

머틀리 크루는 〈She Goes Down〉, 〈Slice of Your Pie〉, 〈Girls Girls Girls〉 같은 노래를 통해 여자를 어떻게 하고 싶은지 분명히 말했다. 우리는 중학교 때 포이즌의 〈Every Rose Has Its Thorn〉에 맞춰서 천천히 춤을 추었다. 그러다 〈I Want Action〉 같은 그들의 다른 노래를 들었다. 그 노래에서 브렛 마이클스는 여자들이 굴복하기 전까지는 포기하지 않겠다고 맹세한다. 여자가 그럴 마음이 없다면 "그녀를 가져서 내 소유로 만들겠다"고 말한다. 건스 앤 로지스의 1987년 앨범 〈Appetite for Destruction〉의 오리지널 커버에는 강간당한 여자와 그녀를 강간한 듯 보이는 로봇이 그려져 있다.[24]

X세대 여학생들은 자신들에게 엄청난 힘이 있다는 말을 들었지만 현실적으로는 약하다는 사실을 인식하며 자랐다. 한편, X세대 남학생과 여학생은 자신들이 어떤 상처로 고통받든 서로를 위로해 줘야 한다는 걸 일찌감치 배웠다.

1986년 1월 28일, 우리 학교의 지직거리는 확성기에서 방송이 흘러나왔다. 그 확성기는 주로 국기에 대한 맹세를 하거나 '독수리가 착륙했다' 같은 알쏭달쏭한 방송을 할 때만 사용되었는데, 나중에야 우리는 그 말이 선생님들에게 월급이 준비되었으니 가져가라는 뜻임을 알게 되었다. 하지만 그날은 그보다 훨씬 더 신나는 소식이 기다리고 있었다. 확성기를 담당한 여직원은 마침내 챌린저호를 발사할 시간이 되었다고 발표했다. 확성기 잡음 속에서도 그녀의 목소리에서 뚝뚝 흘러내리는 자부심이 들렸다.

5학년 과학을 가르치던 몰리지 선생님이 큰 상자처럼 생긴 텔레비전을 강당으로 끌고 왔고, 우리는 우주 왕복선 발사 장면을 보려고 자리에 앉았다.

그해에 X세대 최고 연령층은 대학생이었고 최저 연령층은 기저귀를 뗀 지 얼마 안 된 아기였다. X세대 정중앙에 있던 우리는 한창 인격이 형성될 시기였다. 나는 열 살이었다.

나사NASA는 아이들이 우주에 좀 더 관심을 갖게 하려고 애썼고, 광고도 열심히 했으며, 발사 원리에 대한 수업도 했다. 우리는 매일 선생님들과 뉴스를 통해 간략한 보고를 들었다. 우리 학교의 대리 교사 하나가 민간인 후보였다는 소문도 돌았다(알고 보니 미국의 거의 모든 초등학교에 그런 소문이 돌았다).

빅 버드(미국 어린이 텔레비전 프로그램 〈세서미 스트리트〉의 주인공인 크고 노란 새—옮긴이)를 우주 왕복선에 태우자는 말도 있었는데 그 계획은 무산되었다. 빅 버드의 탈을 쓰고 연기하는 캐럴 스

피니의 말에 따르면 우주선이 좁은 데다 빅 버드의 키는 180센티미터가 넘기 때문이었다.[25]

대신 나사에서 진행하는 우주 교사 프로젝트에 활기차고 열정적인 뉴햄프셔 출신의 교사 크리스타 매콜리프가 뽑혀서 우주선에 처음으로 탑승하는 민간인이 되었다. 우리 모두 그녀의 사진을 숱하게 봤다. 그녀에게 어린 두 아이가 있고, 그중 하나가 나와 동갑이라는 사실도 알고 있었다.

챌린저호 발사는 몇 차례 연기되었지만 이번에는 진짜였다. 텔레비전으로 케네디 스페이스 센터를 실시간으로 볼 수 있었다.[26] 발사 15초 전……

우리는 10초 전부터 한목소리로 초읽기를 시작했다.

"그리고 발사!"

우리는 환호했다. 챌린저호가 하늘로 올라가는 장면을 1분 동안 지켜봤다.

아나운서가 발사가 지연된 과정을 언급하는 동안 화면이 환해졌다.

보조 발사체가 양쪽으로 갈라졌고, 로켓이 있어야 할 중앙에 연기만 보였다. 그 연기는 종이 빨대를 꼬아 만든 '뱀' 무더기 위로 물이 한 방울 떨어져 뱀이 급격히 팽창하는 듯한 모양새였다. 우주선은 어디에 있단 말인가.

아나운서가 말을 멈췄다. 우리는 화면을 응시하며 지금 우리가 보는 광경을 설명해 주기를 기다렸다. 몇 초가 지났다.

아니, 대체 우주선은 어디 있지? 초고속으로 날아가 버렸나?

우리는 선생님을 바라보았다. 화면을 바라보았다. 서로를 바라보았다.

25초가 흐른 뒤 아나운서가 드디어 입을 열었다. 그 25초 동안 미국 각지 교실에서 수백만 명의 어린이가 텔레비전을 바라보며 천천히 의문을 가졌다. 그 친절하고 행복한 선생님이 정말로 화염 속에서 죽은 걸까? 선생님의 아이들도 우리처럼 그녀의 잔인한 죽음을 지켜보고 있을까?

아나운서는 지나치게 태평한 목소리로 말했다.

"튼튼한 보조 발사체 스트라우스가, 어, 우주선 측면에서 떨어져 폭파한 것 같네요."

오랫동안 정적이 흐르더니 다른 목소리가 들렸다.

"여기 관계자들이 상황을 예의 주시 하고 있습니다. 중대한 오작동이 일어난 듯합니다."

중대한 오작동.

우리가 사랑하고 응원한 선생님이자 엄마인 그 여자는 역시나 우리가 얼굴을 알게 된 다른 사람들과 함께 방금 눈앞에서 폭발해 버렸다. 어른들이 우리에게 그 장면을 보게 했다. 그러고는 이제 와서 '중대한 오작동' 같은 이상한 단어를 쓰고 있었다. 25초간의 침묵. 그리고 그 후에도 침묵이 이어졌다. 몰리지 선생님이 무슨 말을 했는지 기억나지 않는다. 이제 점심시간이라고 한 말 말고는.

우리 아들이 다니는 뉴욕시 공립 학교에서는 중대하다 싶은 사건이나 미국 어디에서든 교내에서 총격 사건이 발생하면 그 일에 대해서 그룹으로 토론한다. 학교 상담사는 어떤 질문이든 받아 준다. 무용 선생님은 춤으로 그 사건을 표현하게 한다.

X세대 엄마들도 아이들의 감정을 보살피는 것을 가장 우선시한다. 나는 인터뷰하기로 되어 있던 캔자스시티의 한 여성에게서 다음과 같은 메시지를 받았다.

"안녕하세요, 아다. 오늘 만나기로 한 약속을 다시 잡았으면 좋겠어요. 어제 우리 집 개가 스쿨버스에 치였는데 우리 딸이 집 앞에서 그 광경을 봤답니다. 아이에게 큰 트라우마가 됐죠. 오늘 아이들을 학교에서 데려오면 한동안 붙어 있으려고 해요. 당신 책을 위해서 꼭 인터뷰하고 싶어요. 올바른 정신 상태로 만나고 싶은데, 오늘은 안 되겠어요."

1970~1980년대에는 가족끼리 '붙어 있는' 경우가 거의 없었다. 당시에는 어른들이 아이들로 하여금 마음속 두려움과 실망, 슬픔을 이해하고 받아들이도록 도와주지 않았다. 운동을 좋아하는 아이들은 자신을 지키기 위해 요가가 아닌 근력 운동을 했다. 여러 주에서 교사가 학생을 체벌했다.[27]

최근 초등학교 동창들에게 연락해 챌린저호 폭발 사고 이후에 우리 학교에서 집회 같은 게 있었느냐고 물었다. 다들 침묵이 흐르던 일만 기억했다. 한 친구는 교실 텔레비전 속에서 챌린저호가 폭발했을 때 선생님이 울음을 터뜨리더니 텔레비전을 끄고 다른 일에 아이들의 주의를 돌렸다고 했다. 또 다른 친구는 선생님이 아직 폭발 소식을 듣지 못한 1학년 학생들에게 "그건 그렇고 우주 왕복선이 폭발했단다"라고 말하더니 신경질적으로 웃던 일이 기억난다고 했다.

우리 세대는 자식을 지나치게 과보호한다고 조롱받는다. 아이들이 충분히 실패하게 내버려 두지 않고 지나친 보호 장비로 아이들을 감싸는 바람에 그들이 준비가 안 된 채 인생에 맞서게 했다는 말을 듣는다. 아마 그 말은 사실일 것이다. 하지만 그렇다면 그 원인은 1986년 1월 28일 아침에 일어난 그 챌린저호 폭발 사건의 트라우마 때문이다.

부모님이나 선생님의 지도를 받지 못한 상황에서 우리는 나름대로 그 사건을 이해하려고 노력했다. 몇 주 뒤 그 참사는 블랙 유머 소재가 되었다. 어느 날 한 아이가 운동장에서 불이 붙은 성냥을 하늘로 던지더니 내게 물었다.

"저게 뭐게?"

"모르겠는데. 저게 뭐야?"

"챌린저호."

웃기지는 않았지만 적어도 우리가 본 광경과 관련이 있었다. 우리는 공포를 어떻게 다뤄야 할지 모른 채 그저 시큰둥한 척했다. 우리 세대는 그런 성향을 좋아하게 되었고, 블랙 유머 속에서 자신을 달래는 것이 우리의 스타일이 되었다. 가비지 페일 키즈(양배추 인형과 비슷하게 생긴 아이들이 그려진 카드로 그림이 기괴

하고 불쾌한데, 지금은 컬트 문화의 고전이 되었다—옮긴이)나《매드》(풍자만화 잡지—옮긴이), 영화 〈그렘린〉이 그 예다(이제야 아까 내가 한 이야기가 무엇이 잘못되었는지 생각났다. 어린아이가 학교에서 성냥불을 가지고 놀다니!).

우리가 방어적으로 된 데에는 다 그만한 이유가 있다. 1974년에 전국적으로 최고치를 경신한 살인율은 1990년대 초반까지 계속 최고치를 경신했다.[28] 성폭행을 당했다고 주장하는 아이의 수는 1977년부터 1992년까지 꾸준히 상승했다. 이는 아마도 1977년에 제정된 아동 성 착취 보호 법안 덕분에 신고 건수가 늘고, 지자체 산하 아동 보호 전문 기관이 확장된 일과 연관이 있을 것이다.[29] 혹은 더 많은 아이가 학대당하고 있다는 신호일 수 있다. 거의 모든 X세대 여성은 어릴 때 누군가가 몸을 더듬거나, 노출증 환자와 마주치거나, 성추행을 당하거나, 명백한 강간을 당한 경험이 있다.[30]

인종 문제에서도 우리는 듣는 것과 보는 것이 다르다는 걸 눈치채지 않을 수 없었다. 짐 크로 법(1876년부터 1965년까지 시행된 미국의 주법으로, 미국 남부에서 인종 간 분리를 강화하는 내용—옮긴이)은 1964년 민권법(인종, 민족, 출신 국가, 소수 종교와 여성을 차별하는 것을 불법화한 미국 민권 법제화의 기념비적 법안—옮긴이)으로 대체되었고, 따라서 X세대는 인종 차별 폐지 속에서 자랐다. 1976년에는 제럴드 포드 대통령에 의해 처음으로 흑인 역사의 달이 제정되었다.

하지만 주위를 돌아보면 여전히 인종 차별이 횡행하고 있었다. 1980~1990년대는 센트럴 파크 파이브(1989년 센트럴 파크에서 백인 여성이 구타와 성폭행을 당했는데 흑인과 히스패닉계 10대 소년 5명이 억울하게 범인으로 몰린 사건-옮긴이), 로드니 킹(1992년 로스앤젤레스 폭동의 기폭제가 된 경찰 구타의 피해자-옮긴이), 아마두 디알로(1999년 경찰이 강간범으로 오인해 쏜 총을 맞고 죽은 흑인 청년-옮긴이) 같은 사건들로 도배되었다. X세대에게는 다시 한번 학교에서 배운 가르침[프리덤 라이더스(1960년대 미국의 인종 분리에 대한 항의 운동-옮긴이)에 의해 인종 차별주의는 철폐되었다]과 눈앞에 보이는 현실(사회에 만연한 인종 차별주의, 우리 학교에서 볼 수 있는 인종 간의 긴장감)이 현저히 다르다는 것을 깨닫게 해 주는 사건들이었다. 하지만 가장 큰 격차가 나는 것은 우리 부모님 세대의 이상과 우리 세대의 현실이었다.

1989년에 베를린 장벽이 무너지고 1991년에 소련이 몰락하면서 제3차 세계 대전이 일어날 가능성은 하룻밤 사이에 사라진 듯했다. 냉전이 문화적 기준이던 베이비 붐 세대 부모님들은 이 일을 축하했다. 당시 우리 아버지는 독일에 계셨는데 베를린 장벽까지 순례를 가서 기념품으로 장벽 일부를 떼어 오셨다.

하지만 X세대는 어린 시절의 공포에서 벗어나지 못했다. 아마도 역사적 맥락을 충분히 이해하지 못했기 때문일 수도 있다. 혹은 그때쯤에는 어떤 좋은 소식을 들어도 자동으로 의심하게 되었기 때문일 수도 있다. 아니면 너무 오랫동안 걱정해 온 탓에 더는 걱정할 필요가 없다는 말을 들어도 어떻게 걱정을 멈춰야 할지 몰랐거나. 어쨌든 기쁨을 즐기는 대신 우리는 두 배 더 염세적으로 되었다.

우리가 투표할 나이가 되었을 때 X세대에게는 '미국 역사상 가장 정치에 관심이 없다'라는 딱지가 붙었다. 게다가 투표율은 전에 없이 낮았다.[31] 퀸 라티파 같은 스타들이 앞장서서 X세대의 투표를 유도하는 캠페인을 벌였지만, 1996년의 젊은 층 투표율은 1971년 열여덟 살짜리에게 투표권이 주어진 이후 최고로 낮았다.[32]

특별히 X세대만을 대상으로 삼아 변화를 추구하는 단체가 서너 군데 있었는데 리드 오어 리브Lead or Leave와 그 자매단체인 서드 밀레니엄Third Millennium 같은 곳이다. 1993년에 설립된 서드 밀레니엄은 X세대와 그 이후 세대의 암담한 미래를 해결하려고 싸웠는데 암담한 미래의 원인은 베이비 붐 세대가 지구를 파괴했기 때문이라고 생각했다. 서드 밀레니엄은 다음과 같은 문장으로 시작하는 선언문을 유포했다.

"와일 E. 코요테(워너 브러더스의 애니메이션에 등장하는 굶주린 코요테-옮긴이)가 머리 위로 20톤짜리 모루가 떨어지길 기다리듯이 우리 세대는 무시무시한 국가적 빚의 그림자가 팽창하도록 열심히 노력했다."[33]

아마 이 단체는 1994년에 실시한 설문 조사로 제일 유명할 것이다. 은퇴했을 때 사회 보장 제도가 여전히 존재할 것이라고 믿는 청소년보다 UFO를 믿는 청소년이 더 많음을 보여 준 설문 조사였다. 그러나 어떤 X세대 단체도 추종자가 많지 않았고, 대단한 영향력을 발휘하지도 못했다. 1996년 NPR 라디오에서는 다음과 같이 선언했다.

"리드 오어 리브가 떠났다."[34]

2000년 양당 정치를 비웃는 몇몇 X세대가 '부시(혹은 고어)를 위한 억만장자' 시위에 참석했다. 그해 열린 공화당과 민주당 전당 대회에 참석한 그들은 백만장자로 분장한 채 "부시…… 고어…… 부시…… 고어. 당신들이 누굴 뽑든 우린 상관 안 해. 이미 그들을 매수했거든"이라고 중얼거렸다.[35]

"공립 학교, 안정된 회사, 번성하는 신문사 그리고 제 기능을 하는 입법부까지 중산층 민주주의의 토대가 되던 기관들이 장기간 몰락에 접어들었다."

2013년 조지 패커가 자신의 책 《미국, 파티는 끝났다》에 쓴 말이다. 또한 그는 X세대 탄생 연도의 중간치인 1978년이 미국의 특성이 변화한 대략적 터닝 포인트라고 언급했다.[36]

1995년부터 1997년까지 건강 관리 단체인 카이저 퍼머넌트Kaiser Permanente는 질병 통제 예방 센터CDC와 손잡고 어린 시절의 학대와 방치가 나중에 성인이 되었을 때 건강과 웰빙에 어떤 영향을 미치는지 전례 없는 대규모 조사를 했다. 바로 'CDC-카이저 퍼머넌트 부정적인 어린 시절의 경험ACE: Adverse Childhood Experiences' 연구였다. 매년 실시하는 신체 검사에서 1만 7000명 이상의 응답자가 육체적 학대, 감정적 방치, 가정 폭력과 같은 '부정적인 어린 시절의 경험ACE'이 있는지 묻는 설문지를 작성했다.[37]

환자의 ACE 점수와 그들의 의료 기록을 함께 살펴본 연구진은 충격적인 사실을 발견했다. ACE 점수가 높을수록 성인이 되었을 때 우울증과 자가 면역 질환 같은 심리적·육체적 문제를 겪을 확률이 높았다.

세대 간의 ACE를 비교한 연구는 없기 때문에 X세대에게 어린 시절의 트라우마가 유독 더 극심했다고 말하기는 불가능하다(그리고 솔직히 말해서 누가 더 학대받고 방치되었는지 경쟁한다는 게 약간 소름 끼치는 일이기도 하다).[38] 그렇기는 해도 현재 우리가 겪는 문제 일부가 어릴 때 겪은 피해와 연결되어 있을지 모른다는 생각은 매우 설득력 있다.

ACE 전문가에게 연락했을 때 몇몇은 어린 시절에 스트레스 지수가 높던 사람이 중년에 심리적·육체적 문제를 겪는 비율이 높다는 사실은 납득이 간다고 말했다.

아동기 트라우마 전문가인 킴벌리 콩클은 X세대가 '부모의 보살핌을 가장 덜 받은' 세대일 거라고 말했다. 다른 세대보다 명확한 규칙이나 사회의 지지 혹은 성인의 감독 없이 혼자 힘으로 살아가야 했다는 것이다. 킴벌리 콩클은 그로 인한 스트레스가 현재 우리가 겪는 고통과 연관됐을 수 있다고 말한다.

"자살률이나 간암 사망률 등은 이 세대가 무언가 심각하게 잘못되었음을 암시해요. 아마 X세대는 반응성 애착이 더 높을 겁니다."[39]

반응성 애착 장애에는 보살핌과 애정을 받는 기본 욕구가 충족되지 않아서 사랑하는 관계를 맺는 데 어려움을 겪는 증상이 포함된다.

오늘날 중년 여성의 자살률은 매우 높다.[40] 마흔다섯 살에서 쉰한 살 사이 여성들에게 자살은 일곱 번째로 흔한 사망 원인이며, 당뇨와 독감, 폐렴을 앞지른다. 그 그룹에 속하는 백인 여성들만 놓고 보면 다섯 번째 사망 원인이다.[41] 이 경우에도 역시나 부정적인 어린 시절의 경험과 연관이 있다는 증거는 없다. 하지만 흥미롭게도 남성보다 여성이 부정적인 어린 시절의 경험을 네 번 이상 겪었을 확률이 높다.[42] 부정적인 어린 시절의 경험이 네 번 이상이면 우울증에 걸릴 확률이 460퍼센트 더 높고, 부정적인 어린 시절의 경험이 전혀 없는 사람보다 자살을 시도할 확률이 1220퍼센트나 더 높다.[43]

X세대의 영적 생활을 주제로 한 책《동떨어진 세대A Gene-ration Alone》의 저자 윌리엄 마헤디와 재닛 버나디는 '동떨어진'이라는 단어가 "X세대가 느끼는 감정, 사고방식, 정신을 가장 잘 표현하는 단어"라고 썼다.

"동떨어진 상태에서 사람의 삶은 바쁘고 어수선한 활동, 그리고 과거의 고통스러운 기억으로 채워진다."[44]

특히 여자들은 바쁘고 어수선한 활동에 이끌리는 듯하다. 우리가 열심히 일하는 이유는 돈을 벌어야 하기 때문이고, 두렵기 때문이다.

1970~1980년대에 배경으로 깔리는 잡음 같은 존재이던 위험은 우리에게 큰 피해를 주었다. 우리는 경계를 늦추지 않았고, 열심히 일하며 창조성을 발휘하면 포식자와 질병, 그리고 다른 위협으로부터 우리 자신을 안전하게 지킬 수 있다고 믿었다. 심지어 노력하면 이 세상도 안전하게 지킬 수 있다고 믿었다. 중년이 되면서 우리는 어린 시절에 받은 주요한 메시지 두 개와 화해해야 했다. '별을 향해 손을 뻗어라' 그리고 '넌 혼자다'라는 메시지다.

마케팅 담당자들은 이걸 눈치챘다. 우리 세대에게 물건을 파는 법을 적은 보고서에는 이런 전략적 분석이 실려 있다.

"삶은 안정적이지 않았다. X세대는 이혼 가정 혹은 맞벌이 가정의 아이들이었고, 방과 후에 빈집으로 돌아와 혼자 자랐다. 판매에 유리한 점:그들에게 당신의 조직은 믿을 수 있고 삶을 복잡하게 하기보다는 단순화할 거라고 설득하라."[45]

어쩌면 시대가 불안했기 때문에 그토록 많은 X세대 소녀가 드라마 〈초원의 집〉에 집착했는지 모른다. 서로 아끼고 사랑하는 대가족이 단합해서 역경을 이겨 내는 일은 1970년대 아이들의 현실에서는 찾아보기 힘들었다.

그 드라마에서 아버지를 연기한 마이클 랜던의 목소리는 담담하면서 따뜻했다. 내가 기억하기로 텔레비전에 나온 사람 중에서 그보다 더 차분하고 신뢰가 가는 목소리는 딱 하나였다. 미스터 로저스(방송인이자 장로교 목사로 어린이 프로그램 〈미스터 로저스의 이웃Mister Rogers' Neighborhood〉을 제작해 아이들 교육에 큰 영향을 미쳤다—옮긴이).

힘든 일이 생기면 "남을 도와주는 사람들을 찾아보라"고 미스터 로저스는 아이들에게 충고했다.[46] 1969년 공영 방송에 대한 상원 청문회에서 그는 자신의 방송이 아이들에게 "감정은 얼마든지 다룰 수 있고 입 밖으로 표현할 수 있는 것"이란 사실을 가르치는 게 목표라고 말했다.[47] 미스터 로저스는 절대 거들먹거리지 않았다. 우리와 허심탄회하게 이야기하고 말이 너무 많지도 않았다. 〈ABC 애프터스쿨 스페셜ABC Afterschool Special〉처럼 어색하면서도 지나치게 진지하게 설명하려 들지도 않았다. 1972년부터 1997년까지 방영된 이 유명한 시리즈는 성추행을 주제로 한 '만지지 마세요', 자살을 주제로 한 '필사적인 출구' 같은 억지스러우면서 지나치게 작위적인 에피소드를 선보였다.

반면 미스터 로저스는 나쁜 일이 생기면 아이들과 정직하고 분명한 대화를 해야 한다고 부모에게 충고했다.

"아이들이 무서운 이야기를 꺼내면 아이들에게 그 일에 대해 무엇을 아는지 곧바로 묻는 게 도움이 됩니다. …… 아이들이 우리 어른들에게 가장 듣고 싶은 말은 아마 무슨 말이든 해도 되고, 어떤 무서운 상황에서도 자기들을 안전하게 지켜 줄 거라는 말일 겁니다."[48]

미스터 로저스는 당시 우리 삶에 일어나는 일들에 대한 반가운 해독제였다. 그래서 지금도 그에게 매료되는 게 아닐까? 2018년에 발표된 그의 전기《선한 이웃:프레드 로저스의 삶과 일The Good Neighbor:The Life and Work of Fred Rogers》은《뉴욕 타임스》베스트셀러가 되었고, 2018년 여름 그의 일대기를 그린 다큐멘터리〈내 이웃이 되어 줄래요?〉는 모두의 예상을 깨고 흥행에 성공했다.

핵전쟁으로 세상이 멸망할까 전전긍긍하던 밸러리는 이제 마흔네 살이다. 그녀는 '남을 도와주는 사람들을 찾아보라'는 태도에 입각해 자신의 삶을 재검토해서 자신이 누리는 좋은 것들을 세어 보고, 자신의 장점을 찾아내고 있다. 그런데도 여전히 걸핏하면 눈물이 난다. 이유는 딱히 알 수 없다.

그녀는 문학 학사와 예술 석사 과정을 마치고 고향 앵커리지로 돌아갔는데 이웃들과도 사이가 좋다. 최근에는 반려견을 입양해서 죽고 못 산다.[49] 현재는 기금 마련을 위해 홍보 글을 쓰고, 유서 깊은 동네에 집도 샀다. 좋은 친구도 많다. 그런데도 왜 이렇게 힘든 걸까?

지난 20년간 싸워 온 우울증 때문일까? 젊은 날의 꿈을 포기 했기 때문일까? 갱년기가 다가오고 호르몬이 엉망이기 때문일 까? 아픈 엄마를 돌봐야 한다는 의무감 때문일까? 직장에서 받 는 스트레스 때문일까? 집안일 때문일까? 예순다섯 살까지 학 자금 대출을 갚아야 하기 때문일까? 갑상샘 질환 진단을 받았 기 때문일까? 체중이 늘었기 때문일까? 인스타그램을 보며 여 행을 다니고 외식할 여유가 있는 친구들을 부러워하기 때문일 까? 아니면 그냥 나이를 먹어서 매사가 시큰둥해졌기 때문일 까? 직장과 집을 오가며 차를 모는 동안, 그리고 사무실 창밖으 로 알래스카의 어두운 겨울 오후를 바라보는 동안 그런 생각이 밸러리의 머릿속을 맴돌았다.

"난 마흔넷이에요."

밸러리가 말했다.

"이 나이가 되니까 '내가 지금까지 뭘 했지?', '내가 세상에 조금이라도 영향을 미쳤나?' 하는 의문이 들어요. 어릴 때 하려 던 일을 다 하지는 못했어요. 책《시크릿》에서 아무리 마음이 물질보다 중요하다고 해도 몇 가지 일은 죽을 때까지 해내지 못할 거예요. 모든 사람이 세상에 중대한 영향을 미치지는 못 하고 원하는 꿈을 다 실현할 수도 없다는 사실을 받아들이려고 노력하는 중이에요."

그 문제는 심리적이라기보다 존재론적으로 느껴졌다.

밸러리가 말을 이었다.

"난 이 세상에 친구들 말고 내 이름을 아는 사람이 하나라도 있을 거라는 기대는 거의 하지 않아요."

그녀는 투명 인간이 된 기분이지만 그런 기분을 자주 입에 올리지는 않는다. 감사할 줄 모르는 사람으로 보이고 싶지 않기 때문이다.

"우린 여자이기 때문에 늘 불평하는 것으로 보일 거예요. 조금이라도 부정적인 말을 하면 세상이 얼마나 좋아졌는지 감사해야 한다는 말을 듣게 되죠. 그래서 우린 그저 우리가 할 수 있는 일을 할 뿐이에요. 머리를 염색하고, 아이라이너로 눈꼬리를 올려서 그리고, 자신의 존재를 드러내려고 하죠. 그러다가 누군가 우리를 투명 인간으로 취급하면 다시 실망하고요."

밸러리는 매사를 긍정적으로 보려고 노력한다. 부모님의 이혼을 겪고 평생 돈과 고군분투하면서 자신이 강하고 회복 탄력성이 높은 사람이 되었다고 생각한다.

"우리는 지금 세대보다 더 불확실한 세상에서 자랐지만 동시에 자신을 돌보라는 과업을 받았어요. 그래서 우리를 죽이고 죽이지 않는 것이 무엇인지 알죠. 모든 것이 에어캡으로 포장된 요즘을 사는 아이들과는 달리 어떤 일에는 나쁜 결과가 따른다는 걸 알아요……. 현재 40대인 여성은 1903년에 40대이던 여성보다 훨씬 더 잘 해내고 있죠. 과학 기술의 발전으로 우리의 삶은 훨씬 쉬워졌어요. 이제는 마흔 살이 되어도 쪼글쪼글한 해골처럼 보이지 않죠."

밸러리는 자신에게 40대여도 괜찮다고 설득하는 듯했다. 사실은 전혀 괜찮지 않은데 말이다.

내 머릿속을 계속 맴도는 말이 하나 있다. 일반 스터드 포커 게임에서는 일곱 장의 카드를 받아서 넉 장을 뒤집는데 나쁜 카드가 나올 때마다 딜러가 이렇게 말한다.

"뚜렷한 소득이 없네요."

원래 이 말은 부랑자 단속법에 나오는 구절이라서 포커 게임에서 사용하기에는 적합하지 않다. 하지만 이 말이야말로 수많은 X세대 여성 앞에 펼쳐진 카드의 상황을 정확히 말해 준다. 그들이 가진 카드는 불안, 가족, 일, 책임, 시간이 부족하다는 느낌이다. 추가로 좋은 카드가 나올 수도 있지만 이미 나쁜 카드가 너무 많은 터라 좋은 카드가 나온다고 해도 상황은 바뀌지 않을 것이다.

밸러리는 자비로 집을 샀고, 사람 돕는 일을 하고 있으며, 효녀다. 켈리 역시 자랑스러워해야 할 것이 많다. 뇌를 다친 아이를 포함해 세 자녀를 키웠고, 결혼 생활도 성공적이다.

그런데도 두 여자 모두 비현실적인 기대 속에서 자라며 끝없는 장애물에 부닥쳐 온 터라 자신이 이루지 못한 것만 본다. 가정을 이뤘지만 직업이 없다. 혹은 직업이 있지만 동반자를 만나지 못했다. 체중을 더 많이 줄여야 하고, 노후를 대비해 충분한 돈을 모아 두지 못했으며, 세상에 중대한 영향을 미치지 못했다.

아이를 기른 것만으로도, 직업이 있는 것만으로도, 솔직히 말해서 그냥 연쇄 살인마가 되지 않은 것만으로도 잘한 일이다. 그런데도 우리 세대는 '여자도 무엇이든 할 수 있다'는 믿음을 '여자는 무엇이든 다 해야 한다'는 명령으로 받아들였다.

한 X세대 여성은 자신이 다닌 일류 여대의 교훈이 '전도유망한 여자들이 특별한 삶을 살도록 가르쳐라'라고 했다. 대학을 졸업한 후 그녀는 늘 자신이 전도유망한 여자인지, 자신의 삶이 특별한지 의문이 든다고 말했다.

휴스턴 대학 사회복지학과 교수 브레네 브라운은 연약함을 주제로 한 TED 강의에서 어릴 때 우리가 받은 메시지와 그것이 우리에게 미치는 영향을 다음과 같이 설명했다.

"딱하게도 여자들에게는 모든 걸 다 해야 한다는 생각이 있어요. 그것도 완벽하게요. 그리고 자신이 힘들어 하는 모습을 남에게 절대 안 보이려고 하죠. 엔졸리 향수가 광고 덕에 매출이 얼마나 늘었는지는 알 수 없지만, 항우울제와 항불안제 매출은 엄청나게 늘었으리라 장담할 수 있어요."[50]

어느 시대든 여성들은 '자신이 부족하다'는 생각을 거부해야

한다고 애틀랜타에 있는 정신 요법 브룩우드 센터의 심리 치료사 브린 샤핀은 말한다.[51]

"'둘째 아이'는 정말 가슴 아픈 비유죠. 길을 잃을 수도 있고, 부모에게 별로 관심을 못 받을 수도 있어요."

샤핀은 X세대 여성에 대해 이렇게 말하며 많은 중년 여성이 "늘 무언가를 걱정한다"고 했다. 그 촉매제는 가족일 수도 있고, 사회 전반일 수도 있으며, 소셜 미디어일 수도 있고, 정치일 수도 있으며, 노화일 수도 있다. 어쨌든 그로 인한 결과는 평가와 죄책감, 수치심이다.

브레네 브라운이 말한 '수치심 방패'를 언급하며 샤핀은 "여자는 수치심을 느끼면 종종 지나치게 애쓰고, 움츠러들거나 아니면 쏘아붙이죠"라고 말했다. 지나치게 애쓰는 여자들은 아마 A타입일 것이다. 그들은 모든 일을 다 해내려 하고, 대개 매사에 잘 해내지 못했다고 자평하는 경향이 있다. 그 수치심에서 벗어나려고 열심히 일할수록 실패하고 그리하여 더 수치심을 느끼는 악순환이 반복된다.

샤핀은 그런 여자들에게 다음과 같이 자문해 보도록 했다. 의무에서 벗어나는 해방감을 맛보도록 만들어진 질문들이다.

'이 상황을 바꾸기 위해 할 만한 일이 있을까?'

'이 상황을 다른 관점으로 볼 수 있을까?'

'상황을 있는 그대로 받아들일 수 있을까?'

'마음에서 털어 버릴 수 있을까?'

샤핀은 여자들에게 '무조건적인 수용'을 실천하라고 격려한다. 삶을 당신의 예상대로가 아닌, 있는 그대로 받아들이는 것이다.

"물론 자기 앞에 놓인 것을 무조건 수용하기란 세상에서 가장 힘든 일이죠"라고 샤핀은 위로한다.

[우울]

내 인생이 다시
좋아질 수 있을까?

"난 늘 빨리 사십 대가 되고 싶었어요.
그 나이가 돼야 진짜 어른이 된 기분이 들 거라고 생각했죠.
두 달은 그런 기분을 느꼈던 것 같아요. 그러다 말했죠.
'맙소사, 마흔 살이 되니까 진짜 끔찍하네!'"

"20대에는 삶이 활기찼어요. 매 순간 온전히 집중해야 했죠. 하지만 지금은 모든 게 느려졌어요. 이제 아이들은 내 도움이 별로 필요하지 않죠. 사는 건 예전처럼 신나지 않고요. 예전의 그 기분, 그건 어디 있을까요?"

홀리는 이렇게 말하더니 강조하기 위해 허벅지를 탁 쳤다.

"그 기분을 다시 느끼고 싶어요."

나는 테네시주 내슈빌이 내려다보이는 활기찬 호텔 바에서 X 세대 여성 3명과 만났다. 청바지에 재킷을 입은 홀리는 내가 12 년 전에 만난 교육 전문 기자다. 컨버스 운동화를 신고 짙은 색 립스틱을 바른 홀리의 여동생 애니는 얼마 전 15년간 경영한 스타트업 회사를 팔았다. 둘의 친구인 멜리사는 테네시주의 교회에서 일하는데 회색 터틀넥 스웨터를 입고 갈색 머리를 틀어 올렸다. 다들 40대 중반으로 30대에 자녀를 낳았다.

세련되게 화장하고 애피타이저로 뭘 먹을지 열띤 목소리로 얘기하는 세 여자는 완벽하게 조율된 삶을 사는 듯했다.

"봐, 우린 집에서 탈출했어!"

하나가 의기양양하게 말하자 다들 웃음을 터뜨렸다. 그러나

11달러짜리 와인을 한 잔씩 마시는 동안 웃음은 사라졌다. 홀리는 매사에 아무 느낌이 없다고 했다. 같은 일을 너무 오래 하고 한 남자랑 너무 오래 산 터라 그녀의 삶은 의무와 규칙적인 일상의 연속이 되어 버렸다. 연애도 없고, 스포츠카도 없고, 재미난 일도 없다. 그저 허벅지를 찰싹 치며 아쉬움과 헛헛함을 표현할 뿐이다.

1년쯤 전에 멜리사 역시 옴짝달싹 못 하는 기분을 느꼈다. 그녀는 모든 걸 '제대로' 했다. 모유 수유를 하고, 세금을 꼬박꼬박 내고, 온종일 지역 교구를 위해 일하고 저녁에는 가족을 돌봤다. 그러다 자신의 삶을 둘러봤더니 이런 생각이 들었다.

'이게 겨우 그 보상이야?'

멜리사는 머릿속이 빙빙 돌았다.

"이제 다 그만하고 싶어. 엄마 노릇도 아내 노릇도. 여기서 도망치고 싶어."

홀리가 맞장구를 쳤다.

"어릴 때 우리 엄마도 그런 말을 한 적이 있어. 완전히 지친 얼굴로 '나 멕시코 갈 거야. 가서 안 돌아올 거다!'라고 말하더니 현관문을 쾅 닫고 나가 차를 타고 떠났지."

"멕시코에 가신 거예요?"

내가 물었다.

"아뇨."

홀리가 대답했다.

"당연히 안 갔죠. 혼자 슈퍼에 다녀오셨어요."

애니가 덧붙였다.

고등학교 때 공부하는 틈틈이 여러 군데에서 아르바이트를 하느라 정신없는 내게 한 아주머니가 이렇게 말했다.

"재미있게 노는 법을 잊지 마라! 한번 잊어버리면 기억해 내기 정말 힘들어."

그때는 이 말이 무슨 뜻인지 몰랐지만 이제는 안다.

베이비 붐 세대인 우리 엄마들이 중년이 되었을 때 그분들 역시 폐경을 앞두고 호르몬 변화에 시달렸다. 중년에 느끼는 압박감은 감당하기 힘든 몸의 변화와 맞물려, 누구든 집을 뛰쳐나가거나 상대에게 톡 쏘아붙이거나 책임을 덜 지는 삶을 꿈꾸게 한다. 삶에서 즐거움을 되찾고 싶다는 것이 중년이 되어 느끼는 주된 감정이다.

하지만 '정신없이 바빴던 그 기분을 다시 느끼고 싶다'는 홀리의 나직한 말은 모든 것을 잘 해내야 한다는 X세대의 강박감이 우리에게 수치심과 외로움을 한 겹 더했음을 보여 준다.

나는 많은 여성에게서 자주 다음과 같은 이야기를 들었다.

"이 나이쯤 됐으면 이 문제는 해결됐어야 해요."

중서부에 사는 한 여성은 이렇게 말했다.

"살면서 내가 놀랄 만한 일을 좀 더 많이 만들었어야 해요. 아쉽게도 이제는 삶이 어디로 갈지 모두 예상할 수 있죠. '난 누구랑 결혼하게 될까?', '아이는 몇 명이나 낳게 될까?' 등등 삶을 바꿀 수도 있는 중대한 질문은 모두 사라졌어요. 그 시기는 다 지났죠. 이젠 그저 아이들이 대학에 가는 걸 지켜보고, 돈에 여유가 있다면 남편과 여행할 일만 남았어요. 그렇다고 우울하다는 건 아니에요. 난 내 삶을 사랑하지만 새로운 경험을 할 때 희망도 따라오는 거잖아요. 첫 데이트 때 어떤 기분이었는지 기억해요. 정말 짜릿했죠. 이제 다시는 그런 기분을 못 느낄 거예요."

사실 나는 여러 여자에게서 이와 비슷한 말을 들었다.

"오해하진 마세요. 난 지금의 이 삶을 선택했어요. 다만 이렇게 별 볼일 없는 사람이 된 기분을 느낄 줄은 몰랐어요."

자신들의 삶을 직접 선택했던 여자들이 후회하는 이유는 뭘까? 자유로운 선택이 왜 이렇게 김빠진 삶으로 이어졌을까? 도전 의식을 자극하는 일과 경제적 독립, 충만한 가정생활을 원한 여자들이 어떻게 아직도 베티 프리단의 《여성성의 신화》를 읽으며 공감할 수 있을까? 왜 그들은 우리 어머니들이 그런 것처럼 도망치고 싶어 할까?

내슈빌 바에서 우리의 대화는 가정과 회사에서 푸대접을 받는 주제로 흘러갔다.

"그게 중년 위기의 또 다른 면이죠. 마흔다섯 살이 되면 아무도 나에게 멋지다고 말해 주지 않아요. 아무도요. 아이들은 고맙다고 하지 않고, 내 존재를 인정해 주지도 않고, 가치도 몰라 주죠. 직장에서의 관계는 그 정도는 아니에요. 내가 만들어 낸 결과물을 고마워하죠."

멜리사가 말하자, 연애를 많이 해 본 애니가 맞장구를 쳤다.

"남자에게 늘 관심받던 사람도 마흔 살이 되면 그 관심이 썰물처럼 빠져나가죠."

멜리사가 말을 이었다.

"첫아이를 출산했을 때가 기억나네요. 난 이렇게 생각했죠. '난 날 사랑해. 내가 이 애를 만들었어. 이 아기를 내 몸에서 내보냈어. 인간을 창조했어. 아이의 넙다리뼈를 만들었어.' 아이를 안고 침대에 누워서 이렇게 생각했죠. '널 사랑한다, 아가야. 하지만 나도 사랑해. 난 정말 멋져.'"

그러나 이제 그 아이는 학교에 갈 때 손을 흔드는 엄마를 돌아보지도 않는다. 아이에게 계속 소리를 질러 대는 선생님 대신 다른 선생님 수업으로 바꿔 주고, 민권 운동가 로자 파크스에 대해 알아 오라는 숙제를 도와줘도 고맙다고 말하지 않는다. 과자와 물병을 챙겨 줘도, 침대 시트를 갈아 줘도, 작아진 옷을 맞는 옷으로 바꿔 줘도 모른다. 아이러니하게도 중년에 느끼는 무기력과 투명 인간이 된 기분은 주로 자식들이 가장 변화무쌍하고, 사람들의 주목을 받고, 자기중심적으로 되는 시기에 들어섰거나 근접할 때와 일치한다.

멜리사의 이야기를 듣는 동안 예전에 있던 일이 떠올랐다. 그때 나는 새벽 2시까지 일한 뒤 아들을 학교에 데려다주려고 아침 6시에 일어났다. 그런데 아들은 간밤에 이의 요정이 다녀가지 않았다면서 울고 있었다. 아들이 이를 닦는 동안 나는 아이의 침대 뒤에서 이의 요정이 떨어뜨리고 간 선물을 '발견했다'면서 지폐를 건넸다. 하지만 아들은 속지 않았다. 내가 낳은 아름답고 착한 아이는 실눈으로 날 바라보면서 "너무 늦었어"라고 적은 쪽지와 함께 돈을 돌려주었다.

그날 나와 함께 앉아 있던 여자들은 자신이 무슨 일을 하든 타인이, 심지어 그들을 사랑하는 사람조차도 만족하지 못하는 듯한 일화를 가지고 있었다. 또한 다들 가족이 자신을 전혀 지지해 주지 않는다고 느낀 순간도 있었다.

애니가 좋은 사례였다. 그녀는 자신이 세운 스타트업 회사에서 열심히 일하며 두 아이의 육아와 집안 살림을 도맡아 하고 있었다. 남편의 마흔 번째 생일날, 애니는 남편에게 유타주로 떠나는 스키 여행을 선물했다. 보통 공과금을 내는 것도 애니의 일이었지만 딱 하나, 전기세만은 남편 담당이었다.

"설마."

테이블에 둘러앉은 여자들이 말했다.

"맞아. 베이비시터가 회사로 전화했더라고. 그날 기온이 영하

7도였는데, 이상하다고, 갑자기 전기가 나가 버렸다고 그러는 거야. 난 무슨 영문인지 알겠더라고. 그래서 토드에게 전화했지. 남편은 친구들과 염병할 스키를 타고 있었어. 남편이 그러더군. '맙소사, 알았어, 알았어, 잠깐만. 지금 당장 전화할게. 당장 전화해서 전기세 낼게.' 근데 그거 알아? 일단 전기가 끊기면 전화로는 전기세를 낼 수가 없어. 직접 사무실로 가야 해. 그래서 난 일하다 말고 전기세를 내러 갔지."

애니에게 그 사건은 남편이 얼마나 그녀를 도와주지 않는지 보여 주는 상징이었다. 애니는 화가 치밀었고, 그래서 군대 조교로 변해 버렸다. 스키 여행을 마친 남편이 집에 돌아오자 애니는 남편에게 해야 할 일 목록을 주었다.

"이 중에서 다섯 개를 골라서 당신이 해. 제대로 하고, 제시간에 끝내."(흔히 중년 여자를 바가지를 자주 긁는 잔소리쟁이라고 묘사하곤 하는데, 이런 경우는 어떻게 봐야 할지 궁금하다.)

그 후 애니와 남편은 상담을 받았다. 남자 심리 치료사는 자꾸 남편의 뇌가 그녀와 다르게 설계되었다고 설명하려 했다. 1992년에 나온 책《화성에서 온 남자 금성에서 온 여자》와 같은 맥락이지만 진화 심리학으로 포장했다.

"심리 치료사가 이렇게 말하더라. '토드는 남자이기 때문에 사냥을 나가서 짐승을 죽이는 쪽으로 뇌가 설계되어 있습니다. 오로지 한 가지 일에만 집중할 수 있죠. 반면 애니, 당신의 뇌는 오두막에 들어가 있는 쪽으로 설계되어 있습니다.'"

"아, 넌 오두막에 들어가 있구나."

홀리가 말했다.

애니가 심리 치료사 말을 그대로 전했다.

"'아이들은 울고, 식사를 차려야 합니다. 그리고 그 오두막에는 할머니도 함께 살죠. 그래서 당신은 그 모든 관계를 생각합니다. 그리고 남편이 사냥감을 들고 돌아오길 기대하죠. 토드의 관심사는 사냥과 살육입니다. 그게 가족을 이롭게 하니까요.'"

애니는 그 말을 받아들이려 했다. 심리 치료사와 타협하려 했다. 그래서 다음과 같이 말했다.

"그렇게 비유한다면 전기세가 사슴인가요? 그럼 사냥꾼은 전기세를 내야죠. 그러니까 남편은 형편없는 사냥꾼이네요."

애니에게 심리 치료사의 이론은 이렇게 들렸다.

"당신 뇌가 더 많은 걸 생각하도록 설계된 점을 다행으로 여기세요, 애니! 그러니까 당신이 전부 다 해야 한다고요."

멜리사 역시 상담을 받았다. 자꾸 작은 일에 집착하고, 그런 것들을 결혼 생활에 문제가 많다는 사인으로 보았기 때문이다. 예를 들면 다음과 같은 식이다.

'침대 정리가 안 되었어. 남편에게 해 달라고 부탁해야겠다. 왜 남편은 내가 부탁하기 전에 하지 않을까? 침대를 정리할 만큼 날 사랑하지 않는 걸까?'

멜리사의 엄마가 마흔 살이었을 때는 자식들이 대학으로 다 떠났고, 마흔 살이 된 기념으로 파티를 열었다. 하지만 멜리사가 마흔 살이었을 때는 임신한 상태였고, 아픈 아버지를 비롯해 아이 셋을 돌봐야 했으며, 풀타임으로 일까지 해야 했다.

결국 멜리사는 9·11 테러 사건이 일어난 지 15년째 되던 2016년 9월 11일에 바닥을 쳤다. 쌍둥이 빌딩 근처에 살던 멜리사는 9·11 테러 사건의 비극을 직접 목격했다. 한 친구가 그 건물에서 목숨을 잃었다. 그날 멜리사는 15년 전에 일어난 일과 자신이 본 장면을 생각했다. 그러다 울기 시작했는데, 멈출 수가 없었다.

9월 11일을 기점으로 얼마나 많은 것이 바뀌었는가. 미국만이 아니라 그녀 자신도 바뀌었다.

"9월 10일에는 모든 게 달랐어. 전 세계가 달랐지. 난 두렵지 않았어. 직업도 없었지만, 남편도 없고 아이도 없었어. 지금과 완전히 달랐지."

멜리사는 심리 치료사의 충고에 따라 휴가를 내고 이런 감정을 정리하는 시간을 가졌다.

"닷새 동안 집중 프로그램에 참여해서 킥복싱도 하고, 숲에서 소리도 지르고, 미로 속을 걷기도 하고, 열다섯 살의 나에게 편지를 쓰기도 하고, 엄마와 얘기도 했어."

멜리사는 자신의 이야기가 자기 계발서에 나오는 내용처럼 들린다는 걸 인정했다. 하지만 그녀는 모든 방법을 다 시도했고, 대다수는 도움이 되었다.

직업을 바꾸었고, 한동안 술을 끊었으며, 커피 대신 차를 마셨다. 또한 남편이 바뀌기를 바라는 마음도 내려놓았다.

"난 15년 동안 남편이 집에 와서 저녁을 준비하는 날을 기다렸어."

멜리사는 이제 남편이 절대, 죽었다 깨어나도 저녁을 준비할 날이 오지 않으리라는 사실을 받아들였다.

아, 그리고 멜리사가 다시 살아나는 데 도움이 된 것이 하나 더 있다. 그녀는 새 차를 샀다.

가족용 자동차를 스포츠카로 바꾸는 것이야말로 가장 대표적인 중년의 위기 해결법이다.

"난 미니밴을 팔아 버렸어."

멜리사가 의기양양하게 말했다.

"대신 뭘 샀나요?"

내가 물었다.

나는 '페라리'라는 대답이 나오리라 생각했다. 혹은 포드 머스탱이나 닷지 바이퍼. 아무튼 오픈카일 것으로 짐작했다.

멜리사의 멋진 새 차가 무엇인지 대답을 들으려고 기다리는 동안 정적이 흘렀다.

"프리우스요."

멜리사가 대답했다.

"캐딜락이 아니고?"

풀이 죽은 목소리로 애니가 물었다.

"응."

멜리사가 답했다.

잠시 정적이 흐른 뒤 애니가 우리 모두를 대변해서 말했다.

"이런 말을 해서 유감이지만, 프리우스는 중년의 위기 해소용 차는 아니야."

"게다가 10년 된 중고차야. 하지만 내 형편으로 구할 수 있는 가장 좋은 차라고."

멜리사가 나직이 말했다.

애니는 최근 우울증을 타파하기 위해 발레 수업을 숱하게 듣고, 병원에 가기도 했다.

"몸이 좋지 않았어요. 호르몬 문제라는 건 알고 있었죠. 의사들과 상의해 봤는데, 산부인과 의사가 '생리통이 심하면 자궁 절제술을 하죠'라고 하더군요. 그래서 내가 '그건 너무 빠르네요, 선생님. 다른 방법부터 시도해 봐야 하지 않을까요?'라고 말했어요."

자궁 절제술을 서두르는 의사는 그 의사만이 아니다. 한 연구에 따르면 해마다 악성 종양이 없는 상태에서 시행되는 자궁 절제술의 18퍼센트는 불필요한 것이라고 한다.[1]

"그러다가 마침내 다른 의사에게서 답을 얻었어요. 그 사람은 검사를 제대로 했거든요. 처음 상담하는데 의사가 그러더군요. '의학계에서는 40대 여성에게 별 관심이 없습니다.' 그 의사는 아마 60대 후반쯤 됐을 거예요. 의사로 일한 지 오래됐죠. 그러더니 이렇게 말했어요. '여자로서 40대에 겪는 일이 당신의 수명을 결정합니다. 그리고 남은 40년을 얼마나 행복하게 살지도요. 지금 당신 몸은 아주 급격하게 변하고 있습니다. 지금 겪는 호르몬 변화는 아주 중요합니다. 건강에 아주 많은 영향을 미칠 거예요.'"

애니의 혈액 검사 결과가 나오자 의사가 말했다.

"테스토스테론 수치가 0이네요. 기운이 없고, 성욕도 없고, 늘 피곤하고 무기력한 게 당연하죠."

애니는 호르몬 요법-이 나이대의 많은 여성은 이것이 암에 걸릴 위험을 높인다고 알고 있다(그 이유는 제9장에서 설명하겠다)-을 받으면서 에너지와 성욕을 되찾았다.

나는 에너지와 성욕이 낮은 여성들이 잡지와 비전문가들 때문에 엉뚱한 방향으로 가는 이야기를 많이 들었다. 그들은 잠자리에서 역할 놀이를 하고, 더 야한 옷을 입고, 섹스 용품을 사용한다(늘 그랬듯이 세워야 할 계획과 사야 할 물건만 늘어난다). 중년에 '섹시하게' 보이려는 시도는 성공 확률이 매우 낮다. 한 여자는 마흔 살이 되자 세상이 "미니스커트는 다른 사람에게 주고, 아일린 피셔의 포대 같은 옷이나 입어"라고 말하는 듯했다고 한다. 또 다른 여자는 그렇게 하지 않으면 젊어 보이려고 용쓰는 여자처럼 보일 위험이 있다고도 했다.

싱글로 지내며 오랫동안 연애를 즐긴 사람이라면(이 시기에 X세대 여성은 평균적으로 10명의 남자와 섹스한다)[2] 한 남자하고만 섹스하는 비교적 차분한 관계가 실망스러울 수 있다. 혹은 그 시절에 충분히 즐기지 못했다면 지금이라도 여러 남자와 자 보려 할 수 있다.

"난 20대였다면 결코 자지 않았을 남자들과 자면서 40대를 보냈어요."

한 여자가 이렇게 말했다. 유일한 문제는 그녀가 유부녀라는 것이다. 그녀는 남편에게 불륜을 들켰고, 그 후로 남편은 그녀를 믿지 못했다. 그녀는 결혼 생활을 위기에 빠뜨렸을 뿐 아니라 바람을 피운 상대 남자의 부인에게 몇 년 동안 스토킹까지 당했다.

내 친구는 그 여자가 왜 그랬는지 알 것 같다고 했다. 친구는 자신의 정력이 줄어드는 걸 느꼈고, 다시 살아 있는 기분을 느끼고 싶다고 했다. 단기적으로는 효과가 있었다. 내 친구는 밖으로 떠돌았고, 활기를 찾았다. 하지만 대가를 치렀다. 그것이 중년에 느끼는 동요의 모순이다. 슈퍼마켓으로 혼자 장을 보러 가는 것이 일탈의 전부인 삶에 당신은 죽은 것 같은 기분이 들 수 있겠지만, 정말로 멕시코에 가면 재앙이 일어날 수 있다.

노스캐롤라이나주 애슈빌에 사는 마흔두 살의 소프트웨어 엔지니어 다이애나는 열정 없이 사는 게 너무 싫어서 가끔씩 미친 짓이 하고 싶어진다고 했다.

"2년 전에는 마흔 살이 될 준비가 되어 있었어요. 내 삶은 편안하고 즐겁고 안전했죠. 오래 사귄 남자 친구가 있었는데 우리 사이에는 아무런 문제도 없었어요. 이따금 불만족스럽고 공허

하고 외롭기는 했죠. 그러다 일이 터졌어요. 갑자기 친구 둘이 죽은 거예요. 그 일 때문에 생각이 많아진 건지는 모르겠지만 무의식적으로 의외의 행동을 많이 했어요. 지금 돌이켜 보니 그 사건이 일종의 촉매제였다는 걸 알겠어요. 암튼 그 일로 내가 매사를 두려워하고 있다는 걸 깨달았죠. 내 대화에서는 늘 '두려움'이라는 단어가 나왔어요."

다이애나는 멋진 남자 친구와 헤어졌다.

"내가 그에게 상처를 줬죠. 그러고는 다른 남자와 더 위험한 관계를 맺었어요. 그 관계는 전에는 느껴 본 적 없는 열정으로 가득 찼으니까요."

그녀는 오토바이를 타기 시작했고, 폴댄스 수업도 들었다. 새로운 취미를 만들 때마다 친구들도 새롭게 사귀었다.

그래서 그 방법은 효과가 있었을까? 다이애나는 자신의 문제를 극복했을까?

"그게 꼭 옳은 방법이었다고 생각하지 않아요. '잘한' 일이라거나 내게 이로운 일이라고도 생각하지 않고요. 하지만 다 필요했던 일 같아요. 그 남자와 헤어진 일로 아직 마음이 조금 아프고, 내가 내린 결정들을 후회하고 의심하느라 괴롭기도 하죠. 하지만 그 외의 다른 일, 폴댄스를 배우고 오토바이를 타고 다니는 등 인생의 다른 면은 아주 감사하게 생각해요. 즐겁고 열정으로 가득 찬 삶을 사는 데 방해가 된 두려움은 많이 내려놓았어요. 그 부분은 전혀 바꾸고 싶지 않아요."

＊ ⋄ ＊

내슈빌의 바 밖에서는 바람이 휘몰아치며 어둠이 내렸다. 실내에서는 비욘세의 〈Love on Top〉과 시아의 〈Cheap Thrills〉 사이 어디쯤에서 갑자기 음악 소리가 커졌다. 그때 한 아가씨가 들어오더니 우리 근처 테이블에 앉았다. 몸에 딱 달라붙는 밝은 색 짧은 원피스를 입고, 아주 높은 하이힐을 신었다. 우리는 몸을 흐느적거리며 남자와 시시덕거리는 그녀에게 저절로 눈길이 갔다. 그녀는 빛나고 있었다.

"우린 다시는 저런 기분을 못 느낄 거야."

애니가 여자 쪽으로 고갯짓을 하며 말했다.

"난 저런 기분 느끼고 싶지 않아."

홀리가 말했다.

"내가 저 나이였을 때 뉴욕에 살았는데 몸무게가 50킬로쯤 나갔을 거야. 야한 옷을 사고, 내가 〈섹스 앤 더 시티〉 주인공이라고 생각했지."

애니가 말했다. 그녀가 그 드라마에서 배운 교훈은 여자도 아무 의미 없이, 그냥 재미로 섹스할 수 있다는 것이었다. 이제 애니는 이렇게 말한다.

"미니밴을 몰고 가서 아이들을 학교에 내려 주고 나면 그 시절의 어떤 일이 기억날 때가 있어. 그럼 입에서 '아아아' 하는 소리가 절로 나지."

"민망해서?"

홀리가 물었다.

애니는 어깨를 으쓱였다. 그저 기억이 날 뿐이다.

"그런 다음에는 다시 미니밴을 몰아."

"약간 빠르게 몰겠지."

홀리가 덧붙였다.

이야기하는 동안 우리의 눈은 자꾸만 그 아가씨에게로 향했다. 그녀는 점점 더 취하고, 목소리가 커지고, 흥분했다. 이곳의 태양이 되었다. 모든 움직임이 그녀를 중심으로 돌아갔다. 이제 그녀는 눈을 감고 몸을 좌우로 흔들었다. 생명력으로, 에너지로, 미래로 가득 차 있었다. 구석 테이블에 앉아 그녀를 지켜보는 4명의 아줌마는 안중에도 없이.

나는 1902년 잡지《라이프》에 발표된 그림 〈모든 것이 헛되도다All is Vanity〉를 떠올렸다. 착시를 일으키는 이 그림에서 젊은 여자는 허영의 거울을 들여다본다. 하지만 그림을 다른 시각으로 보면 여자의 모습과 화장대는 해골이 된다. 그림을 떠올리며 나는 생각했다.

'그게 우리야. 더는 저 작은 원피스가 맞지 않고, 보드카 소다 몇 잔만 마셔도 이튿날 제때 일어날 수 없다는 게 현실이지.'

우리는 세 번째 와인을 주문하겠느냐는 웨이터의 제안을 거절했다. 그러고는 재킷을 입고, 작별의 포옹을 하고, 바를 나섰다. 우리 뒤에서 젊은 여자의 밤은 이제 막 시작되고 있었다.

[돌봄 고문]

복지정책을 믿느니
외계인을 믿지

"중년의 결혼 생활이 어떠냐고요?
예전에 연애하던 사람과 함께 어린이집을 운영하는 기분이에요."

어느 날 아침, 나는 아들을 학교에 데려다주면서 우연히 한 여자가 사과하듯이 하는 말을 들었다.

"엄마가 말 그대로 손이 없어."

나는 아들을 바라보며 양 눈썹을 치켜세웠다. 말 그대로?

그러고는 여자를 바라보았다. 매우 지쳐 보이는 그녀는 작은 기차와 빨대 컵이 든 플라스틱 보관함, 여러 개의 에코백을 든 채 어린 아들의 손을 잡고 있었다.

나는 나도 손이 없다는 걸 깨달았다. 내 노트북에 책, 운동복, 아들의 특별 활동 가방까지 들고 있었으니까.

베이비 붐 세대 그리고 고연령층 X세대에게 처음으로 '샌드위치 세대'라는 말이 붙었다. 어린아이들과 아픈 부모 사이에 끼인 그들은 어쩌면 조부모까지 동시에 돌봐야 한다.[1] 하지만 저연령층 X세대는 샌드위치 비유는 약과로 느껴질 정도로 이런 부담이 더 심해질 것이다. 그들에게는 양 손목과 발목을 각각 좌우로 묶어 양쪽으로 세게 잡아당기는 고문이 더 적절한 비유일 것이다.

우리 세대는 출산을 미뤄 온 탓에 40대가 되었을 때 난임으로

고생하거나 힘겹게 어린아이를 키우게 된다. 그런데 하필이면 그때 부모님도 우리의 도움을 필요로 한다.[2]

이렇게 가뜩이나 돌봐야 할 대상이 늘어나는데 곤란하게도 동시에 사회에서는 보살핌의 질을 높이라고 주장한다.

제니퍼 시니어는 자신의 책《부모로 산다는 것》에서 "부모의 일꾼이던 자녀들이 이제는 사장으로 변했다"[3]고 설명한다. 아이들이 집이나 농장에서 허드렛일을 하고 장을 봐 오던 시절은 끝났다. 요즘의 부모는 자녀의 요구 사항과 욕구를 가장 중요하게 여기고, 자신과 배우자는 두 번째로 생각한다.

2018년 클레어 케인 밀러는《뉴욕 타임스》에 이렇게 썼다. "집약적 양육이라는 새로운 덫은 주로 미국 백인 중산층 문화의 부속품이다. 하지만 연구원들은 그런 기대치가 사회 구석구석에 스며들어 있다고 말한다. 부모가 그 기대치를 만족시키든 말든."[4]

우리의 어린 시절 이후로 부모가 아이의 기본 욕구를 충족시켜 주는 데 쓰는 시간은 급격히 증가했다. 퓨 리서치 센터에 따르면 1965년에 엄마들은 일주일에 일터에서 9시간, 아이를 돌보는 데 10시간을 썼다. 반면 2016년에 엄마들은 일터에서 25시간, 아이를 돌보는 데 '14시간'을 썼다. 그 시간을 마련하려면 무언가를 포기해야 하고, 대개 그 희생양은 여자들의 휴식과 잠이었다. 그런데도 풀타임으로 일하는 엄마들의 43퍼센트는 여전히 아이들과 보내는 시간이 너무 적다고 한탄한다.[5]

그러는 동안 부모를 지지해 주는 사회적 기반은 줄어들었다. 자녀가 없는 친구와 이웃이 양육을 도와주는 경우는 과거보다 줄어 어떤 식으로든 양육에 참여하는 사람의 비율은 2004년 4.5퍼센트에서 2016년 3.7퍼센트로 감소했다.[6]

20대 후반에서 50대 중반까지 남녀 종단 자료를 분석한 결과, 일은 정신 건강에 좋다. 단, 어린 자식을 집에 두고 왔을 때를 제외하고. 아이들이 자랄수록 일이 주는 심리적 혜택은 커지지만 어린아이를 집에 두고 일하는 시기에는 엄마가 고통받는다. 그러나 같은 환경에 처한 남자는 부모가 된다고 해도 그런 영향을 받지 않는다.[7]

나는 《그녀는 아직 거기에 있다She's Still There》의 저자로 댈러스에 사는 마흔다섯 살의 크리스털 에번스 허스트에게 그녀의 중년을 응축해서 보여 주는 순간이 언제인지 물었다. 그녀는 며칠 전 아침, 침대에서 일어나지 못했던 순간을 말해 주었다. 일어나는 순간, 해야 할 일 목록에서 뒤처지게 될 터였기 때문이다. 그래서 얼어붙은 채 침대에 그대로 누워 있었다고 했다.

X세대 여성에게는 목록이 많다. 장보기 목록, 집안일 목록, 공과금 납부 목록, 자녀 교육 및 케어 목록, 자기 계발 목록, 크리스마스카드를 보내야 할 사람 목록 등등. 종이에 적기도 하고, 휴대 전화에 저장하기도 하고, 포스트잇이나 화이트보드에 적어 두기도 한다. 하지만 원본은 여자들의 눈 뒤에서 두루마리 문서처럼 계속 돌아가는 것 같기도 하다.

만약 우리 세대가 우리에게는 너무도 많은 자유와 선택과 기회가 있다는 말을 몇십 년간 들어왔다면 어린 자녀를 둔 여자들은 새로운 문제를 대면하게 된다. 내게 의존하는 아이가 있는데 정말로 별을 향해 마음껏 손을 뻗을 수 있을까? 특히나 좋은 부모가 되려면 우리 어머니나 할머니보다 훨씬 더 많은 뇌의 공간과 돈이 필요한 시대에? 게다가 나 자신이 훌륭하고 매우 헌신적인 부모인 동시에 훌륭하고 매우 헌신적인 직장인이기를 기대하는 상황에서?

늘어난 생활비 탓에 X세대는 부모와 비교해 계층이 하강 이동했다. 하지만 아이들에게는 자신이 가지지 못한 혜택을 주려고 안간힘을 쓴다. 미국 농무부의 보고서에 따르면 연 수입이 10만 7400달러 이상인 가정은 2015년에 태어난 아기를 열일곱 살까지 키우는 데 인플레이션을 적용해서 양육비로 45만 4770달러를 쓴다고 한다.[8]

얼마 전 한 친구가 말했다.

"나는 '사회적 배려 대상자'였어. 바비 인형에 입힐 옷은 남은 천 쪼가리로 만들었지. 근데 우리 딸은 국제 학교에 다녀."

부모에게 스트레스를 주는 또 다른 요인은 객관적으로 더 치열해진 교육 환경이다. 나는 고등학교 입시 때 딱 한 군데만 응시했다. 숙취에 시달리며 SAT(미국의 대학 진학 능력 기초 시험—옮긴이)를 봤는데도 장학금을 받았다. 하지만 요즘 내 친구들은 집 바로 맞은편에 있는 공립 초등학교에 아이를 보낼 수가 없다.

그 학교에 아이를 보내고 싶어 하는 부모가 너무 많기 때문이다. GPA(미국 교육 과정의 평균 평점—옮긴이) 점수가 4.0이고, 자기소개서에는 동아리 활동이며 할 줄 아는 운동, 봉사 시간이 줄줄이 적혔는데도 대학에 입학하지 못해서 고생하는 고등학생들도 있다. 2019년 《월 스트리트 저널》 기사에 따르면 아이비리그 대학 중 한 군데만 제외하고 합격자 수가 입학 신청자의 10퍼센트도 안 되었다.[9]

부모의 스트레스 요인에는 내적인 갈등도 있다. 언젠가 아이를 하나 더 낳으라는 말을 들었을 때 나는 경제적으로 여력이 안 된다고 답했다. 말도 안 되는 대답이었다. 우리 집보다 수입이 훨씬 적은데도 더 많은 아이를 훌륭하게 키워 낸 사람들이 있다는 사실을 알고 있었다. 하지만 내 말도 사실이었다. 왜냐하면 너무도 많은 불필요한 것이 내게는 꼭 필요하기 때문이다. 이를테면 독서나 캠핑, 방과 후 프로그램, 여행, 그리고 무엇보다 그런 일에 주의를 기울일 수 있는 자유.

2015년 갤럽 조사에 따르면 일하는 엄마의 자그마치 56퍼센트가 전업주부가 되고 싶어 한다.[10] 56퍼센트면 꽤 많은 수치다. 하지만 집에 아기를 두고 나와서 일하는 엄마라면(전업주부가 되고 싶지 않다고 응답한 39퍼센트도 포함해서) 그 수치에 놀라지 않을 것이다.

갓 태어난 아기와 집에 있을 것인가, 아니면 출근할 것인가는 대개 탁상공론일 뿐이다. 오늘날 외벌이로 살아갈 수 있는 집은 거의 없다. 또한 직원에게 장기 휴가를 허락할 고용주도 거의 없다.

임신했을 때 나는 어떻게 하고 싶은지 자문하지 못했다. 물가가 비싼 도시에서 우리 집의 생계를 책임지고 있던 터라 사실상 선택의 여지가 없었기 때문이다. 나는 경력을 쌓고 싶었다. 게다가 6주간 출산 휴가가 주어지고, 일주일에 하루나 이틀 재택근무를 할 수 있으며, 회사 화장실에서 모유를 짤 수 있는 자유까지 주는 너그러운 사장 아래에서 일하는 기회를 날릴 수 없었다.

나는 운이 좋았다. 내가 아는 다른 여자들보다 배려를 많이 받았다. 복직한 뒤 거금을 들여 큼직한 가방에 든 메델라 전동식 착유기를 샀다. 가방이 꼭 여행 가방처럼 생겨서 내가 그걸 집어 들고 직원용 화장실로 향할 때마다 상사가 농담을 했다.

"또 시골로 주말여행 가는 거야?"

우리 부모님 세대는 전반적으로 우리처럼 심한 스트레스에 시달리지는 않았다. 자녀를 두고 직장에 다녀도 대부분 정시에 출퇴근할 수 있었다. 우리처럼 매일 아침 7시에 나가 자정에 들어오는 생활은 하지 않았다.

또한 부모가 자식에게 늘 주의를 기울여야 한다고 생각하지도 않았다. 만약 1970년대에 어떤 엄마가 출근하거나 외출해야 한다면, 취학 아동인 아이에게 집에서 혼자 텔레비전을 보고 있으라고 말해도 전혀 수치심을 느끼지 않았다.

한 X세대 여자는 베이비 붐 세대인 엄마가 그녀의 집에 놀러 왔다가 얼떨떨해하더니 이렇게 말했다고 들려줬다.

"네가 왜 아이들과 놀아 주는 거니? 우린 한 번도 너와 놀아 준 적이 없어."

X세대 부모가 자신의 부모와 흔히 나누는 대화다.

장담컨대 육아에 관한 한 X세대는 쉴 틈도 없이 너무 많은 일을 할 것이다. 최근 한 X세대의 페이스북에서 이런 포스팅을 봤기 때문만은 아니다.

"이제 막 걸음마를 뗀 아기에게 알맞은 게임: 고고학자 놀이를 시키세요! 아기에게 마른 페인트 붓을 주고 당신은 소파에 누우세요. 당신은 공룡 화석이 되어 주고, 아기에게 부드럽고 조심스럽게 당신을 발굴해 내라고 하세요."

베이비 붐 세대가 아기를 키우던 해인 1975년에 마르그리트 켈리와 엘리아 파슨스는 "엄마들이 육아 전문가가 되어야 한다는 생각을 단계적으로 줄이기 위해"《엄마 연감The Mother's Almanac》을 출간했고, 이 책은 큰 인기를 얻었다.

하지만 그들의 자녀인 X세대는 전혀 다른 메시지를 받았다. 현재 유행 중인 육아 책은 부모에게 적어도 1년간 모유 수유를 하고, 아이에게 수면 훈련(아이가 부모의 도움 없이 혼자서 잠들도록 하는 훈련-옮긴이)을 시키지 말라고 한다. 그러려면 대개 엄마의 수면 부족이 수반되기 마련이다. 우리는 우리가 누리지 못하던 것들을 자식에게 주고 싶은 내면의 강렬한 압박감에 굴복해 유아용 그네와 200달러짜리 유아용 나무 자전거를 구입하고, 짐 보리 수업에 아낌없이 돈을 쓴다. 그럴 여유가 있든지 없든지 간에.

아직 아이가 없는 밀레니얼 세대에게는 이런 논쟁이 혼란스러울 것이다. 자식을 방치한 베이비 붐 세대와 지나치게 보살피는 X세대 중에서 누가 옳을까? 그들은 이 책을 통해서 X세대 부모가 자기들이 겪은 어린 시절을 바로잡으려고 지나치게 노력했음을 깨닫고 실용적인 중도를 택할 수 있다. 우리가 아이를 키우느라 얼마나 기진맥진했는지 잘 기억해서 그들은 절대 이유식을 직접 만들지 않겠다고 맹세하기를 간절히 바란다.

아직 확실히 말하기는 어렵지만, 밀레니얼 세대는 보다 느긋한 양육 방식으로 돌아갈 것이다. 2013년에 이뤄진 한 마케팅 연구에 따르면 대다수 밀레니얼 세대 부모는 아이에게 어른의 지도 없이 노는 시간이 필요하다고 여기고, 자신을 헬리콥터형 부모가 아닌 드론형 부모로 생각했다. 즉 필요할 때 언제든 아이에게 접근할 정도로 가까이 있지만, 특별한 일이 없는 한 그저 구름 속에 머무는 것으로 만족하는 것이다.[11] 퓨 리서치 센터 연구에서는 통계에 참여한 밀레니얼 세대 엄마의 절반 이상이 자신이 부모로서 아주 잘하고 있다고 응답했다.[12]

아마 그들은 어린아이를 키우면서 동반자와 좋은 관계를 맺는 데도 탁월할 것이다. 2017년에 출간된 《괜찮은 결혼》에서 심리학자 엘리 J. 핀켈은 1975년과 비교하면 요즘 부부는 둘이

서 데이트를 하거나 함께 친구를 만나는 등 둘만 보내는 시간이 현저히 줄어들었고, 함께 양육하는 시간은 거의 세 배가 증가한 것으로 밝혀진 연구 결과를 언급했다.[13] 아마 그래서 X세대 부모들에게서 중년의 결혼 생활은 예전에 연애하던 사람과 어린이집을 운영하는 기분이라는 불평이 종종 터져 나왔을 것이다.[14]

심지어 양육 기준을 낮추라는 주장조차도 우리를 비난하는 것처럼 들린다. 일례로 과학 뉴스 웹 사이트인 라이브 사이언스에 실린 기사 〈왜 슈퍼맘은 진정해야 하는가〉[15]가 있다. 그 기사의 내용을 한 줄로 요약하면 '모든 방면에서 성공하려는 생각은 정신 건강에 해롭다'이다. 내 경험상 슈퍼히어로가 되려고 노력하는 일보다 여자의 정신 건강에 더 해로운 것이 딱 하나 있는데 바로 '진정하라'는 충고다. 조금이라도 진정하려고 했다가는 곧바로 부작용이 나타나기 때문이다.

내가 아는 한 변호사는 처음 아기를 낳았을 때 전통적인 흑인 방식으로 아기를 키운 그녀의 어머니가 석 달간 아기를 집 밖으로 데리고 나가지 말라고 했다고 한다. 하지만 몇 주가 지나 너무 답답해진 그녀는 의사에게 전화해서 외출해도 되는지 물어보았다. 의사는 외출해도 된다고 답했다.

"단, 사람이 너무 많은 곳엔 가지 말고 손을 꼭 씻으세요."

집 근처에 대형 마트가 새로 오픈한 터라 그녀는 아기를 데리고 마트에 가 보기로 했다. 그녀가 말했다.

"우선 그 사실이 그냥 슬프더라고요. 오랜만에 큰맘 먹고 하는 외출이 겨우 대형 마트라니! 그리고 마트를 구경하는데 아기가 비명을 지르기 시작했어요. 그냥 우는 정도가 아니라 무슨 문제가 생긴 것처럼 자지러지게 우는 거예요. 난 화장품 코너에 있었는데 사람들이 몰려와 날 따라다니기 시작했어요. '아기가 너무 어리다', '저런 애를 왜 데리고 나왔지?'라고 쑥덕대면서요. 계산대로 가서 신용카드를 꺼내는데 갑자기 물건이 바닥으로 쏟아졌어요. 나도 울기 시작했죠. 정말로요. 아기가 비명을 지르고, 나도 비명을 질렀어요. 사방에 물건이 떨어졌고……. 그때 누군가 그러더군요. '당신이 어떤 기분인지 알아요. 괜찮아요. 여기 당신 지갑이 있어요. 아이는 괜찮아요. 출산 축하해요.'"

변호사 친구는 그날 만난 사람 중 자신을 비난하지 않는다고 느낀 사람은 저 말을 해 준 여자뿐이었다고 했다.

"세상은 이렇게 말하는 것 같아요. '넌 뭘 해야 할지 다 알고 있어야지. 우린 널 도와주지 않을 거야. 널 에워싸고 바라보면서 아기 걱정만 할 거야. 넌 여기 존재하지 않아. 오로지 우리가 네 실수를 지적할 때만 존재하지.'"

우리 어머니 세대는 대부분 이런 감시를 받지 않았다. 우리 엄마는 내가 아는 다른 엄마들보다 요리를 많이 하는 편이었지만 그래도 우리는 전자레인지에 돌리기만 하면 먹을 수 있는 스완슨 프라이드치킨을 주기적으로 먹었고, 슈퍼마켓에서 파는 엔텐만 초콜릿 도넛을 아침으로 먹었다.

1970~1980년대 음식은 제대로 된 음식이 아니었다. 2018년에 《1970년대 디너파티70s Dinner Party》라는 책을 출간한 애나 팔라이는 당시의 고급 샐러드는 '젤라틴에 생채소를 넣어 굳힌 초록색 젤리에 마요네즈를 듬뿍 끼얹어' 내놓는 경우가 많았다고 말해 주었다.[16] 그녀가 추정하기에 1970년대 파티에서 가장 인기 있던 음식은 샌드위치 로프였다.

"식빵 한 덩어리를 가로로 길게 잘라서 그 안에 연어나 치즈, 달걀, 닭고기 등을 넣어 샌드위치를 만드는 거예요. 크림치즈와 마요네즈를 섞어 초록빛이나 노란빛이 도는 소스를 빵 겉면에 발라 주고 식용 꽃으로 장식하죠."

듣기만 해도 맛이 없다.

"맞아요. 맛이 없어요."

그녀가 말했다.

다른 X세대처럼 나 역시 안전벨트를 하지 않은 채 차를 타고 다녔고, 어른들이 가게에서 일을 보는 동안 혼자 자동차 뒷좌석에 앉아 있었고, 쏜살같이 달리는 픽업트럭 짐칸에서 뛰어다녔다. 사촌과 나는 주기적으로 이모와 이모부의 볼보 뒷좌석에서 놀았다. 볼보가 시속 97킬로미터로 달리는 동안 우리는 뒷좌석을 뒤로 젖히고 트렁크로 기어들어 간 다음, 좌석을 다시 세웠다. 트렁크에서 놀다니!

요즘의 사회적 기준을 우리보다 앞선 세대의 부모에게 적용한다면, 세상의 모든 아동 보호 전문 기관을 다 데려와도 처리할 수 없을 것이다. 아동 학대 보고서가 달까지 쌓이리라. 우리 세대 이전의 모든 부모가 다 그랬다. 베이비 붐 세대도 어린아이였을 때 우리만큼 위험하게 자랐다. 다만 우리는 이혼 가정에서, 우리가 모르는 이웃들 속에서, 범죄율이 높은 곳에서 자랐을 확률이 훨씬 높다.

현재 우리 동네는 어느 때보다 안전하다. 그래도 나는 열두 살인 아들을 내가 어릴 때처럼 혼자서 자주 돌아다니게 하지 않는다. 자유 방목 육아 운동을 펼치는 레노어 스케나지처럼 아이들의 독립을 전파하고 다니는 사람들은 우리가 아이들을 더 자유롭게 해 줘야 한다고 주장한다. 그 주장은 전적으로 옳다. 하지만 나는 우리가 왜 그렇게 못 하는지 알 것 같다. X세대가 헬리콥터처럼 아이들 곁을 맴도는 이유는 어린 시절 부모님이 곁에 없을 때 무슨 일이 일어났는지 혹은 일어날 수 있었는지 너무도 선명하게 기억하기 때문이다. 그 본능적인 위기의식은 논리적으로 설득하기 힘들다.

지난 5년간 마감이 있을 때마다 내가 아들을 집 밖으로 쫓아내고 어두워지기 전에 돌아오라고 했다면 일을 더 많이 할 수 있었을까? 상상도 할 수 없는 일이다.

"내가 어릴 때는 감시하는 어른이 아무도 없었습니다. 우린 원하는 건 뭐든 할 수 있었죠. 하지만 또한 아무도 아이들에게 관심이 없었습니다. 난 아이들이 특별해지는 시대가 도래하기 전에 어른이 됐죠."[17]

코미디언 존 멀레이니는 넷플릭스에서 선보인 자신의 스탠드업 쇼에서 이렇게 말했다.

내가 어릴 때는 정상으로 여겨지던 많은 일이 지금은 기괴해 보인다. 우리 아들이 어렸을 때 1970년대에 방영된 〈세서미 스트리트〉 DVD가 발매되었는데 이런 경고가 붙어 있었다.

"이 초창기 〈세서미 스트리트〉 에피소드는 어른용으로 만들어졌습니다. 따라서 오늘날 미취학 아동에게 적합하지 않을 수 있습니다."[18]

나는 그걸 보며 웃었고, 그 DVD를 보았다. 아이들은 길거리에 버려진 박스 스프링(침대에서 매트리스를 받쳐 주는 아이템으로 매트리스와 똑같이 생겼다-옮긴이) 위에서 폴짝폴짝 뛰기도 하고, 공사 현장을 뛰어다니기도 하고, 지켜보는 어른이 거의 없는 상태에서 헬멧도 쓰지 않은 채 음침한 동네를 쏘다녔다. 나는 어린 시절의 향수와 우리 아들이 저런 평행 우주를 접하면 어쩌나 하는 경악이 뒤섞인 감정을 느꼈다.

X세대 엄마는 대체로 아이를 박스 스프링 위에서 뛰게 하지 않는다. 그보다는 컵케이크를 장식하게 하거나, 주홍색 호박을 파서 눈, 코, 입을 만들거나 페이스 페인팅을 하며 놀게 한다.

우리 아들의 초등학교에서는 사인업지니어스SignUpGenius라는 앱을 통해서 학교 행사에 참여할 학부모 자원봉사자를 모집하는데, 내 머릿속에서는 저 앱의 이름이 늘 빈정대는 말로 들린다.

"그래, 어서 신청해sign up, 천재야genius. 당연히 토요일 아침 4시간은 늦잠이 아니라 봄 가든파티에서 샌드 아트 하는 아이들을 지켜보는 데 써야지, 천재야."

일단 학교 시스템에 들어가면 나가려고 해도 다른 학부모들이 계속 다시 끌어들인다. 마피아 조직처럼.

보낸 사람:앤절라

받는 사람:그라시엘라, 데비, 카비타, 로라, 재스민 외 35명

제목:이

모두 안녕하세요. 아이비 머리에서 이가 나왔다는 걸 알려 드리려고 연락했어요……. 정말 미치겠어요……. 작년에도 여러 정보를 나눴죠……. 리스테린, 팬틴 샴푸, 티트리 오일이었던가요? 또 뭐가 있었죠?

여러분도 이번 주말에 아이들 머리에 이가 있는지 확인해 보시는 게 좋겠어요. 아이들은 학교에서 '미장원' 놀이도 했대요. 더는 그런 놀이를 하지 말아야죠! 학교에는 월요일에 알릴 거예요.

보낸 사람:재스민

유감스러운 소식이네요! 그때 리스테린을 비롯한 다른 구강 청결제로 이를 말려 죽이거나 진득한 컨디셔너 혹은 마요네즈로 질식시키라고 했어요. 둘 중 하나를 머리에 뿌리거나 발라 준 뒤 비닐

이나 샤워캡을 2시간 정도 쓰고 있다가 머리를 감기세요. 그리고 빗살이 가늘고 촘촘한 빗으로 빗겨 주세요.

예방법은 아쿠아넷 헤어스프레이로 머리카락을 코팅하는 거예요. 매일 하면 머리카락이 너무 딱딱하거나 불편해서 싫어하는 아이들도 있어요. 알게 뭐예요! 계속 가려운 것도 불편하기는 마찬가지잖아요.

보낸 사람:시드

안녕하세요, 여러분. 전 아이들 머리를 일주일에 한 번만 감겨 주고 아이를 학교에 보내기 전에 매일 머리에 오일(코코넛과 일랑일랑, 로즈메리, 아니스를 섞은 것)을 발라 준답니다. 그래서 우리 아이들 머리가 늘 엉겨 붙어 있죠. 하지만 이가 옮지 않게 하는 데 아주 효과적이랍니다. 행운을 빌어요. 머리카락을 다 밀어 버리는 것도 해결책일 거예요.

이 메일들은 이 사건과 관련해서 오간 수십 통의 메일 중 일부에 불과하다. 또한 내 학교 이메일 폴더에 들어 있는 수십 통의 메일 중 일부에 불과하다. 다른 메일들 제목은 다음과 같다.

행사용 선물 바구니, 과학관 견학, 즐거운 수요일, 선생님께 드릴 명절 선물, 가족사진의 날에 봉사하실 분, 장난감 분실, 마음 챙김, 운동장 문제, 여름 캠프, 오늘 아이들 봐 주실 분, 컵케이크 레시피, 국제 학생 교류의 밤, 비상 대피 훈련, 도서 박람회, 모금 위원회, 바자회.

각각의 메일은 20~40명의 여자에게 발송된다. 다 직업이 있는 여자들이다. 교사도 있고, 행사 기획자도 있고, 레스토랑 사장도 있다. 그러니 시간이 막 남아도는 사람들은 아니다. 그런데도 수신인 목록에서 남자 이름은 거의 본 적이 없다. 나는 남편을 수신인 명단에 넣으려고 해 봤는데—그저 양육의 기쁨을 함께 나누고 싶었을 뿐이다—웬일인지 남편의 이름은 명단에서 빠져 버렸다.

한번은 학부모 교사 연합회 소속 엄마들이 모여서 매해 열리는 기금 마련 행사에 어떤 경매 아이템을 내놓을지 상의했다. 나는 늘 그렇듯이 맷 선생님과 버몬트주에서 보내는 낭만적인 주말여행을 제안했으나 또 거절당했다. 그래서 학기 내내 학교 일과 관련된 이메일을 한 통도 받지 않게 해 주는 면책 특권을 다시 제안했다.

아무도 내 말에 웃지 않았다.

좋다. 만약 학부모가 아닌 사람들이 학부모 교사 연합회 엄마들을 조롱한다면 난 목숨을 바쳐 저 여인들을 변호할 것이다. 왜냐하면 학교는 특히나 공립 학교는 저런 식으로 일이 진행되기 때문이다. 저런 식으로 기금을 마련하고, 저런 식으로 학교 행사의 자원봉사 요원을 모집하고, 저런 식으로 선생님들에게 상품권과 학교 뮤지컬 참가자 전원의 사인이 담긴 대형 카드를 전달하기 때문이다.

저런 메일을 무시하는 사람들에게는 저 수고가 보이지 않을 것이다. 하지만 이런 일을 조금이라도 해 본 사람이라면 매우 지치는 일이라는 걸 알 것이다. 엄마들은 매해 저런 이메일을 읽고, 그 지침대로 행동하는 데 많은 시간과 돈을 쓴다. 박물관 견학을 가는 아이에게 도시락을 싸 주고, 반에서 마련하는 선물 바구니에 들어갈 선물을 사고, 비밀 산타가 되어 친구에게 줄 선물을 포장하고, 교장 선생님 선물을 사는 데 돈을 보탠다. 여자들이 모여서 푸념할 대상도 눈에 띄지 않는 '정신적 부하'다. 이를테면 명절 선물을 챙기고, 장보기 목록을 작성하고, 여행 계획을 세우는 등 당신의 뇌를 좀먹을 수 있는 '자잘한 일들'과 같은.[19]

시간 사용에 대한 설문 조사를 보면 X세대 남자는 그들의 아버지 세대보다 집안일을 더 많이 하지만 여자가 하는 많은 일을 덜어 주기에는 여전히 부족하다. 1989년에 출간된 알리 혹실드의 책 《돈 잘 버는 여자 밥 잘 하는 남자》는 일하는 여성이 퇴근해서 집에 돌아오면 다시 주부로 2교대를 시작하는 현실을 보여 주었는데, 이는 지금도 그러하다.

2016년에 퓨 리서치 센터에서 실시한 조사에 따르면 아빠는 아이를 돌보는 데 일주일에 8시간을 쓴다고 한다. 1965년에 아빠가 아이와 보내던 시간에 비하면 세 배 이상이다. 노동통계국에 따르면 여섯 살 이하의 자녀를 둔 일하는 여성은 평일에 아이를 돌보는 데 여전히 평균적으로 1.1시간을 쓴다고 한다. 남자들은 몇 분이나 쓰냐고? 26분이다.[20] 퓨 리서치 센터 조사에 의하면 오늘날 남자들은 일주일에 집안일을 10시간 한다고 한다. 예전 남자들의 4시간과 비교하면 많이 늘었지만 여자들과의 격차를 좁히기에는 부족하다.[21]

최근에 퓨 리서치 센터에서 맞벌이 가정을 대상으로 실시한 설문을 보면 남편은 자신이 집안일과 육아를 아내와 동등하게 분담한다고 말했지만[22] 아내는 그 말에 동의하지 않았다. 그리고 아내의 그런 생각은 "수많은 연구를 통해 옳은 것으로 밝혀졌다"고 《뉴욕 타임스》는 말했다.[23] 또 다른 연구에 따르면 아이가 태어난 뒤 여성이 일하는 시간은 직장 일과 육아, 집안일 모두 합쳐 일주일에 21시간 증가한 반면, 남성은 12시간 30분 증가했다.

우리 사회에는 아직도 남자가 집안의 가장이라는 인식이 있다. 그들이 벌어 오는 돈이나 하는 일이 여자보다 적을 때도 그러하다. 사실 미국 인구조사국의 2018년 보고서에 따르면 여자가 더 많이 버는 이성애자 부부의 경우, 남녀 모두 수입을 다르게 말한다고 한다. 심지어 인구 조사원에게까지도. 여자는 자신의 수입을 1.5퍼센트 줄이고, 남자는 2.9퍼센트 늘린다. 그런 현상을 알아차린 연구원들은 이를 '남자는 올리고 여자는 내린다'[24]라고 표현했다.

여자는 예전 남자들의 전유물 분야로 옮겨 간 반면 그 반대는 이뤄지지 않은 것이 하나의 원인일 수 있다. 이와 관련해서 브루킹스 연구소 선임 연구원 이저벨 V. 소힐과 리처드 V. 리브스는 《뉴욕 타임스》에 다음과 같이 썼다.

"예전에 남자들이 주로 하던 일이 사라졌거나 빠르게 사라지고 있다. 그리고 아이를 키우는 일을 분담하기 위해서는 2명의 헌신적인 부모가 필요하다."[25]

대신 성 역할이 바뀌면서 역효과를 낳고 있다. "남편보다 돈을 더 많이 버는 여자는 그 사실, 그리고 그에 따르는 복잡한 심리를 보상하기 위해 집안일을 더 많이 하죠"라고 소힐이 내게 말했다.

또한 여자들도 입으로는 남자가 집안일을 더 많이 하고 육아를 도와주면 좋겠다고 말해도 실제로 그런 남자를 만나면 상담 팟캐스트에 '가장'이란 제목의 편지를 보낸다.

"남편이 날 먹여 살리는 전통적인 생활 방식으로 살고 싶어요. 한편으론 그런 걸 원하는 나 자신이 싫고 부끄러워요."[26]

동등한 관계 속에서 두 사람이 똑같이 일하고, 똑같은 돈을 벌고, 각자 일주일에 저녁을 세 번 반씩 준비하는 판타지는 맞벌이 부부의 육아가 극도로 힘들다는 현실에 부딪힌다. 그러면서 두 사람 다 수고를 인정받지 못한다고 느끼게 된다.

돌봄 고문 반대편에는 연로한 부모님이 있다. 요즘에는 남자들이 어린 자식뿐 아니라 연로한 부모님을 돌보는 일도 더 많이 하지만, 다른 어떤 그룹보다 중년 여성(평균 나이 마흔아홉 살)이 여전히 주요한 짐을 떠안는다.[27]

대다수는 연로한 부모님이 이혼한 상태다. 이로 인해 종종 긴장이 고조되며, 청소하고 냉장고를 채워 놓아야 할 집은 두 군데로 늘어난다.[28] 게다가 우리는 출생률이 급감할 때 태어난 터라 형제자매가 거의 없어서 의지할 지원군도 적다. 2010년에는 여든 살 이상 노인 1명당 보살필 수 있는 사람의 비율이 1:7이었다. 이 수치는 아마도 2030년에는 1:4가 될 것이고, 2050년에는 고작 1:3이 될 것이다.[29]

비용도 막대한데 특히 여성에게 더욱더 그렇다. 2011년 생명 보험 회사인 메트라이프에서 발표한 연구 조사에 따르면 여자가 부모를 돌보기 위해 일찍 은퇴할 경우 잃게 되는 임금과 사회 보장 연금은 평생 32만 4000달러다.[30] 부모를 돌보는 10명 중 6명은 유급 혹은 무급 휴가를 내는 등 직장 생활에 지장을 받게 된다.[31] 부모를 돌보는 가정은 부양비로 연평균 7000달러를 쓰는데 이는 여성들 평균 수입의 21퍼센트다.[32]

미국 은퇴자 협회의 가족 및 부양 전문가 에이미 고이어는 그녀 자신도 그런 상태로 살았다고 내게 말했다. 대략 10년 동안 풀타임으로 일하며 아픈 부모님과 언니를 보살펴야 했다. 그녀는 이렇게 말했다.

"여자는 40~50대에 성공을 이루고, 삶의 참다운 소명을 찾는 게 이상적이죠. 그런데 요즘 여자들은 너무 바빠서 그런 생각을 할 겨를이 없어요."[33]

이 돌봄 고문은 밀레니얼 세대와 Z세대로 내려가면 X세대보다 더 심해질 듯하다. 암 같은 중증 질환이나 만성 질환 치료법이 개발되고 치매 환자들도 더 오래 살게 됐지만 아직 가족 돌봄 휴가 제도가 없고 비용을 감당해 줄 만한 건강 보험도 없다는 사실은 중년 남녀를 더욱 지치게 할 수 있다.

그래도 젊은 여성에게는 다행히 육아에서의 성 격차는 좁아지고 있다. 비록 출산이 늦어지고, 육아와 함께 부모님을 부양하는 패턴은 사라지지 않을 테지만. 요즘 젊은 남자는 아버지로서, 남편으로서, 아들로서 더 많은 일을 하는 듯하다. 미국 은퇴자 협회에서 발표한 최근 보고서에 따르면 미국 밀레니얼 세대의 남자는 육아를 47퍼센트나 부담한다고 한다.[34]

마이애미에서 열린 세미나 첫날 파티에서 나는 우연히 세 여자와 이야기를 나누게 되었다. 첫 번째 여자는 파티장으로 가는 셔틀버스를 기다리다 만났다. 방금 전화 통화를 끝낸 여자의 표정은 심란해 보였다.

"괜찮으세요?"

내가 물었다.

"아뇨."

그녀가 대답했다. 그녀는 남편의 격려를 받고 세미나에 온 참이었다. 남편은 그녀가 하룻밤 정도는 아이들에게서 떨어져 그녀만의 시간을 보낼 자격이 있다고 말해 주었으나 정작 몇 시간 만에 아이들을 시부모님께 맡겨 버렸다. 그녀는 아이들이 남편의 보살핌을 받으며 집에 있기를 바랐다. 지금이라도 비행 일정을 바꿔서 집으로 돌아가야 할까? 그녀는 휴대 전화로 항공사 앱을 열었다.

셔틀버스에서 만난 또 다른 여자는 인상을 쓰고 있었다. 조금 전에 다섯 살짜리 딸과 영상 통화를 했는데 딸이 빨리 집으로 오라고 울며불며 소리를 질러 댔기 때문이다. 꼬마 아가씨에게는 미안하지만 아이가 한 말을 그대로 옮기자면 이렇다.

"왜 엄마가 여기 없는 거야아아아아???"

세 번째 여자는 무대에 올라가서 프레젠테이션을 하기 직전에 아이가 놀이터에서 사고를 당했다는 문자를 받았다. 간신히 1시간을 버틴 뒤 무대에서 내려와 집에 전화했더니 별일 아니라는 사실을 알게 되었다.

우리가 칵테일 드레스를 입고 하이힐을 신은 채 서 있는데 저쪽에서 깎아 놓은 듯이 잘생긴 남자 작가가 걸어왔다. 우리는 그에게 세미나에서 무슨 책을 홍보하는 중이냐고 물었다. 그는 플라스틱 생수병으로 뗏목을 만들어 태평양을 횡단하는 내용의 책이라고 했다.

나는 그에게 질투와 경외심, 매력과 분노가 뒤섞인 감정을 느꼈다. 그는 영상 통화를 하면서 울어 대는 아이가 없는 듯했다. 장인, 장모에게 맡긴 아기를 데려오려고 비행 일정을 바꿀까 고민하는 사람처럼 보이지도 않았다. 그저 따뜻한 마이애미의 밤을 즐기고 있었다. 저 남자에게도 가족이 있을까? 세미나에서 많은 여성 작가는 자기소개를 할 때 배우자와 자식을 언급하는 경우가 많았지만 남성 작가들은 거의 언급하지 않았다.

웨이트리스가 술잔이 든 쟁반을 들고 다가왔다. 남자 작가는 느긋하게 한 잔 집어 들었다. 심란한 우리 여자들은 게토레이를 들이켜는 마라톤 선수처럼 앞다퉈 잔을 비웠다.

미국은 부모와 아이를 돌보는 중년 여성을 거의 지원해 주지 않는다. 1993년에 가족 및 의료 휴가법—50명 이상의 직원을 둔 공공 기관과 사기업의 직원은 건강, 임신, 출산 혹은 다른 가족을 돌봐야 할 필요가 있을 때 해고당하지 않고 무급 휴가를 12주까지 받을 수 있도록 허락하는 연방법—이 제정되었지만 미국의 사업장 대부분은 맞벌이 부부의 요구를 무시했고, 맞벌이 부부의 40퍼센트는 이 법의 혜택을 받지 못했다.[35]

다른 선진국은 대부분 정부로부터 도움을 받는다. 영국은 월급의 90퍼센트를 받으며 6주간 육아 휴가를 낼 수 있고, 그 후에는 정해진 돈을 받으며 다시 34주간 휴가를 낼 수 있는 것으로 유명하다. 그 외에 터키, 중국, 한국, 멕시코, 인도네시아, 인도, 사우디아라비아에서도 월급의 절반이 지급되는 휴가를 적

어도 70일간 낼 수 있다.[36]

미국 심리학회에 따르면 의료 보험에 대한 불안이 미국 곳곳에 퍼져 있다. 월급이 얼마든 상관없이 미국인의 66퍼센트가 의료 보험 비용 때문에 스트레스를 받는다고 전해진다.[37]

에밀리 쿡은 얼리서 쿼트의 《쥐어짜기: 왜 우리 가족은 미국을 감당할 수 없는가Squeezed:Why Our Families Can't Afford America》서평에 이렇게 썼다.

"100년 만에 불평등이 최고조에 달했으며, 가장 부유한 계층을 제외하면 모두 근근이 살아가는 정도라는 사실을 이제 누구나 안다."[38]

서평 맨 끝에는 그녀와 남편이 최근에 해고된 터라 아이를 하나 이상은 가질 수 없을 거라고 적혀 있다.

우리 아들이 아장아장 걸어 다닐 때 놀이터에서 친하게 지내는 친구 중 엘라라는 소녀가 있었다. 스웨덴인인 엘라의 엄마 요한나와 나는 아이들을 데리고 함께 있는 시간이 많았다. 우리는 아이들을 재우기도 하고, 간식을 먹이기도 하고, 아이들에게 이것저것 해 보게도 하고, 아이들이 미끄럼틀에서 부딪치는 바로 그 순간에 가끔씩 오는 일 관련 이메일을 확인하기도 했다.

요한나는 플로리다주 출신인 남편과 몇 년간 미국에 살았지만 어느 순간 난관에 부닥쳤다. 아주 열심히 일했는데도 성과가 미미했기 때문이다. 그래서 그들은 스웨덴으로 이사했다. 우리 부부는 그들을 기억하기 위해 그 집 차고 세일에서 자전거와

서랍장을 샀다.

몇 년이 지나 최근에 엘라와 요한나는 미국을 방문했다. 나는 요한나에게 스웨덴으로 돌아가서 사니 어떠냐고 물었다. 요한나는 스웨덴으로 돌아간 첫 달에 미국에서의 삶이 얼마나 끔찍했는지 깨달았다고 했다. 크고 복잡한 미국과 영토가 비교적 작고 대체로 단일한 문화를 가진 스웨덴을 비교하는 건 공정하지 못하지만 한 가지 배울 점은 있다고 생각한다.

"스웨덴으로 돌아가서 2주 만에 엘라를 유치원에 보낼 수 있었어. 우리 집에서 엎드리면 코 닿을 거리고, 아주 예쁘고 작은 빨간 집 안에 있는 유치원이야. 게다가 공짜고 점심까지 주는데, 엘라는 아직도 거기 점심이 제일 맛있대."

요한나가 말했다.

나는 요한나에게 아이를 매일 무료로 고급 유치원에 보내고 매일 무료로 고급 점심을 먹이니까 엄마로서 그녀의 삶이 어떻게 달라졌느냐고 물었다.

"다시 생각이라는 걸 할 수 있게 됐어. 그게 참 좋더라고. 다시 균형 잡힌 삶을 살 수 있게 됐어."

한때 종교 단체는 미국인의 삶에서 중요한 역할을 했다. 유대감을 갖게 해 주고, 고민이 있을 때 충고해 주며, 아이를 돌봐 주는가 하면, 어려운 일이 있을 때 캐서롤을 만들어 가져다주는 등의 물질적인 도움뿐 아니라 우주의 섭리와 목적에 대한 통합된 개념을 제공했다. 하지만 X세대는 대부분 조직화된 종교를 거부한다. 미국은 여전히 종교적인 국가(인구의 71퍼센트가 기독교)지만 종교가 있는지 묻는 설문 조사에서 '없음'에 표시하는 사람 수는 계속 늘고 있다.³⁹ 20~30대 미국인은 최근 미국 역사상 어느 때보다 정기적으로 교회 예배에 참석할 확률이 낮다.⁴⁰ 중년 여성은 종교보다는 혼자 하는 요가나 불교를 선택할 것이다.⁴¹ 점성술도 인기 급상승이다.⁴²

위기 상황에는 초자연적인 분야에서 해답을 얻을 수도 있다. "당신은 전생에 물에 빠져 죽어서 이번 생에서 물을 무서워하는 겁니다" 혹은 "지금 힘든 이유는 토성이 돌아오면서 하는 일마다 막히기 때문입니다" 등등 힘든 한 주를 보낸 이유가 당신 탓이 아니고, 곧 행성이 한 바퀴 돌아 빠져나갈 거라는 말은 얼마나 큰 선물인가.

《중간 지대:심령론자와 영매, 그리고 에트나 캠프의 전설The InBetweens :The Spiritualists, Mediums, and Legends of Camp Etna》 저자인 미라 프타신은 영매들이 늘 대기 중이라 좋다고 말했다.

"난 그들에게 낮이든 밤이든 언제나 문자를 보내서 '이 수수께끼의 답을 알려 주세요'라고 말할 수 있죠. 그러면 그들이 내게 답을 알려 줘요. 지난번에 한 영매는 우리 부모님이 언제 집을 파는 게 좋은지 정확히 알려 줬어요. 조금 전에도 왠지 아버지 건강이 자꾸 신경 쓰여서 또 연락했고요."⁴³

점성술과 심령술은 고민을 멈춰 준다. 고민하는 건 무척이나 고통스러울 수 있다. 결정을 내리고, 패턴을 분석하고, 미래를 상상하기란 너무 어려울 수 있다. 마법이 사실이라면서 실패나 상실에 대해 준비된 이유를 알려 주면 얼마나 큰 위로가 되겠는가.

게다가 점성술은 보험이 필요 없다. 미국 전역에 걸쳐 정신 건강 전문가는 현저하게 부족한데 특히 보험 처리가 되는 전문가는 더욱 그렇다.[44] 심리 상담은 목욕보다 도움이 될 테지만 어느 것이 더 싼가?

2018년에 나는 창작 세미나에서 자서전 쓰기 강좌를 맡아 달라는 요청을 받았다. 같은 복도에 있는 강의실에서 최근에《파친코》라는 책으로 명성을 얻은 소설가 이민진의 소설 쓰기 강좌가 진행 중이었다. 나는 시간이 비어서 그녀의 강의를 들으러 갔다.

이민진은 오랫동안 누구의 지지도 받지 못한 채 계속 글을 써 왔다고 했다. 그녀가 성공할 거라고 믿어 주는 사람은 거의 없었다. 글을 써서 돈을 벌지도 못했다. 온 세상이 그녀가 글쓰기를 그만두고 살림이나 하면서 가족을 보살피고 작가가 되는 꿈은 접기를 바라는 듯했다.

한번은 어렵게 2000달러를 마련해 작가들에게 빌려주는 레지던스에 들어갔는데, 밤이면 어린 아들이 보고 싶어서 울었다.

그러던 어느 날 동료 작가가 펠로십 프로그램에 참여하지 않고 돈을 내고 레지던스에 들어오는 아줌마들이 있어서 너무 창피하다고 하는 말을 듣게 되었다.[45]

"그게 내 얘기라는 걸 깨달았죠."

그날 이민진은 사람들에게 소명으로 느껴지는 일이 있으면 뭐든 계속하라고 격려했다. 단, 타인을 돌보는 것은 제외하고.

"친구가 아프면 당신은 틀림없이 음식을 챙겨다 줄 겁니다. 엄마가 아프면 당신은 엄마를 데리고 병원에 가겠죠. 엄마가 상냥하게 부탁하지 않아도요. 학교 양호 교사에게서 전화가 오면 할 일이 많은데도 아이를 데리러 서둘러 학교로 갈 거예요. 당신은 이미 그런 일을 처리하는 법을 알고 있습니다. 어려운 상황에 처한 상대를 사랑해야 한다는 걸요. 그건 초능력입니다. 이제 그 초능력을 당신을 위해서도 써야 해요."

이민진이 말했다.

질의응답 시간에 객석에 앉아 있던 한 중년 여자가 손을 들고 물었다.

"하지만 가족을 돌보지 않고서 혼자 글을 쓰면 죄책감이 들어요. 가족에게 필요한 것들만 계속 생각하죠."

이민진이 여자의 눈을 바라보며 말했다.

"그럼 당신은 어쩌고요?"

그 질문이 허공에 맴돌았다.

네 번째 이유

[불안정한 직장]

프리랜서의 대부분은
여성이라는 통계가 의미하는 것

"5년 전엔 성과보다는 경력이 많은 순서로 승진했어요.
내 차례가 오니까 새로운 트렌드에 익숙한
MZ세대가 조직을 이끌 때가 왔다는군요."

"내게 정식 경력이 있는지는 잘 모르겠어요. 신중하게 골라서 정성껏 쌓아 온 경력은 없어요."

마흔한 살의 로리가 말했다. 피츠버그에서 자란 그녀는 현재 노스캐롤라이나주 샬럿에서 계약 분석가로 일한다.

"그냥 이 일 저 일 하다가 현재 다니는 직장에 정착하게 됐죠. 괜찮은 직장이에요. 대기업이니까 안전하고 예측할 수 있죠. 하지만 가끔씩 주로 긴 전화 회의를 할 때 현실을 자각하는 순간이 있어요. 갑자기 머릿속에서 이런 소리가 들리죠. '지금 뭐 하는 거야? 이건 아무 의미도 없고 지루해! 왜 여길 때려치우고 네가 좋아하는 일을 하지 않지? 네가 좋아하는 걸 하나만 대 봐! 치즈? 그래, 좋아. 염소를 구해서 치즈를 만들자. 그걸 트럭에서 파는 거야. 트럭에 멋진 이름을 붙이자.' 그러고는 전화 회의 내내 가상의 치즈 트럭에 붙일 이름을 생각하죠. '흠, 트럭이라는 점에 착안해서 말장난을 해 볼까? 달리는 프로마주?'[1] 왜 나는 달리는 프로마주의 주인이 되지 않고 계속 회사에 다니는 걸까요? 친구들은 몇 년 전부터 내게 계속 말했어요. 회사 그만두고 빵을 굽든지 치즈를 만들든지 하라고요. 하지만 내겐

한 번도 선택의 여지가 없었어요. 특히 지금은요. 우리 부부에 겐 아이가 있어요. 그 아이를 안전하게 보호해 주고 건강 보험도 들어 줘야 해요. 그걸 생각하면 내가 무슨 일을 하고 싶은지는 중요하지 않죠. 만약 정말로 나쁜 일이 생긴다면 어쩌라고요. 우리가 해고라도 되면요?"

로리는 몸을 부르르 떨었다.

전반적인 남녀 임금 격차는 2017년에 이르러 남자가 1달러를 벌 때 여자는 82센트를 버는 것으로 좁혀졌다.[2] 하지만 중년 여성의 경우에는 격차가 벌어진다.[3] 전미 경제학회 전 회장이자 이 분야에서 널리 알려진 인사인 클라우디아 골딘은 대학을 졸업한 여성이 마흔 살이 되면 남자가 1달러를 벌 때 73센트만 번다고 지적했다. MBA를 졸업한 여자는 92센트를 번다. 하지만 10년 뒤에는 57센트가 된다.[4]

여성 정책 연구 협회가 전해 주는 소식은 더 끔찍하다. 지난 15년간을 살펴볼 때 여성들의 경력 단절까지 고려하면 남자들이 1달러를 벌 때 여자들은 49센트를 벌어 임금 격차가 더욱 벌어진다고 한다. 이는 보통 1년간의 통계 자료로 계산했을 때 나오는 80센트보다 훨씬 적은 금액이다.[5] 보고서에 따르면 1년간 쉰 여성은 15년간 근무한 여성보다 임금이 39퍼센트 줄어든다고 한다.

일반적인 남녀 임금 격차에도 불구하고 현재 여성의 4분의 1이 남편보다 돈을 더 많이 번다.[6] 하지만 고액 연봉 직장인일 경우 여자들은 여전히 다른 사람들 앞에서 자신의 수입을 줄여서 말한다.[7] 보상 연구 회사인 페이스케일이 2018년에 발표한 연구에 따르면 "남자들은 경력 중반에 중역이 될 확률이 여자들보다 70퍼센트 높다"고 한다. 경력이 쌓일수록 이 비율은 142퍼센트까지 치솟는다.[8] 지금 많은 X세대 여성이 바로 그 지점, 경력 중반에 있다.[9]

벤처 자금 중에서 겨우 3퍼센트만 여자가 경영하는 회사로 간다.[10] 2019년에 S&P 500에 포함되는 회사 중 겨우 4.8퍼센트만 여성 CEO가 운영하고 있다.[11] 한 번쯤 들어 봤을 테지만 사실 여자가 대기업 CEO일 확률보다 존이라는 이름의 남자가 CEO일 확률이 더 높다.[12]

현재 X세대는 미국 전체 관리직의 대략 37퍼센트를 차지하며, 전 세계적으로는 51퍼센트를 차지한다.[13] 하지만 X세대가 나이를 먹으면서 그런 관리직은 점차 사라져 간다. 전미 경제 연구소에 따르면 지난 20년간 미국 기업은 중간 관리자 직급 안에서 점차 서열이 사라지고 평등해졌다.[14] 하루가 멀다 하고 '간소화'를 통해 비용을 줄이고 연간 매출액을 늘리기 위한 과감한 계획이 발표되는 듯하다. 한마디로 더 적은 인원에게 더 많은 일을 시키겠다는 뜻이다.[15]

컨설팅 회사 DDI의 '2018년 전 세계 리더십 예측'에 따르면 "X세대는 직장에서 영향력과 맡은 업무가 늘어나는데도 승진에서 가장 많이 누락되며 승진 속도가 가장 느린" 것으로 나타났다.[16] 또한 X세대 리더들은 "제대로 인정받지 못하며", "과다한 업무를 맡아도 당연하게 여겨져" 결과적으로 사기가 저하된다. 2019년에 발표된 메트라이프 설문 조사를 보면 X세대 직장인은 "직장에서 다른 세대보다 목표를 이루려는 열정이 부족"하다는 점이 눈에 띈다.[17]

전 세계가 심각한 경제 침체를 겪는 상황에서도 한 가지 긍정적인 면이 있다. 많은 기업이 위기에 몸부림치는 반면, STEM Science, Technology, Engineering, Math 즉 과학과 기술, 엔지니어링, 수학 분야에서는 일자리가 급증한다는 것이다.[18] 하지만 2011년 STEM 분야에 종사하는 여성은 겨우 26퍼센트에 불과하다. 유색 인종 여성은 그 수치가 훨씬 낮다. 남자든 여자든 STEM 분야에 종사하는 흑인은 6퍼센트에 불과하다. 2018년 린인 재단과 매킨지&컴퍼니가 발표한《일터에서의 여성들》에 따르면 미국 기업은 지난 4년간 성 다양성에서 거의 아무런 진전이 없었다.[19] 컴퓨터 분야 여성 종사자 비율은 1990년대 이후로 사실상 감소했다.[20]

나는 경제 정책 연구소 공동 소장 아일린 애플바움에게 언제 해고될지 모른다는 X세대 여성의 두려움이 편집증이 아닌 현실에 기반한 것인지 물었다. 그녀는 "심리적인 문제가 아니다"라고 말했다.[21] 애플바움에 따르면 지난 30년간 "기업 구조는 크게 진화"했고, "예전에는 회사 내부에서 처리하거나 자회사에 맡기던 많은 일을 이제는 외주를 준다"고 한다.[22]

변화하는 회사는 중년이 되어 경영직에 정착하려는 직원들을 늘 새로운 방법으로 괴롭히는 듯하다. 공장을 해외로 이주한다든지, 노사의 힘을 약하게 한다든지, 규제 완화나 자동화 등으로.[23]

대침체 여파로 인한 장기간 실업은 어떤 집단보다 중년 여성에게 가장 큰 타격을 준다. 언론 매체 헤드라인은 우리의 의심을 확인해 준다. 《하버드 비즈니스 리뷰》 헤드라인은 '나이 많은 여성은 일터에서 강제로 쫓겨난다'이고[24] 〈PBS 뉴스아워〉 헤드라인은 '왜 쉰 살 이상의 여성은 취업할 수 없을까'이며[25] 《뉴욕 타임스》 헤드라인은 '중년 여성에게 커리어는 손에 잡히지 않는다'였다.[26]

이 글을 쓰고 있는 현재 실업률은 사상 최저치를 기록했다.[27] 하지만 연령 차별은 실재한다. 최근 《뉴욕 타임스》와 미국 비영리 인터넷 언론인 프로퍼블리카가 조사한 결과, 페이스북에 올라오는 여러 기업의 취업 광고는 특정 연령 이상의 사람에게는 보이지 않았다. 페이스북 사이트에 취업 광고를 올리는 기업은 젊은 사람들에게만 광고가 보이도록 설정할 수 있기 때문이다. 버라이즌의 재무 계획과 분석 부서 신입 사원 모집 광고는 스물다섯 살에서 서른여섯 살 사이의 이용자에게만 노출되었다.[28] 그 연령대 이상의 사람은 그 광고를 볼 수 없었다.

최근 미디어 기업 메러디스를 상대로 한 소송은 텔레비전 뉴스에서 남자와 여자 앵커의 연령 차별을 잘 보여 주었다. 지난

5년간 메러디스는 평균 연령 46.8세의 여성 앵커 7명을 해고한 뒤, 평균 연령 38.1세의 더 젊은 여성으로 대체했다. 반면 남성 앵커는 동료 여성 앵커보다 평균 10년 이상 더 재직했다.[29]

미국에서 유명한 CEO 대다수는 30~40대이다. 따라서 그들처럼 되고 싶은 사람이라면 기회의 창이 빠르게 닫히고 있음을 느낄 것이다. 더 낮은 직급에서도 마찬가지다. 만약 관리직 종사자가 모두 30대인 회사에 다니고 당신은 40대인데 아직 관리직이 아니라면 더는 기회를 기대할 수 없으리라.

우리는 역사적으로 불리한 처지에서 회사에 입사한 후에도 자신이 더 빠르게 승진하기를 기대한다. '다운사이징'이라는 불길한 단어는 X세대의 확실한 출생 연도인 1976년 미국인의 연설에 등장했다.[30]

1997년에는 마고 혼블로어가 시사 주간지 《타임》에 다음과 같은 글을 썼다.

"인력 시장이 한창 불안정할 때 뛰어들어서 살아남으려고 버둥거린 20대들에게 '멍하고 어리바리한 사람'이라는 딱지를 붙이는 건 부당하다. 그들은 몇몇 경제학자가 말하는 소위 '위대한 U턴' 시기 이후에 성인이 되었다. 에너지 가격은 1973년에 처음 폭등했고, 노동자의 임금은 늘지 않았다. 1979~1995년에 기업 다운사이징을 통해 43만 개의 일자리가 사라졌다. 새로 생긴 일자리는 월급이 예전보다 적고, 지원해 주는 보험금도 적었다."[31]

이제 X세대 여성은 중년이 되어 자기보다 나이가 더 많거나 적은 사람 모두와 경쟁한다. 2011년 일과 삶 정책 센터에서는 X세대를 "앞에서는 경제적으로 은퇴할 여력이 안 되는 베이비 붐 세대가 가로막고 있고 뒤에서는 그들을 추월하려는 밀레니얼 세대가 쫓아오는, 진퇴양난에 빠진 운이 나쁜 세대"라고 규정했다.[32]

X세대 저널리스트 앤 스터징거는 게임에 뛰어들고 나니 규칙이 바뀌었다고 자신의 웹 사이트에 썼다.

"우리는 5년 사이에 기자를 뽑는 나이의 기준이 우리보다 열 살 위에서 열 살 아래로 바뀌는 것을 지켜보았다."[33]

X세대는 종종 소셜 미디어와 관련된 업무의 담당자를 뽑을 때 상사들이 밀레니얼 세대를 선호하는 걸 보게 된다.[34] 캘리포니아에 사는 한 여자는 자신이 그토록 하고 싶던 소셜 미디어 업무를 자신보다 어린 사람이 맡게 되었다고 말했다.[35]

"내가 쉰두 살이기 때문에 소셜 미디어에 대해서 잘 모를 거라고 생각하나 봐요. 사실은 엄청 잘 아는데 말이죠. 우리 아이들이 검색하는 걸 도와줘야 하거든요."

불평등에 맞서 전진하기 위해 X세대 여성은 셰릴 샌드버그의 《린인Lean In(앞으로 나서다, 자신의 존재를 드러낸다는 뜻이다—옮긴이)》, 미카 브레진스키의《당신의 가치를 알라Knowing Your Value》같은 책을 읽고, 회사 생활을 주제로 하는 수업과 세미나에 참석하기 위해 몰려다닌다.

나도 2018년에 그런 세미나에 참석한 적이 있다. 뉴욕시에서 열린 캐털리스트 세미나였다. 직장 여성에게 영감을 주고 그들을 지지하기 위한 여러 워크숍과 강좌, 토론회가 맨해튼 미드타운에 있는 힐튼 호텔에서 진행되었다. 캐털리스트는 여성과 직장에 대해 연구하는 단체다. 이 세미나에는 잘 꾸민 40대 여자가 많이 참석했는데, 다들 바지 정장을 입고 연설자가 그들을 "세상의 변화를 주도하는 사람들"이라고 추켜세우며 기업에서 일하는 사람들만 알 수 있는 은어를 쓸 때마다 고개를 끄덕거렸다.

모건 스탠리의 부회장이자 상무 이사 겸 고객 고문으로 일하는 카를러 해리스는 월 스트리트에서 36년 동안 근무한 베테랑인데 이 세미나에서 기조연설을 했다. 짧게 자른 머리에 반짝이는 은색 재킷과 검은 바지를 입고 큼직한 액세서리를 한 그녀는 강력한 리더십에 관해 주옥같은 이야기를 들려줬다. 세미나장의 분홍색과 황금색 천장 조명을 받으며 그녀는 직장에서 부하 직원과 좋은 관계를 맺기 위한 자신의 전략을 설명했다.

이어지는 질의응답 시간에 객석에 앉아 있던 한 여자가 가면 증후군과의 싸움에 관해 물었다. 가면 증후군이란 자신의 성공은 순전히 운이 좋아서 이뤄졌으며, 사실 자신은 주위 사람들보다 능력이 부족하고 결국에는 그 사실이 밝혀질 거라고 여기는 증상이다.

미국에서 가장 큰 인재 파견 회사인 랜드스타드 노스 아메리카의 CEO 리베카 헨더슨은 이 증상에 관해 나에게 다음과 같이 말했다.

"가면 증후군에 시달리는 X세대 여성은 미국 기업이 여자를 뽑고 남녀 간의 동등한 관계를 보장하려고 얼마나 노력하는지에 대해 과소평가하는 경향이 있습니다. 이런 여자들은 생각보다 훨씬 더 능력이 있죠."[36]

헨더슨은 다음과 같은 예를 들었는데, 아마 여러분도 한 번쯤 들어 본 적이 있을 것이다.

"대학을 졸업한 마흔다섯 살 무직 여성은 채용 공고문에 적힌 업무 설명을 보며 '내게는 저 기술의 70퍼센트밖에 없어. 그러니까 응시하지 말자'라고 생각하죠. 반면 남자는 똑같은 공고문을 보면서 '잘됐네, 난 저 기술을 50퍼센트나 가지고 있어. 그러니까 응시해야겠다!'라고 생각합니다. 매일 그런 일이 벌어지죠."

해리스는 요즘도 가면 증후군에 시달리는 사람들이 있다는 사실에 당황하는 듯했다. 그러나 사실 남자들도 그 증후군에 시달리고 있다.

"30년 전 내가 하버드 경영 대학원을 졸업할 무렵 다들 그 일을 떠들어 댔죠."

베이비 붐 세대인 해리스는 청중에게 자신의 능력을 믿으라고 말했다.

"상사가 당신에게 그 일을 맡을 자격이 있다거나 승진할 자격이 있다거나 이런 세미나에 다녀올 자격이 있다고 말할 때는 그들의 판단력을 믿으세요. 계곡에만 머물러 있지 마세요. 산 정상에는 자리가 아주 많습니다."[37]

같은 날, 세미나 쉬는 시간에 난 활기찬 금발 여자를 만났다. 텍사스 출신인 그녀는 X세대 출생 연도 끝자락에 태어났다. 그녀는 자신과 남편이 같은 대기업에서 일한다고 했다. 생후 17개월인 아들이 태어났을 때 그녀는 산후 우울증에 걸렸고, 출산 휴가를 보내는 동안 승진에서도 누락되었다. 하지만 복직했고, 캐털리스트 강사들이 하라는 일은 전부 다 했다. 그리고 성공했다.

"1년이 걸리기는 했지만 결국에는 승진했죠. 지금은 내가 팀장이에요."

그녀가 자랑스럽게 말했다.

나는 그녀에게 축하한다고 말한 뒤 아기는 어떻게 돌보느냐고 물었다.

그러자 그녀의 얼굴이 어두워지더니 갑자기 매우 피곤해 보였다. 그녀는 아기를 '아주 비싼 어린이집'에 맡긴다고 했다. 그녀와 남편은 아침 6시 30분에 하루를 시작하는데 어린이집은 그렇게 일찍 문을 열지 않으므로 문을 열 때까지 아기를 돌봐 줄 베이비시터를 역시나 많은 돈을 주고 고용했다. 그들의 퇴근 시간은 오후 6시였다.

외벌이로는 휴스턴의 비싼 월세를 감당할 수 없기 때문에 그들은 맞벌이라는 사실을 다행으로 여겼다. 둘은 주중에는 아기 얼굴을 구경도 못 하면서 육아에 엄청난 돈을 쓰는 전략을 그럭저럭 실행하고 있다.

그녀는 자신의 일과 아기를 자랑스러워하는 듯했고, 둘 모두를 갖기 위해 돈과 감정적 수고를 쏟아부어야 하는 상황에 엄청나게 상충하는 감정을 느끼는 듯했다. '모든 것을 다 가진' 여성이라면 평일에 깨어 있는 아기의 얼굴을 90분 정도는 볼 수 있을 것이다.

그녀는 많은 X세대 여성과 마찬가지로 늘 매사를 '제대로' 하려고 했다. 학교에 다닐 때는 공부를 잘하고, 회사에서는 일을 잘하고 근면 성실하려고. 그 결과 맨해튼 미드타운에서 열린 세미나에서 산 정상에 오르는 법을 맹렬히 받아 적고 있었다. 산 정상에는 그녀 같은 사람들을 위한 자리가 아주 많다는 말을 거듭 들으면서.

1950년에는 여섯 살 이하의 자녀를 둔 유부녀 가운데 겨우 12퍼센트만 일했다.[38] 이 비율은 급격히 치솟다가 1990년 이후

76퍼센트 정도에서 변동이 없다.[39] 이제는 어떻게 일과 나머지 가사 혹은 단 하나의 가사라도 병행할 수 있는지가 문제다.

클라우디아 골딘은 임금 면에서 여자가 남자와 비슷하게 출발하지만 여자가 회사와 집안일을 병행하면서 임금이 달라진 다는 사실을 발견했다. 이런 불공평에 대한 해결책을 그녀는 다음과 같이 제시했다.

"(꼭) 정부가 개입할 필요는 없고, 남자들이 집안일을 더 많이 할 필요도 없다(물론 그렇게 해서 나쁠 건 없지만). 그보다는 노동 시장에서의 변화, 특히 근무 시간의 유동성을 높이기 위해 일자리의 구조와 보수를 지급하는 과정을 바꾸어야 한다."[40]

골딘은 남녀 임금 격차는 "상당히 줄어들" 것이고, 만약 기업이 "야근하거나 특별한 시간에 일하는 개인을 지나치게 보상하는 장려금 제도를 없앤다면" 사라질 것이라고 예상한다.

많은 사람이 기대하지는 않지만, 기업도 여성을 도울 수 있다. 여성을 물심양면으로 후원하고, 충고해 줄 사람들을 구축하고, 우리도 끼워 달라고 요구하는 일이 꼭 우리 여성에게만 달려 있지는 않다.

회사에서 근무하는 내 친구들은 성희롱이나 거들먹거리는 말, 까다로운 팀 동료, 매년 시행되는 인사 평가에 대처하는 자신들만의 방법이 있다.

아이 셋을 둔 이혼녀인 한 친구는 업무 배정이나 임금 인상을 요구하려고 마음의 준비를 할 때는 자신의 내성적이고 충돌하기 싫어하는 성격을 극복하기 위해 머릿속으로 아이들의 이름을 계속 반복해서 부른다고 한다. "만약 나 혼자였으면 그런 대화를 피했을 테지만 아이들을 키우려면 돈을 벌어야 해"라고 친구는 말했다. 그래서 그녀는 용기를 내 상사의 사무실로 들어가 자신이 원하는 바를 요구한다. 요구가 이뤄지면 승리감이 든다. 하지만 거절당하면 아이들뿐 아니라 세상 모든 여자를 실망시킨 기분이 든다.

산 정상에 오르는 것이 자신의 능력에 달려 있다는 믿음을 마음 깊은 곳에 심어 두면, 산 정상에 오르지 못했을 때 그것을 자신의 탓으로 돌리는 논리적 결론에 이른다.

2018년《하버드 비즈니스 리뷰》연구 요약에 행동 과학자들은 다음과 같이 썼다.

"성 불평등을 타파하는 방법으로 개인의 행동을 강조하는 《린인》의 주요 메시지로 인해 사람들이 성 불평등을 존속시키고 심지어 유발하는 데 여자들이 더 큰 역할을 한다고 오해할까 걱정된다."[41]

그들에 따르면 여성이 어떻게 해야 하는지에 관해 말을 할수록 더 많은 여성이 문제가 해결되지 않은 것을 자책하는 경향이 있다고 한다.

하지만 사실은 당신이 아무리 책을 많이 읽고, 1년에 열 번씩 세미나에 참석하고, 후원자에게 한 달에 열두 번씩 커피를 사 주면서 정보를 얻어도 결국 당신이 사장이 아닌 한 당신을 고용하고, 임금을 올려 주고, 일터를 덜 불량하고 더 융통성 있게 만드는 일은 당신에게 달려 있지 않다.

성 다양성 운동가 엘런 파오는 자신의 책《리셋Reset》에서 다음과 같은 일화를 소개한다.

그녀는 영향력 있는 남자들과 비행기를 타고 가는 길에《린 인》에 나왔던 충고를 떠올리며 과감히 그들의 대화에 끼어들기로 마음먹었다. 하지만 알고 보니 그들의 대화 소재는 경제가 아니라 포르노 배우들이었다.

엘런 파오의 결론은 다음과 같다.

"억지로 자리를 차지해 봐야 아무도 당신이 거기 있는 것을 원하지 않고, 여자가 압도적으로 적을 때는 별로 도움이 되지 않는다."[42]

미셸 오바마는 2018년 자신의 책 출간 기념회에서 뉴욕 군중을 앞에 두고 이런 사실을 보다 직설적으로 표현했다.

"'그러니까 당신은 모든 걸 가졌군요'에 관해 대답하자면, 아닙니다. 동시에 모든 걸 갖지는 못했어요. 동시에 다 가질 수 있다는 건 거짓말입니다. 그리고 자신의 존재를 드러내는 것만으로는 충분치 못할 때가 있습니다. 그 망할 법칙이 늘 먹히는 건 아니에요."[43]

가장 큰 문제는 수전 치라가《뉴욕 타임스》에 썼듯이 "자기주장이 확실하고 야심만만한 여자는 비호감으로 보이기 십상이고 눈에 보이지 않고 불분명한 리더의 자질이 자신에게 없었다는 결론을 내리게 된다"[44]는 점이다.

'여성 지도자가 처한 진퇴양난:하면 망하고, 안 하면 죽는다'[45]라는 제목의 캐털리스트 연구 보고서에 따르면 아직은 '리더'라고 하면 남자를 떠올린다. 기업에서 여자는 종종 소극적이거나 너무 공격적이거나, 너무 야심만만하거나 야망이 없거나, 너무 변덕스럽거나 비호감으로 여겨진다. 게다가 성희롱, 연령 차별, 임신 차별, 권력 부족 같은 지속적인 고통까지 겪어야 한다.[46]

내가 아는 한 사회 운동가는 자신의 직장을 아주 좋아했다. 근면 성실한 일꾼인 그녀는 10년쯤 뒤 은퇴할 때까지 그 직장에 계속 다닐 수 있을 것으로 믿었다. 그런데 그녀가 일하는 요양원이 아무런 예고도 없이 대기업에 인수되었다. 경영진은 대번에 월급을 삭감했고, 환자 개개인과 보내는 시간을 줄였으며, 불편한 제복을 입게 하는 등 직원의 사기를 꺾어 놓았다.

"난 내 일을 사랑했는데 이젠 고역이 됐어."

그녀는 딸의 대학 졸업 파티에서 이렇게 말했다. 우리는 가랑비를 맞으며 잔디밭에 서 있었다.

광고 에이전시의 J. 월터 톰프슨은 X세대 여성의 진로를 분석한 뒤 이렇게 요약했다.

"절대 자신이 성공하리라 짐작하지 마라."[47]

럿거스 대학의 윤리적인 리더십 협회 책임자이자 《일의 발견》[48]의 저자 조안 B. 시울라는 내게 현대 사회의 큰 아이러니는 사람들이 자신을 일과 동일시하는 경향이라고 말했다. 요즘처럼 언제 해고될지 모르는 세상에서는 참으로 불행한 경향이다. 이와 관련해 시울라는 다음과 같이 말했다.

"지금은 온갖 즐거운 활동으로 삶을 채워야 할 시대예요. 그런데 대다수가 야근에 시달릴 뿐 아니라 빚과 스트레스, 외로움, 무너지는 가족 때문에 고통받고 있죠."[49]

지난 43년간 교수로 재직한 그녀는 X세대 여성이 이런 상황 때문에 충격에 빠진 상태라고 말했다. 왜냐하면 그들은 "모든 문제가 해결됐다는 잘못된 환상"을 믿었기 때문이다.

"예전에 학생들 말을 듣고 얼마나 놀랐는지 몰라요. 학생들은 성 평등에 대해 매우 비현실적인 기대를 가지고 있었어요. '이제 페미니스트는 필요 없어요. 성차별 문제는 다 해결됐어요. 페미니즘은 사람들에게 거부감을 일으킬 뿐이에요'라고 했거든요. 우리를 그저 미친 늙은이로 생각했죠."

시울라가 말했다.

중년이 되면 성차별이 여전히 존재한다는 사실을 깨달을 수밖에 없다.

"그러니까 지금 우린 인과응보에 따라 벌을 받는 거네요."

나는 젊었을 때 베이비 붐 세대의 페미니스트를 비난했던 X세대를 두고 이렇게 말했다.

"네, 뭐 그런 셈이죠. 슬픈 인과응보죠. 쉰 살에 실직하는 건 힘든 일이에요. 교수라면 나이를 먹어서도 계속 일할 수 있죠.

하지만 대부분의 직장은 나이 든 여자를 원치 않아요. 통계가 그 사실을 증명하죠. 월급을 더 낮춰도 취업하기가 훨씬 힘들어요. 혼자서 아이를 키우는 경우가 많고요."

시울라가 우리 세대를 진심으로 딱하게 여기는 듯 말했다.

그렇다면 희망은 전혀 없을까?

"내가 희망적인 이야기를 하나 해 줄게요. 대학 졸업자 56퍼센트 이상이 여자예요. 결국에는 여자가 남자를 따라잡을 거예요. 더 능력이 있을 테니까요."

시울라가 말했다.

나는 많은 전문가에게서 사내에 공정한 문화가 자리 잡히려면 CEO들이 노력해야 한다는 말을 들었다. 왠지 남자가 일을 더 잘할 것 같다는 느낌 때문에 남자만 잔뜩 뽑지 말아야 하며, 성별이 아닌 업무로 직원을 평가하는 장치가 마련되어야 한다. 만약 성 다양성이 임원의 성공을 평가하는 또 다른 잣대가 된다면 상황은 급격히 바뀔 수 있다.[50]

미국 기업 안에서의 성 다양성과 평등한 권리를 위해 활동하는 한 변호사는 여성과 다른 소수자들을 위해 기업이 어떻게 해야 하느냐는 질문을 종종 받는다고 했다. 그녀에게는 추천하는 방법이 적힌 목록이 있다. 하지만 그녀는 진정으로 양성평등을 이루고자 하는 회사에 좀처럼 말해 주지 않는 정직한 조언을 내게 해 주었다.

"이 엿 같은 판을 싹 다 밀어 버리고 다시 시작해야 해요."

우울하기는 해도 원래 회사 생활은 제대로 된 삶과 양립 불가능한 것일 수 있다. 현대 직장 생활의 문제점을 피하려면 여자들은 사업가 정신을 발휘해 혹은 소위 긱 경제(Gig Economy:기업이 정규직보다 필요에 따라 계약직이나 임시직으로 고용하는 경향이 커지는 경제 상황을 일컫는 용어-옮긴이)에 떠밀려 창업을 선택해야 할 것이다.

프리랜서 연합 설립자 사라 호로비츠에 따르면 프리랜서는 대부분 여성이라고 한다. 그녀는 그런 현상이 "단지 전통적인 기업 구조가 여성들에게 맞지 않기 때문"이라고 했다.

"단계적으로 발전하는 여성의 삶은 남성이 지배하는 기업 세계와 잘 맞지 않는다. 30대가 되면 많은 여성이 가정을 꾸리고, 집에서 보내는 시간을 늘리려고 고군분투한다. 40대가 되면 종종 유리 천장이 월급과 승진을 가로막는다. 50~60대가 되면 불행히도 종종 완전히 무시당한다."[51]

제대로 된 긱 경제 통계는 찾기가 힘들다.[52] 계약직 노동자는 매우 다양해서 일용직 근로자도 있고, 음악가도 있고, 컨설턴트도 있기 때문이다. 하지만 가장 적게 잡아도 현재 풀타임 프리랜서로 일하는 사람의 비율은 11퍼센트다.[53] 몇몇 전문가는 2020년 이후에는 노동자의 절반이 프리랜서가 될 것으로 예측한다.[54]

스스로 일정을 정하고, 자기 자신을 위해 일하며, '자신이 좋아하는 일을 하는 것'은 모두 긍정적으로 보인다. 특히나 사무실 칸막이 안에 앉아서 생각할 때는. 당신은 독자적으로 일하고, 무엇이든 당신 마음대로 할 수 있다.

작년에 한 세미나에 참석해 달라는 부탁을 받았다. 사업을 시작하려는 참석자들이 속사포처럼 쏟아 내는 말을 듣고, 그들이 담당한 프로젝트를 언론에 홍보하는 방법을 조언해 주는 자리였다. 나는 거기 몇 시간 참석하는 대가로 250달러를 받기로 되어 있었고, 내가 잘할 수 있을 것으로 믿었다. 1990년대 초반부터 간간이 그만두기는 했어도 계속 잡지사에서 일했기 때문에 무엇을 하고 하지 말아야 하는지 조언해 줄 수 있으리라 자신했다.

하지만 나는 그 세미나에 참석한 대다수 사람의 직업이 인생 코치라는 사실을 몰랐다. 그날 내가 들은 이야기들은 참혹했다. 한 여자는 한 해에 가족 중 8명이 죽고, 다섯 번이나 유산했다고 했다. 또 다른 여자는 아이가 유괴된 적이 있다고 했다. 가정 폭력이나 암 투병을 겪고 살아남은 사람들도 있었다. 그런 경험을 한 뒤로 그들은 다른 사람을 돕는 새로운 삶을 살고 싶어 했고, 그래서 사람들에게 동기를 부여하는 강사가 되었다. 그들은 자신의 열정을 따랐다. 하지만 그 열정으로 돈을 얼마나 벌게 되었는지는 불확실했다.

코넬 대학 커뮤니케이션학과 부교수인 브룩 에린 더피는 자신이 좋아하는 일을 하라는 미사여구를 '야심 찬 노동'이라고 부른다.

"야심 찬 노동이란 (주로) 보상받지 못하는 독립적인 노동으로, 많은 사람이 숭배하는 '자신이 좋아하는 일을 하면서 돈을 벌어라'라는 이상이 원동력이다."[55]

그런데 문제는 좋아하는 일을 하면 돈을 못 받을 때가 많다는 사실이다. 더피는 내게 이렇게 말했다.

"독자적으로 하는 일이나 프리랜서가 증가하면서 기업가 정신에도 재미있는 정체성을 많이 부여해 맘프러너(Mompreneur: 엄마와 기업가를 합친 단어로, 주부 사업가를 의미한다—옮긴이), 걸보스 (Girl Boss:다른 사람 밑에서 일하기보다 자신의 야망을 위해 일하는 능력 있는 여자—옮긴이) 같은 단어가 생겨났죠. 독자적인 일은 직장의 전통적인 틀에서 우리를 해방하는, 민주적이고 자율적인 일의 형태로 보이죠……. 하지만 엄청난 부담이 따라요. 철저하게 혼자서 사업을 운영하고, 독자적으로 일하는 데서 오는 스트레스와 불확실성, 불안을 다 떠맡게 되죠."[56]

그 세미나에서 내가 만난 여자들처럼 많은 여자가 긱 경제 때문에 미국 경제를 떠났고, 어느새 그때 월급의 4분의 1을 받으며 일은 두 배로 하고 있다.

사무실에 출근하는 걸 좋아하거나, 좋은 의료 보험에 가입하고 싶거나, 뼈 빠지게 일할 시기는 지났다고 생각하는 사람에게는 프리랜서로 일하는 것이 좌천당하는 기분일 수 있다. 또한 풀타임 직장으로 복귀하기가 더 힘들어질 수 있다. 그래도 프리랜서의 한 가지 장점이라면 회사에서 전액 혹은 일부 보조해주던 보험 혜택을 못 받게 될까 봐 걱정할 필요가 없다는 것이다. 왜냐하면 이미 자신이 전액을 내고 있기 때문이다.

지난 10년간 프리랜서로 일하면서 나는 수입이 얼마나 불규칙한지 몸소 경험했다. 어떤 해는 돈이 쏟아지고, 어떤 해는 변변찮다. 미리 계획을 세우기가 불가능하다. 나는 늘 서두른다. 매해 작가이자 대필 작가, 잡지 자유 기고가, 교사로 근근이 일거리를 찾아낸다.

어떤 일이든 그게 마지막이 될 수 있다. 직장과 집의 명확한 구분이 없어서 종종 온종일 일하면서 계속 다른 데 정신이 팔린다. 장난감과 스타벅스의 낯선 사람들이 아니라 회사 동료들에게 둘러싸여 식탁이 아닌 제대로 된 책상에서 일하는 동종 업계 사람들을 잠깐씩 부러워한다.

친구 타라가 허리케인 취재차 마이애미로 가려고 짐을 싸면서 내게 전화를 했다. 나는 아들을 데리러 학교로 걸어가는 길에 전화를 받았고, 타라에게 그날 아침에 일거리가 또 하나 날아갔다고 말했다. 나는 내 일을 사랑하지만 내가 적임자라고 생각하는 일거리를 빼앗기거나, 일이 계속 지연되다가 결국에는 불발되거나, 잘되어 가는 듯한 프로젝트에서 퇴출당하는 일을 주기적으로 겪어야 한다.

"네가 회사에 들어간 건 정말 잘한 일이야. 프리랜서에서 벗어나 안정된 직장을 얻었잖아."

난 타라에게 이렇게 말했다. 타라에게는 진짜 직장과 진짜 명함, 퇴직 연금까지 있었다.

타라는 호탕하게 웃었다.

"내가 뭐 하다가 전화했는지 잊었어? 허리케인에 휩쓸려서 죽을지도 모르는데 상사가 날 마이애미로 보낸다니까."

나는 노스캐롤라이나주에서 계약 분석가로 일하며 치즈 트럭 창업을 꿈꾸던 로리와 몇 달 뒤 다시 통화하게 되었다.

"나 해고됐어요. 지금 새 직장을 찾으면서 동시에 다른 일을 시작해 볼까 알아보는 중이에요. 하지만 상황이 별로 좋지는 않아요. 치즈 트럭이든 뭐든 일을 벌일 현금이 없거든요. 해고된 후로 계속 한 회사의 면접을 보고 있어요. 지금까지 대여섯 번은 만났죠. 그러다 지난주에 내가 적임자가 아니라는 결론을 내렸어요. 왜냐하면 그 자리는 일주일에 60~70시간은 일해야 하거든요."

그렇게 되면 로리는 세 살짜리 아들과 함께 보낼 시간이 거의 없다.

아들 이야기가 나온 김에 물었다. 풀타임 육아는 어떠냐고.

"사람들은 이제 내가 집에 있으니까 아들도 하루 종일 데리고 있을 것으로 생각하더군요. 하지만 아니에요. 나중에 유치원에 보내고 싶을 때 즉시 보낼 수 있는 게 아니거든요. 그래서 난 실직 상태인데도 계속 유치원 비용을 부담하고 있어요."

그녀 말대로 만약 아이가 유치원을 그만둔다면 나중에 그녀가 재취업했을 때 다시 유치원에 보내려면 대기자 명단 맨 끝으로 들어가야 한다. 그래서 그녀는 필요도 없는 유치원 비용을 계속 내고, 그 비용을 마련하기 위해 은퇴 자금에 손을 댔다.

"마흔 살이 되면 경제적으로 여유가 있을 줄 알았어요."

그녀가 생각하던 중년과 지금이 어떻게 다른지 내가 묻자 로리는 이렇게 말했다.

"한 사람만 돈을 벌어도 살아갈 수 있거나 내가 좋아하는 일을 할 수 있을 줄 알았어요. 아니면 일주일에 두 번씩 휴가를 떠나거나요. 비행기를 타고 가야 하는 휴양지 있잖아요."

로리는 그렇게 되기 위해 최선을 다했다. 안정적인 분야를 골라 취업했고, 꽤 많은 돈을 벌었다. 그리고 전문적인 직업을 가진 남자와 결혼했다. 그들은 경제적으로 안정된 뒤 아이를 갖기로 해서 로리가 서른여덟 살 때 아이를 낳았다. 더 큰 도시로 이사 가고 싶었지만 샬럿에서 계속 사는 편이 안정적으로 아이들을 키우고 돈을 더 아낄 수 있어서 가지 않기로 했다. 그러나 이제 그들은 휴가도 이사도 못 갈 뿐 아니라 로리가 늘 원하던 둘째 아이도 가질 수 없을 것만 같다.

"난 우리가 이 정도로라도 가졌다는 사실에 감사해요. 하지만 마흔 살에도 이렇게 여러 면에서 힘들 줄은 꿈에도 몰랐어요."

로리는 잠시 멈췄다가 말을 이었다.

"우린 많은 일을 제대로 했어요. 남편이랑 나요. 우린 많은 일
을 정말 열심히, 제대로 했어요."

[돈에 대한 공포]

뭐가 가장 걱정되느냐고요?
늙었을 때 돈이 없는 거요

"어릴 때 엄마는 내게 꼭 네 힘으로 돈을 벌라고 말했어요.
돈에서 자유와 권력이 나온다고 했죠.
하지만 그 충고에는 의도치 않은 부작용이 있었어요.
나는 늘 열심히 일하지만 돈이 충분치 않다는 공포를 느껴요."

X세대 여성은 돈에 대해 뼛속 깊이, 거의 환각을 일으킬 정도의 공포심을 가지고 있다. 더 우울한 사실은 그 공포가 경험에 기초하며, 우리에게 이런 문제가 있어서는 안 된다는 생각 때문에 더 복잡해진다는 것이다.

우리는 역사상 최상의 교육을 받은 인간이고, 미국 근현대사에서 부모보다 경제적으로 열악한 첫 성인이다.

이제 아메리칸 드림은 대다수에게는 불가능한 꿈이다. 가장 부유한 1퍼센트와 나머지의 격차는 지난 30년간 점점 더 벌어졌고, X세대가 취업 시장에 뛰어든 1990년대에 크게 벌어졌다.[1] 이와 관련해 어번 연구소는 다음과 같이 발표했다.

"임금 정체, 줄어드는 일자리, 사라진 가정의 가치는 X세대와 Y세대에게 매우 달라진 미래를 안겨 줄 것이다. 오늘날의 정치적 토론은 종종 미국 노년층과 베이비 붐 세대의 부와 혜택을 지켜 주는 데 초점을 둔다. 그 과정에서 젊은 세대에게는 무관심해지는데 그들은 부를 잃었거나 장기 보유한 자산에서 나오는 이익도 거의 없다. 게다가 그런 현상은 점점 더 심해진다. …… X세대와 Y세대는 비교적 젊은데도 약세를 만회하지 못할 것이다."[2]

트랜스아메리카 퇴직 연구 센터의 대표 캐서린 콜린슨은 다음과 같이 썼다.

"X세대는 노동 시장에 뛰어들어 저축한 후로 롤러코스터처럼 오르락내리락하는 재정 시장을 견뎌 왔다. 1990년대 말에 불규칙한 호황을 즐겼으나 그 후로 닷컴 버블 붕괴와 9·11 테러 사건이 이어지며 경제가 추락했다. 2007년에는 경기가 회복되고 주식 시장이 상승했다가 2008년에 대공황 이후 최악의 리세션 속으로 빙글빙글 떨어지며 가파르게 하락했다. 많은 사람이 직장을 잃었고, 집을 잃은 사람도 있었다."[3]

하버드 대학 라지 체티 교수가 주도한 기회균등 프로젝트의 성과물인 《희미해지는 아메리칸 드림》 보고서에 따르면 미국에서 계층 간 상승은 점점 더 불가능해지고 있으며 특히 중산층 가정에 주어지는 기회는 가파르게 줄어들고 있다. 1940년에 태어난 미국인 남자의 95퍼센트는 아버지보다 더 많은 돈을 벌 것으로 기대할 수 있었지만, 1980년에 태어난 미국인 남자 중 그렇게 기대할 수 있는 사람은 41퍼센트에 불과하다.[4]

X세대 여성에게는 더 나쁜 소식이 기다리고 있다.

라지 체티가 속한 팀의 연구원인 로버트 플뤼게는 다음과 같이 말한다.

"우리는 이런 경향이 지속되리라 여깁니다. 여성이 속한 가족 전체 수입을 봐도−남편 수입을 합하거나 미혼일 경우에는 여자만의 수입−그 수치는 바뀌지 않습니다. 우리 부모님 세대에서는 부부의 수입을 합한 것이 조부모 수입을 능가할 확률이 90퍼센트였는데, 우리 세대에서는 동반자 수입을 합해도 그렇게 될 확률은 50퍼센트에 불과합니다."[5]

만약 여자 개인 수입을 아버지 수입과 비교한다면? 여기서부터는 더 나쁘다.

"여자들은 노동 시장으로 대거 뛰어들었습니다. 점점 더 많은 여자가 화이트칼라 직종에 종사하고, 교육 수준도 올라갔죠. 하강 이동 경향이 여자들에게는 적용되지 않으리라 생각하겠지만, 그렇지 않습니다. 같은 나이에서 아버지와 딸 수입을 비교해 보면, 1940년에 태어난 딸이 아버지 수입을 앞지를 확률은 40~45퍼센트입니다. 하지만 1980년대에 태어난 딸의 경우에는 그 확률이 25퍼센트까지 떨어집니다."

플뢰게가 말했다.

4명 중 하나. 그게 우리가 아버지 수입을 앞지를 확률이다. 내가 제대로 들은 게 맞을까?

플뢰게는 그렇다고 했다.

"딸이 아버지보다 많이 벌 확률은 훨씬 낮습니다. 세상이 많이 바뀌고 직장에서 여자의 영향력도 더 세졌지만, 그 확률은 여전히 떨어지고 있습니다. 꽤 냉혹한 현실이죠."

그는 말을 이었다.

"이건 우리 시대를 단적으로 보여 주는 문제입니다. 경제적으로, 또 그 이상으로요. 경제적 불평등과 그 영향력은 실재하고 막강합니다. 우리가 더 잘 이해하고 다가가야 할 문제이기도 하고요. 이번 연구의 핵심은 지난 40년간 이뤄진 불평등이 사람들의 생계와 아메리칸 드림에 실질적 영향을 미쳤다는 사실입니다."

베이비 붐 세대의 페미니스트 엄마 밑에서 자란 X세대 여성은 경제적으로 부유하지 못하다는 사실에 특히 더 수치심을 느낄 것이다.

내가 어릴 때 엄마는 종종 "꼭 네 힘으로 돈을 벌어라"라고 말했다. 나쁜 충고는 아니다. 엄마는 내가 남자에게 의지하지 않기를 바랐다. 엄마에게 돈은 자유와 권력이었다. 그래서 엄마는 내가 가능한 한 둘 다 많이 가지기를 바랐다. 하지만 그 충고에는 의도치 않은 부작용이 있었다. 나는 늘 열심히 일하지만 돈을 충분히 벌지 못하면 공포를 느낀다. 내 신용 등급을 떨어뜨리고, 가족의 예산을 위기에 빠뜨릴 뿐 아니라, 페미니즘의 명분을 후퇴시키고, 내 자유까지 위태롭게 한다고 굳게 믿는다. 파산한 정도가 아니라 세상이 끝난 기분이다.

"난 내 중년의 위기를 베티라고 불러요. 베티는 내가 미혼이고 돈이 없다는 이유로 날 구박하죠. 돈이 없다는 건 삶에서 큰 위기입니다.”

뉴욕 브루클린에 사는 마흔세 살 영화 제작자의 말이다.

중년의 위기는 우리의 감정적 안녕과 자신감을 해치고, 우리를 무력감에 빠지게 한다.

내 친구는 40대 초반에 외동아들을 낳았다. 아들이 두 살이 되었을 때 친구는 아들에게 문제가 있다는 걸 느꼈다. 아들이 병원 치료를 받으면 앞으로 10년은 모든 에너지를 아들에게 쏟아야 했다. 돈도 많이 들게 될 터였다.

친구는 내게 이렇게 말했다.

“특수 교육이라는 기차를 뒤쫓아 가는 외롭고 이상한 여정이지. 우리 아이는 치료하는 데 시간이 오래 걸리고 돈도 많이 들어서 몇 년 동안은 아이가 어떻게 컸는지도 모르겠어. 좀 지쳤어. 하지만 돈을 마련하려고 열심히 일하고 있어. 이제는 최고의 의사와 간호사, 전문가가 우리 아이를 돌보고 있지. 그동안 정말 힘들었지만 이젠 그 노력의 결실을 보고 있어.”

친구는 최근 새롭게 공인 중개사 일을 시작했고, 그쪽에서 자리를 잡으려고 열심히 일한다.

“스트레스가 이만저만이 아니야. 심지어 요가도 가르쳐! 가끔씩 다 때려치우고 숲으로 들어가서 살고 싶어. 하지만 돈이 문제지.”

친구가 말했다.

우리 부모님 세대는 40대가 되면 집을 소유하고 통장에는 돈이 쌓여 있으리라 기대할 수 있었다. 하지만 우리 세대는 40대가 되어도 스물다섯 살 때처럼 힘겹게 사는 경우가 많다. 취업 웹 사이트 커리어빌더에서 2017년에 전국적으로 실시한 설문조사 결과를 보면 미국 노동자의 78퍼센트가 그날 벌어서 그날 먹고산다. 그리고 4명 중 3명은 빚을 지고 있다.[6]

우리가 이런 상황에 처하게 된 데에는 많은 이유가 있지만, 난 거의 웃음이 날 정도로 타이밍이 나쁘던 X세대의 처지를 자꾸 생각하게 된다. 저널리스트 리사 체임벌린이 X세대를 다룬 책 《슬랙코노믹스Slackonomics》에서 설명한 대로 " '쪼그라드는 중산층'(중산층 노동자의 임금 상승이 물가 상승을 따라잡지 못해 결과적으로 소득이 줄어드는 현상-옮긴이)은 우리가 중산층의 딱 중간이 되었을 때 시작"되었다.[7]

《언제:완벽한 타이밍의 과학적 비밀When:The Scientific Secrets of Perfect Timing》에서 대니얼 H. 핑크는 졸업할 때 주식 시장 상태가 졸업생이 경력을 선택하는 데 어떤 영향을 미쳤는지를 보여 주는 스탠퍼드 MBA의 연구를 언급한다.[8] 주가가 상승하고 장래가 밝아 보이는 상승장일 때는 졸업생들이 월 스트리트에서 일을 하고 싶어 했다. 반면 주가가 곤두박질치는 하락장일 때는 많은 졸업생이 비영리 단체나 컨설팅 분야의 일을 선택했다.

대다수 X세대가 졸업했을 때는 취업 시장이 불안했다. 언론 매체의 헤드라인은 '일자리를 구하려는 치열한 경쟁:졸업생들을 기다리는 경기 침체—특별 기사:학위와 잔뜩 쌓인 이력서가 1991년도 졸업생에게는 별다른 일자리를 창출하지 못한다',[9] '1992년도 졸업생을 기다리는 황량한 취업 시장',[10] '1993년도 졸업생에게는 쉽지 않을 구직 활동'[11] 등이었다.

알렉산더 에이브럼스와 데이비드 립스키가 함께 쓴《대기만 성형 인간Late Bloomers》에서는 매해 취업 시장을 다음과 같이 요약했다.

"1980년 양호, 1981년 수요는 적고 공급은 많음, 1982년 나쁨, 1983년 최악, 1984년 수요는 적고 공급은 많음, 1985년 양호, 1986년 좋음, 1987년 좋음, 1988년 좋음, 1989년 수요는 적고 공급은 많음, 1990년 최악, 1991년 다시 나빠짐, 1992년 더 나빠짐, 1993년 더 나빠짐."[12]

경제 정책 연구소는 대학 졸업생이 받는 평균 시급이 1990년대 중반 들어 최저치를 경신했다고 보고한다.[13] 경제가 좋을 때 졸업하는 사람과 나쁠 때 졸업하는 사람은 시간이 흐른 뒤 임금의 20퍼센트까지 차이가 날 수 있다.[14]

1990년대 들어 미국 경제는 좋아졌으나 X세대에게는 아니었다. 인플레이션을 감안해 GDP는 91퍼센트 성장했지만, 1981~2001년에 X세대는 1987년 주식 시장 붕괴, 1991~1992

년의 불경기, 닷컴 버블 붕괴와 리세션 시작, 그리고 6개월 뒤 테러리스트들이 공격한 9·11 테러 사건 등으로 큰 타격을 받았다.[15] 노동통계국에 따르면 많은 저연령층 X세대가 막 사회에 자리를 잡으려던 2001년 3월부터 2002년 3월까지 미국에서는 270만 개의 일자리가 사라졌다.[16]

"X세대는 상당히 힘든 시간을 보냈습니다."

골드만삭스 연구원 휴고 스콧갈의 말이다.

그는 2001년과 2008년의 침체기[17]가 "무섭고 아주 중요한 사건"이라고 말했다.

"그 사건으로 인해 저축과 투자에 대한 X세대의 태도는 완전히 바뀌어 버렸죠."

이제 대다수는 저축도 투자도 하지 않는다. 예순다섯 살까지 계속 일하거나 아예 은퇴를 생각하지 않는 X세대는 절반이 넘는다.[18]

그럭저럭 노후 자금을 마련해 둔 행운아들도 은퇴 전 그 돈에 손대는 경우가 있다. 우리 세대의 45퍼센트는 이미 퇴직 연금을 인출했다. 일찍 인출할 경우 세금이 늘어나고 벌금이 부과되는데도.[19] 40대, 특히 여성은 편안한 노후를 위한 저축을 충분히 하지 못하고 있다.[20]

"난 노후 자금으로 100만 달러를 모아 뒀어요. 그런데도 계속 걱정이 돼요. 우리 아이들 대학 등록금은 학자금 대출을 받아야 하죠. 그러다 인터넷에서 노후 자금 계산기를 봤어요. 모든 정보가 '돈을 더 모아 두는 게 좋을 거야, 아줌마. 앞으로 당신 말고는 아무도 당신의 미래를 책임지지 않을 테니까'라고 말하더군요. 난 평생 엄청난 짠순이로 살았어요. 열 살 때부터 다른 집 아기들을 봐 주면서 뼈 빠지게 일했죠. 그런데도 여전히 돈 때문에 스트레스를 받아요."

생명 공학 회사에서 간부로 일하고 있는 마흔아홉 살 여성의 말이다.

개를 대신 산책시켜 주는 사업체를 운영하는 마흔다섯 살의 여성은 다음과 같이 말했다.

"노후 자금으로 50만~60만 달러는 모아 뒀어요. 자식도 없고, 남편과는 이혼했죠. 작지만 내 사업도 하고 있고요. 그런데도 일흔 살이 되었을 때는 노숙자가 되어 상자를 덮고 잘 것만 같아요. 돈을 아무리 모아도 늘 부족하다는 느낌이에요. 이 나이에 그 정도면 친구들보다 훨씬 많이 모은 편인데도 매일 불안해요."

이 두 여성은 노후 자금을 많이 모았다는 점에서는 예외지만, 아무리 모아도 안심이 되지 않는다는 점에서는 예외가 아니다. 여자들이 재정 상태에 관해 하는 말을 들으며 나는 D. H. 로런스의 1926년 단편 소설 〈경마에서 항상 이기는 소년The Rocking-Horse Winner〉에 나오는 돈에 집착하는 엄마가 생각났다. X세대 대다수가 고등학생 때 읽은 소설이다.

"그 집에서는 입 밖으로 내뱉지 않은 말이 자주 들렸다. 돈이 더 있어야 해! 돈이 더 있어야 해! 아무도 그렇게 말하지 않는데도 아이들에게는 늘 그 말이 들렸다."[21]

우리가 1854년 이후 미국 역사상 두 번째로 긴 경기 확장기에 있으며, 곧 '조정'할 태세를 갖추고 있다는 사실도 도움이 안 된다.[22] 주식 시장이 언제든 폭락할 수 있다는 말이 사방에서 들린다.[23]

이 글을 쓰고 있는 지금도 뉴스 요약 메일이 하나 날아왔는데 헤드라인이 다음과 같다.

'무엇이 다음 리세션을 일으킬까? 가능성이 가장 큰 세 가지 요인을 살펴보자.'[24]

2009년에 해고된 후로 난 몇 년간 프리랜서로 일하면서도 그럭저럭 많은 돈을 벌었다. 그러다 어느 해에는 운이 나쁜 탓에 3만 6000달러에 그쳤다. 그해에는 남편도 사정이 좋지 않았다. 우리에게는 어린 아들이 있었다. 그러면 어떻게 해야 할까? 우리는 내 퇴직 연금을 모두 인출했다. 거액은 아니지만 다시 일감이 늘어날 때까지 버티기에는 충분해 보였다. 그 바닥에서 올라올 때까지 몇 년이 걸렸다.

중년을 중산층으로 살려면 돈이 아주 많이 든다. '세대별 소비 습관'[25]이라는 제목의 미국 노동부 차트를 보면 X세대는 가정마다 내 집 마련, 옷, 외식, 음식, 그 외 '다른 모든 소비'가 베이비 붐 세대보다 늘어났고, 오직 한 범주에서만 아주 약간 줄어들었다. 오락비. 우리는 돈을 많이 쓴다. 특히 아이들에게.

X세대의 거의 절반이 매달 카드 빚을 지고 있다.[26] 신용카드 회사에서 스물한 살 미만에게 카드를 발급해 주는 바람에—대학 캠퍼스 텐트에서 카드를 홍보하고, 신청하는 사람에게 무료 혜택을 주었다—많은 X세대가 소비자 부채를 떠안은 채 대학을 졸업하게 됐으나[27] 2009년에 신용카드 개혁 법안이 만들어지면서 더는 그럴 수 없게 되었다.

재무 정보, 비즈니스 뉴스, 주식 시장 데이터 등을 제공하는 웹 사이트 마켓워치가 'X세대는 재정적으로 완전히 파산했다'라는 제목으로 2019년에 편찬한 보고서에 따르면 X세대는 밀레니얼 세대, 그리고 베이비 붐 세대와 비교해 전반적으로 재정 상태가 최악이다.[28] 개인 신용 평가 기관 엑스페리언에 따르면 X세대는 평균적으로 가장 많은 신용카드 빚(7750달러), 가장 많은 대출 빚(23만 1774달러), 가장 많은 비대출 빚(3만 334달러)을 졌다.[29] 우리 세대의 평균 신용 점수는 '좋음'의 하한선인 655에서 한참 떨어진다.[30]

퓨 공익 신탁에 따르면 X세대는 2007~2010년에 자산의 거의 절반을 잃었다.[31] 손실액을 빠르게 회복하기는 했어도[32] 많은 빚과 언제든 다시 가난해질 수 있다는 느낌은 사라지지 않는다. 시카고 대학 여론 조사 센터의 종합 사회 설문 조사에 따르면 어느 시대건 마흔다섯 살에서 쉰네 살 사이의 사람들은 다른 연령대보다 자신의 재정 상태에 "꽤 만족한다"고 대답한다. 하지만 그 나이가 된 X세대에게는 해당되지 않는다. 인생에서 가장 많은 수입이 있어야 할 나이가 되었을 때 우리는 더는 나이가 그만큼의 소득을 가져다주지 않는다는 사실을 깨닫게 되었다. 전미 경제 연구소가 2017년에 출간한 조사 보고서에 따르면 "정체된 평생 소득은 좀처럼 역전되지 않는"[33] 것으로 나타났다.

같은 해 《뉴욕 타임스》에 실린 기사에서는 초창기에 태어난 X세대를 '심술쟁이 세대'라고 불렀다. 이 집단에 속하는 사람들은 소위 호황일 때 사회에 뛰어들어 "기대만큼 잘하지 못한다"고 느꼈을 테니까 말이다.[34]

당연히 이 기사에는 분개하는 댓글들이 달렸다.

"심술쟁이라고?!?!"

자신을 리치먼드에 사는 애니타라고 소개한 한 네티즌은 "X세대는 단지 백만장자가 되지 못했다는 이유로 씩씩거리거나 징징거리는 집단이 아니다. 이 세대가 불행한 이유는 죽을 때까지 일해야 하기 때문이다"라는 댓글을 달았다.

언론 매체는 종종 중년이 된 X세대의 고뇌를 대수롭지 않게 여긴다. 그런 맥락에서 내가 가장 좋아하는 헤드라인은 이것이다.

'중년이 버겁다고? 그럼 수영을 배워라.'[35]

이 글을 쓴 여자는 말 그대로 일주일에 세 번씩 수영하면서 중년의 위기를 헤쳐 나갔다.

2000년대 중반까지는 주택 담보 대출을 받기가 쉬웠다. 저연령층 X세대는 막 생애 처음으로 집을 장만하려는 시기였고, 집을 이미 소유하고 있던 고연령층 X세대는 더 좋은 집으로 이사할 계획을 세우기 시작했다. 아메리칸 드림에서 제외된 사람들이 마침내 늘 꿈꾸던 집이나 부동산을 살 수 있게 되었다.

그러던 차에 서브프라임 모기지 사태가 터졌다. 2007년 12월에 5퍼센트이던 실업률이 2009년 10월에 10퍼센트가 되었다.[36] 대도시의 집값은 순식간에 10~30퍼센트 하락했다.[37]

하버드 대학 보고서에 따르면 X세대는 "집값 폭락의 가장 큰 피해를 본 세대"다. 우리 세대에서 주택 보유자 비율은 "다른 어떤 연령대보다도 훨씬 낮은"[38] 것으로 나타났다.

코네티컷주에 사는 마흔여덟 살의 한 여성은 2005년에 남편과 함께 85만 달러에 저택을 구입했다고 한다. 그러다 집값이 폭락하자 그들도 다른 사람들처럼 피해를 봤다. 두 사람이 이혼하게 되었을 때 그들은 71만 5000달러에 집을 팔았다. 결국 두 사람은 차액뿐 아니라 집을 꾸미느라 쏟아부은 돈까지 모두 잃게 되었다. 둘은 이혼 후에도 각자 다른 집을 장만할 여력이 안 되어 몇 년간 함께 살았다.

2000~2005년에 그리고 2013년 이후로 집값은 월급 상승률을 앞질렀다.[39] 1970년부터 2000년까지 그랬듯이. 인플레이션

을 고려하면 집값이 80퍼센트 이상 오르는 추세가 다시 시작되었다.[40]

뉴저지주에 사는 마흔두 살의 내 친구는 이렇게 말했다.

"무서워 죽겠어. 우린 집을 안 샀잖아. 근데 이제 아이가 둘이 되니까 무언가를 산다는 게 꿈만 같아. 동화책에나 나오는 일이라고! 그러다 문득 과거를 돌아보면 이런 생각이 드는 거야. '맙소사, 은퇴한 뒤에는 어떻게 되지?', '우리가 방 한 칸이라도 소유하는 날이 올까?', '아이들을 어떻게 대학에 보내지?' 너무 무서워."

《월 스트리트 저널》은 "연방 정부 자료를 분석한 결과" X세대가 "집값 폭락으로 다른 어떤 연령 집단보다 더 고통받았으며, 이는 그 집단의 주택 보유자 비율이 앞으로 몇 년간 침체될 수 있다는 의미"라고 했다.[41]

2000년 이후 미국 전역에 걸쳐 월세가 올랐고, 따라서 월세가 저렴한 집을 구하려는 사람 수도 증가했는데[42] 그런 집은 전국적으로 부족하다.[43]

'집세를 줄여라'는 좋은 충고지만 월세가 저렴한 집이나 지역으로 이사하려면 이삿짐 트럭을 부르는 것부터 시작해 나름대로 비용이 든다. 설사 지금 사는 집의 월세를 감당하기 힘들지라도 월급을 잘 주는 직장까지 출퇴근 가능한 거리에 더 나은 선택지가 없을 수 있다.[44]

우리가 살아오는 동안 부촌과 빈촌의 경제적 격차는 기하급

수적으로 벌어졌다. 이에 관해 리사 체임벌린은 다음과 같이 말했다.

"2000년 중반에 거주지를 잘못 선택했다면 지금은 그 동네를 벗어나지 못할 거예요. 샌프란시스코에 계속 남았다면 괜찮죠. 하지만 만약 도시를 떠나 네브래스카주로 갔다면 결과가 별로 좋지 않을 거예요. 클리블랜드에서는 돈을 모으지 못할 거고요. 밀레니얼 세대는 여전히 변화할 수 있어요. 하지만 기회가 별로 없는 곳에 정착해서 가정을 꾸렸다면 그곳을 벗어나 좀 더 비싼 지역으로 가서 다시 정착하기는 매우 어려울 겁니다."[45]

그리고 몇 세대에 걸쳐 가족을 괴롭힐 학자금 대출이 있다. X세대는 빚을 많이 진 채 졸업했고, 빚은 점점 더 늘어났다.[46] 내가 아는 사람 중에는 자식의 등록금을 대 주기 직전에야 자신의 학자금을 다 갚은 경우도 있다. 4년제 공립 대학의 평균 등록금은 이제 미국 여성 연봉 중간값의 81퍼센트나 된다.[47] 그리고 우리 자식들은 학자금 대출을 상환하기가 우리보다 훨씬 힘들 것이다. 현재 30대 초반인 밀레니얼 세대는 1965~1980년에 태어난 우리 세대가 같은 나이에 번 돈보다 평균적으로 4퍼센트 적게 번다.[48]

《뉴욕 타임스》기자 M. H. 밀러는 2008년 리세션 직후 대학을 졸업한 밀레니얼 세대인데, 뉴욕 대학에 진학하려고 대출받던 엄청난 빚이 자신과 부모님의 발목을 얼마나 붙잡는지에 관해 글을 썼다.

"이렇게 많은 빚을 지게 된 것을 누구의 탓으로 돌려야 하는 가를 두고 지난 10년간 많이 고민했다. 누구의 탓일까? 애초에 대출금을 상환할 능력이 없는 사람에게 돈을 빌려주고 우리 가족 같은 사람들의 희망을 계속 착취하다가 그 희망이 사라진 후에는 재빨리 우리의 등골을 빼먹는 은행 탓일까? 아니면 버지니아 울프의 책을 읽고 그에 관한 일기를 써서 학위를 받으려고 대략 20만 달러나 쓰는 게 실수임을 깨달을 선견지명이 없던 내 탓일까?"[49]

병원비 또한 설사 건강 보험에 가입했다 해도 가족이 저축해 둔 돈을 한 방에 날려 버릴 수 있다. 중년은 제2형 당뇨병 같은 병에 가장 걸리기 쉬운 나이다.[50] 국립보건원에 따르면 턱관절 장애 같은 만성 통증 장애는 여성에게 더 흔하고, 뇌졸중도 중년 남성보다 중년 여성에게 더 흔하다.[51] 30대에 유방암에 걸릴 확률이 227명당 1명이었다면, 40대에는 68명당 1명이고, 50대에는 42명당 1명이다.[52]

내 지인은 아기가 걸음마를 뗀 지 얼마 안 되어 유방암에 걸렸다. 그 후로 몇 년 동안 조직 검사, 종양 절제술, 양측 유방 절제술, 보형물 삽입, 젖꼭지 수술을 했다. 그녀에게 중년의 가장 생생한 기억 중 하나는 "목까지 가스가 찬 채 신음하는 여자들로 가득 찬" 회복실에 누워 있던 일이다.

미국 자가 면역 관련 질환 협회 회장이자 전무인 버지니아 T. 래드는 자가 면역 질환자의 대략 75퍼센트가 여성이고, 전반적으로 자가 면역 질환자가 증가하는 추세라고 말했다. 그런 병으로 고통받는 사람—특히 하시모토병 같은 갑상샘 질환—이 늘어나는 원인은 밝혀지지 않았다.

래드는 내게 이렇게 말했다.

"아마 환경의 영향이 있을 거예요. 유전자는 환경처럼 빨리 변하지 못하니까요. 우리는 몸에 많은 것을 주입하죠. 항생제 과다 복용도 그중 하나인데 그건 장과 장내 미생물 환경에 큰 영향을 주죠. 또한 30년이나 50년 전과 비교하면 너무나 달라진 세상의 영향도 있을 거예요."[53]

사회보장국에 따르면 사회 보장 신탁 기금은 2034년에 고갈될 예정이다.[54] X세대 대다수가 은퇴하는 시기이다. X세대의 대략 4분의 3은 은퇴할 때 사회 보장 신탁 기금을 제대로 받으리라 기대하지 않는다.[55] 기금이 고갈된다고 해서 연금 지급이 중단된다는 뜻은 아니다.[56] 다만 사람들이 예상한 금액의 4분의 3 정도만 받게 될 것이다. 연금이 줄어들면 가장 큰 타격을 받는 사람은 여성이다.[57]

"당신이 연금을 수령할 나이가 되어도 아마 사회 보장 신탁 기금은 남아 있을 것이다. 하지만 세금을 내고 은퇴 후 써야 하는 모든 비용을 충당하기에는 부족할 것이다. 게다가 당신이 받을 차례가 되기 전 몇 가지 규칙이 바뀔 가능성이 있다."[58]

《뉴욕 타임스》경제 칼럼니스트 론 리버가 쓴 글이다.

그는 노후 자금 모으는 방법을 소개하면서 언제나 인기 만점인 복리 차트를 보여 준다. 만약 마흔두 살이 아닌 스물두 살 때부터 해마다 5000달러씩 모아 왔다면 은퇴할 때는 대략 5000만 달러로 불어나게 된다. 마흔두 살부터 모으기 시작하면 얼마가 되는지는 아무런 언급이 없다. 잘됐다. 나도 알고 싶지 않으니까.

이제 긍정적인 소식이 하나 있다. 아마도 X세대는 언젠가 상환 능력을 갖추게 될 것이다. 바로 부모님에게서 유산을 물려받을 때다. CNBC에 따르면 앞으로 몇십 년 후 미국 역사상 가장 인원이 많고 돈도 많은 베이비 붐 세대가 X세대와 밀레니얼 세대에게 30조 달러의 자산을 물려줄 것이라고 한다.[59]

2018년에 발표된 블랙보드 연구소 보고서에는 다음과 같이 나와 있다.

"X세대는 전성기가 머지않았다. 대중은 밀레니얼 세대에 열광하지만 X세대가 새로운 자선가가 될 예정이다. …… 자선사업에서 'X의 시대'는 겨우 10년 정도 남았을 것이다."[60]

얼마나 물려받게 될지는 당연히 여러 요인에 달려 있다. 이를테면 베이비 붐 세대가 장기간 병원 치료를 받는 데 돈이 얼마나 필요할지도 그 요인에 속한다. 양로원 개인실 평균 비용은 한 달에 7698달러다.[61]

X세대가 돈을 물려받든 물려받지 않든 관계없이 X세대에게는 잠재적으로 판도를 뒤집어 세상에 좋은 일을 할 능력이 있다고 주장하는 사람들도 있다. 10년 전에 작가 제프 고디니어는 《X세대가 세상을 구한다》라는 책에서 X세대의 조심스러운 태도야말로 사회가 필요로 하는 자질이라고 주장했다. 《월스트리트 저널》 기자인 매슈 헤네시가 2018년에 발표한 책과 2017년에 리치 코언이 잡지 《배너티 페어》에 쓴 기사도 비슷한 주장을 한다.

코언에 따르면 X세대는 "옛날 방식으로 교육받은 마지막 미국인이자, 신문 접는 법을 알고 농담을 받아들이며 정치적 올바름을 지나치게 따지지 않고 민감할 수 있는 이야기를 들어 주는 마지막 미국인"이다. 또한 코언은 X세대가 소위 냉소주의와 두려움 덕분에 매우 현실적이라고 말했다.

"우리 X세대는 밀레니얼 세대가 말하는 유토피아적인 이야기도 베이비 붐 세대가 말하는 유토피아적인 이야기도 참아 줄 수 없다. 우리는 대부분의 사람이 속속들이 썩었다는 걸 안다. 하지만 좋은 사람도 있다는 사실을 알고 있으므로 계속 나아갈 것이다."[62]

매슈 헤네시는 다음과 같이 썼다.

"밀레니얼 세대와 달리 우리 X세대는 인터넷이 침범해 거의 모든 걸 정복하기 전에 어떻게 살았는지 기억한다. 그 기억 속에는 우리 모두 구원받을 수 있다는 희망, 우리 주위의 모든 것이 썩고 부패하고 침식되고 그러다 무너지지 않도록 막아 줄 개선의 씨앗이 들어 있다."[63]

그렇기는 해도 정신을 점검하지 않는 한 X세대 여성은 결코 세상을 구하지 못할 것이다. 또한 막대한 유산을 상속받아도 늘 돈이 부족하다는 느낌에 시달릴 것이다.

지난 몇십 년간 우리 부모님의 삶을 생각해 보고, 우리 세대가 썩고 부식해가는 이 사회를 구할 거라는 의미를 이해하려고 해 봐도 별로 힘이 나지 않는다. 그저 '그런 역할을 하려면 돈이 많이 들겠네' 하는 생각뿐이다.

여섯 번째 이유
[선택불가 증후군]

우리는 선택한 걸까?
항복한 걸까?

"지금까지 내가 내린 모든 결정이
나를 이곳으로 이끌었는데,
이제 와서 내가 어떻게 올바른 결정을 내릴 거라고 믿을 수 있겠어요?"

내 친구 니키타와 나는 10년 전 뉴욕시에서 처음 만났다. 당시 30대이던 우리는 출산한 지 얼마 안 되었고, 우리의 두 아들은 친구가 되었다.

　나는 니키타가 10대 시절에 모델로 활동했다는 사실을 알고 놀라지 않았다. 몸매가 탄탄하고 곧은 갈색 머리카락을 길게 기른 그녀는 북서부 지역의 시골 마을에서 온 브룩 실즈처럼 생겼기 때문이다. 니키타는 20대 때 댄서로 직업을 바꿨다가 나중에는 요가를 가르쳤다. 30대에는 자연 출산 도우미인 조산사가 되었다. 가끔씩 그녀는 밤새 고객의 출산을 돕느라 녹초가 되었지만 홀가분한 표정으로 공원에 나오곤 했다. 그러다 둘째를 임신하게 되었다.

　함께 아기를 키우면서 니키타와 나는 서로에게 커피를 가져다주기도 하고, 상대의 아기를 돌봐 주기도 했다. 우리는 놀이터 벤치에 앉아 크래커 몇 상자를 재빨리 먹어 치우기도 하고, 아이들 싸움을 말리기도 하고, 녹아서 질질 흐르는 아이스크림을 들고 있기도 하고, 아기들에게 유아용 우주복 입히는 걸 도와주기도 했다. 유아용 우주복은 느닷없이 7호 사이즈의 수영

팬티가 되더니 눈 깜짝할 사이에 XXL 사이즈의 스키 바지로 변했다. 우리는 수다를 떨고 또 떨었다. 아이들을 어떤 학교에 보낼지, 저녁으로 뭘 먹을지, 잠깐만, 아기가 방금 입에 뭘 넣은 것 같은데?

그러다 아이들의 미취학 아동기가 끝나고, 니키타가 다시 공부를 시작하고 싶다는 이야기를 꺼냈을 때 그녀는 또 임신하게 되었다. 아들인 셋째가 태어나고 얼마 지나지 않아 니키타는 도시에서 계속 살기가 불가능에 가깝다는 걸 깨달았다. 생활비가 너무 많이 들었다. 유모차와 씨름하며 지하철을 타는 것도 더는 즐거운 도전이 아니었다.

그녀의 가족은 뉴욕을 떠나 다시 북서부로 돌아갔다. 그래도 이번에는 어릴 때 살던 동네보다 좀 더 도시에 가까운 오리건주 포틀랜드에 자리를 잡았다. 그곳에서 집을 산 니키타는 집을 전부 개조했다.

첫째 아들은 지금 중학생이고, 둘째 딸은 초등학생이며, 막내 아들은 아장아장 걸어 다닌다. 캔자스주 출신인 그녀의 남편은 가족이 경영하는 농장에서 일하면서 최근에 그 지역의 만화책 작가 협회에 가입했다. 아이들은 더없이 행복하다. 그런데도 지난가을 우리가 통화할 때 니키타의 목소리는 전과 다르게 가라앉아 있었다.

"난 불평할 이유가 하나도 없어. 하지만 동시에 아주 비참해. 지금까지 진짜 우울증을 겪은 적은 한 번도 없거든. 근데 요즘에는 아침에 침대에서 일어나기가 싫고, 아무하고도 말하기 싫고, 샤워도 하기 싫어. 기분이 아주 나빠."

니키타가 말했다.

얼마 전 열 살짜리 딸이 니키타가 젊었을 때 사진을 발견하더니 "이게 엄마야? 예전에는 엄마도 예뻤구나!"라고 말했다고 한다. 또 최근에는 막내아들 할머니로 오해를 받은 적도 있다고 했다.

니키타는 자신이 세상에서 잊히고 삶에서 단절된 기분이 든다고 했다. 그녀의 일상은 책임과 허드렛일, 어딘가에 다녀와야 할 일로 가득 채워져 있다. 그녀에게는 이제 아무런 사건도 일어나지 않는다. 니키타는 이 모든 게 다 무슨 소용인가 하는 생각이 든다.

"그게 제일 슬퍼. 계속 '알 게 뭐야?' 하는 생각이 들어. 아이들은 당연히 소중해. 하지만 이 집을 개조하고 함께 가구를 채워 넣는 등 이 복잡한 공동 생활을 유지하기 위해 쓴 시간과 돈과 에너지가 아까워. 그 어떤 것에도 애착이 안 가."

니키타가 말했다.

내가 만난 중년 여성들은 종종 자신이 살면서 내린 결정을 후회했다.

현재 회사 이사로 재직 중인 마흔아홉 살의 한 여성은 다음과 같이 말했다.

"가끔씩 예일 대학을 졸업한 직후 그냥 골드만삭스에서 일할 걸 그랬다고 후회해요. 그랬다면 지금쯤 은퇴할 수 있었을 거예요. 적어도 은퇴가 두렵지는 않았겠죠. 가끔은 재산도 없고 빚만 산더미인 남자와 결혼한 게 화가 나요. 하지만 사랑하는 동반자와 함께 사는 게 더 행복한 일이라고 생각하려고 하죠. 생각은 그렇게 해요. 뭐가 가장 걱정되느냐고요? 늙었을 때 돈이 없는 거요. 그게 두려워요. 살면서 내가 내린 결정들이 지금의 내 삶과 좀 더 평화로운 관계를 맺었으면 좋겠다고 생각할 때가 많아요."

니키타는 새로운 일을 시작할까 생각 중인데 주저하고 있다고 말했다.

"아무런 경력도 없고 신뢰도도 전혀 없는 분야에서 새롭게 시작하려니까 정말로 기가 죽고 무서워. '다른 사람들은 늘 하는 일이야'라고 계속 되뇌지."

니키타는 매일 해야 하는 단조로운 일의 굴레에서 여전히 벗어나지 못한 채 어떤 방향으로 가야 할지 결정을 못 내린 듯했다. 그리고 자신을 완전히 믿지 않는 것 같았다.

한 여자는 내게 이렇게 말했다.

"내가 내린 모든 결정이 나를 지금 이곳으로 이끌었죠. 그런데 이제 와서 내가 어떻게 올바른 결정을 내릴 거라고 믿을 수 있겠어요?"

성인이 되면 매사에 결정하라는 꾸준한 압박을 받는다. 어떤 자동차 보험 회사를 선택할지, 아이를 어떤 학교에 보낼지, 누구와 결혼할지, 어떤 직업을 가질지, 경력을 바꿀지 말지 등등.
X세대 여성의 마음속에는 한 친구가 다음과 같이 표현한 운명
론이 자리하고 있다.

"우리에게는 선택지가 아주 많아! 그러니까 가장 힘들거나
불행과 고난이 보장된 것을 골라!"

중년 여성이 결정을 미루고 싶고 중간 지대에서 좀 더 오래
버티고 싶은 유혹을 느끼는 것도 무리는 아니다.

개인적으로 나는 결정을 내리는 데 있어서 아주 고통스럽고
딱히 논리적이지 않은 태도를 보여 왔는데 1990년대부터 그
랬다. 이는 파트너에게 헌신하거나 어떤 일에 참여하기를 꺼
리는 성향으로 발현되었는데 특히 통과 의례에 대한 거부감이
심했다.

1993년, 내가 고등학교 2학년이었을 때 나와 친하던 남자 선
배가 졸업 파티에 참석하지 않고 우리 집에 놀러 왔다. 우리는
고등학생이 주인공인 대학살 공포 영화 비디오를 잔뜩 빌려서
밤새 보았다. 〈캐리〉, 〈졸업 파티 4〉, 〈센트럴 고등학교 대학살
Massacre at Central High〉 등등.

이듬해에 나는 얼마 전에 섹스는 했어도 남자 친구라고는 부
르지 않던 친구와―꼬리표 따위는 필요 없으니까(그 애는 분명

내 남자 친구였다)—졸업 파티에 참석했다. 중고품 옷가게에서 짙은 분홍색 드레스를 사고, 우리가 졸업 파티를 어떻게 생각하는지 패러디하는 차원에서 내 구두와 남자 친구의 새시 벨트까지 분홍색으로 염색했다. 심지어 남자 친구의 양말도 분홍색으로 골랐다.

헌신과 선택을 거부하는 것은 오랫동안 X세대의 특징이었다. 1990년, X세대에 관해 쓴 《타임》의 커버스토리 〈조심스럽게 나아가기〉에는 이런 구절이 있다.

"현대 젊은이의 가장 큰 특징은 위험과 고통, 급격한 변화를 피하고 싶어 하는 욕구다."[1]

기사에 등장하는 스물두 살 젊은이는—아직 살아 있다면 지금 50대다—진지한 연애를 하고 싶지 않다고 말한다. "상처받지 않는 게 최우선"이기 때문이다.

1990년대에는 무심한 태도가 유행이었다. 우리 시대의 섹스 심벌은 헤로인 시크(창백한 피부, 진한 다크서클, 빼빼 마른 몸 등 말 그대로 마약에 취한 듯한 분위기의 멋을 말한다—옮긴이)의 정수인 케이트 모스였다. 진심은 깊은 의심을 불러일으켰다. 1980년대 후반에 나는 내가 다니는 중학교 배구팀의 공동 주장이라는 사실이 자랑스러웠지만, 몇 년 후에는 운동과 담을 쌓았다. 내 점심은 커피와 담배였다. 가끔은 오렌지도.

우리 세대가 공유하는 영웅은 몇 명 되지 않는다. 1992년 데이나 카비가 사회를 본 MTV 비디오 뮤직 시상식은 아직 베이비 붐 세대가 주류임을 보여 주었다. 그때 공연한 가수들은 에릭 클랩턴, 데프 레퍼드, 엘턴 존이었다. 그날 밤의 가장 큰 승자는 〈Right Now〉라는 노래를 부른 반 헤일런이었는데 밴드 멤버가 모두 1940~1950년대생이었다.

리플레이스먼츠 노래 〈Bastards of Young〉의 가사를 인용하자면 X세대에게는 "우리를 명명할 전쟁이 없다". 우리의 대중문화는 대부분-〈조찬 클럽〉(1985년), 〈헤더스〉(1988년), 〈볼륨을 높여라〉(1990년), 〈내 인생My So-Called Life〉(1994~1995년), 〈트윈 픽스〉(1990~1991년)-실존적이고, 세상사 다 부질없다는 양가감정을 반영했다.

드라마는 화창한 캘리포니아주를 배경으로 하면서-〈베벌리힐스 아이들〉-현실 도피를 선사했다. 내가 기억하기로는 내 10대 시절 발랄한 영화는 1995년에 나온 〈클루리스〉뿐이었다. 열정, 돈, 실수를 저질렀을 때의 태평한 반응-운전면허 시험을 보다가 주차된 다른 차의 측면을 긁었을 때 "어머! 쪽지를 써 두고 가야 하나요?"라고 하는 말-이 내게는 외국 영화보다 더 이국적으로 느껴졌다. 하지만 그렇다고 해서 우리가 겪어야 하는 엄청난 절망이 상쇄되지는 않았다.

10대 초반에는 침실 벽에 리버 피닉스 포스터를 붙여 놓았다. 내가 생각하기에 리버 피닉스는 세상에서 가장 잘생긴 남자였는데 특히 1988년 영화 〈허공에의 질주〉에서 더욱 그렇게 보였다. 그는 내가 고등학교를 졸업하기도 전에 약물 과다 복용으로 사망했다. X세대 대표곡이라고 할 수 있는 〈Smells Like Teen Spirit〉(사실 이 노래는 '틴 스피릿'이라는 체취 제거제 이름을 따서 붙였을 뿐 10대 정신과는 거리가 멀다)을 부른 커트 코베인도 그 이듬해인 1994년 4월에 죽었다. 내가 졸업 파티에 함께 간 남자 친구와 모든 걸 분홍색으로 염색하던 그 무렵이다.

하이틴 영화 〈아직은 사랑을 몰라요〉(1984년)에서 서맨서 역으로–가족들은 서맨서의 생일을 깜빡 잊어버리고, 그녀의 팬티는 남자 화장실에 모인 남학생들 앞에 전시된다–출연한 몰리 링월드는 X세대 10대 소녀의 궁극적 아이콘이었다. 영화 속에서 서맨서는 늘 성추행을 당했고, 그러지 않을 때는 지루해서 죽을 지경이었다.

링월드는 《뉴요커》에 쓴 기사에서 존 휴스 감독과 함께 작업한 영화를 회상했다. 당시 그녀와 휴스 감독은 《세븐틴》 잡지와 인터뷰를 했는데 그 자리에서 감독은 그런 하이틴 영화가 X세대 청소년의 불안을 정당화하기 위해 만들어졌음을 인정했다고 한다. 영화 외 영역에서는 하지 않는 일이었다.

휴스 감독은 다음과 같이 말했다.

"우리 세대는 중요한 존재로 인식될 수밖에 없었습니다. 반대 시위를 하고 물건을 불태웠으니까요. 인원이 워낙 많은 터라 변화를 일으킬 수 있었죠. 우리는 베이비 붐 세대의 일부였고, 우리가 움직이면 모든 게 함께 움직였습니다. 하지만 지금 X세대는 인원이 적고, 따라서 우리보다 홀대받죠."[2]

밀레니얼 세대는 결코 홀대받지 않고, 더 밝은 메시지를 받은 듯하다. 〈세서미 스트리트〉에서 저연령층 밀레니얼 세대에 해당하는 캐릭터는 늘 명랑한 엘모다. 반면 X세대는 불안으로 입이 비뚤어진 커밋, 14년 동안 스너플러파거스라는 상상 속 친구를 실존하는 것처럼 속여 왔다고 비난받은 빅 버드(스너플러파거스, 줄여서 스너피는 빅 버드가 혼자 있을 때만 나타나기 때문에 다른 이들은 스너피가 빅 버드의 상상 속 친구라고 생각하는데, 14년 후 스너피는 다른 이들 앞에 모습을 드러낸다−옮긴이), 소시오패스인 오스카 더 그라우치다.

어쩌면 밀레니얼 세대는 젊기 때문에 긍정적으로 보일 수도 있다. 하지만 우리 X세대는 젊을 때도 늙은이 같았다. 밀레니얼 세대가 X세대보다 잘되기는 힘들 테지만−어떤 면에서는 더 나빠질 것이다−그래도 우리보다 더 나은 태도를 가지고 있다. 어찌 됐건 그들의 가장 어릴 적 기억 중 하나는 9·11 테러 사건이다. 밀레니얼 세대는 우리가 고군분투하고 미래를 헐뜯는 모습을 지켜보며 반면교사로 삼았을 수 있다. 그로 인해 그들은 자신에 대한 기대를 낮추고 변화를 일으킬 수 있지 않을까?

필라델피아에서 부부와 가족 심리 치료사로 활동하는 엘리자베스 언쇼는 다음과 같이 말한다.

"우리에게는 늘 과도기가 있어요. 하지만 중년은 변화하고 싶어도 돈에 매여서 변할 수 없는 시기죠. 성인이 되어 가는 열여섯 살 때는 하고 싶은 일은 뭐든 할 수 있어요. (찢어지게 가난하지 않은 한) 사실상 돈이 발목을 잡지도 않고 돈에 신경 쓰지도 않으니까요. 20대에도 돈에 그다지 신경 쓰지 않죠. 하지만 마흔 살이 되어 다시 학교에 다니고 싶다거나 불임 치료가 받고 싶으면 경제적으로 걸리는 것이 아주 많죠."[3]

언쇼는 X세대 여성들이 어떻게 해야 할지 몰라서 방황하고 젊은 시절의 자신을 그리워한다고 말한다.

"그들은 밖에 나가서 스포츠카를 사지는 않아요. 하지만 몰래 가방을 사거나 바람을 피울 수 있죠. 자식이 없었다면, 혹은 마이애미에 살았다면, 혹은 다시 학교에 다녔다면 어떻게 됐을지 상상하면서 남자들과 시시덕거리죠. 종종 스트레스를 주는 일을 하기 전의 삶으로 되돌아갑니다. 결혼해서 아이를 낳기 전에는 대학에 다니면서 친구들과 주말마다 옷을 잘 차려입고 나가서 술을 마셨다면, 이제는 주말마다 친구들과 콘서트를 보러 다니죠. 여행을 다닐 수도 있고, 무언가를 수집할 수도 있어요. 예전처럼 다시 운동을 할 수도 있고요. 열여섯 살 때처럼 침실 창문 밖에서 담배를 피운다는 사람도 몇 명 있었어요."

언쇼의 말이다.

"젊은 시절의 내 꿈이 죽어 가는 걸 지켜보는 기분이에요."

서른아홉 살의 에린이 말했다. 그녀는 최근 캘리포니아주에서 배우로 일하는 걸 포기하고 남편, 아이들과 함께 고향 캔자스시티로 돌아갔다.

"내겐 '드디어 중서부를 떠난다! 난 할리우드로 갈 거야!' 하는 마음이 있었어요. 근데 이제 다시 고향으로 돌아왔죠."

에린은 학생 때 지나다니던 그 길을 따라 다시 차를 몬다. 다만 이제는 더 늙었고, 뒷좌석에는 아이들이 있다. 라디오에서는 그때와 똑같은 음악이 나온다. 추억의 팝송을 틀어 주는 채널에서.

2018년 조너선 라우시가 쓴 《인생은 왜 50부터 반등하는가》에는 전 세계 모든 중년, 심지어 유인원에게서도 나타나는 행복의 'U 커브' 곡선에 대한 연구가 나온다.[4] 학계에서는 이 이론에 반대해 왔으나[5] 경제학자 앤드루 오즈월드와 데이비드 블랜치플라워의 연구에 따르면 미국 여성의 행복은 마흔 살 즈음에서 바닥이고, 남성은 쉰 살 즈음에서 바닥이다.[6] (어쩌면 그래서 여성의 경험에 관해서는 별로 논의하지 않았는지도 모른다. 남성이 초조해할 때쯤 여성은 이미 그 시기를 지났으므로 아무렇지 않은 듯이 보일 것이다.)

라우시는 인생에 부정적인 전환점이 없다고 해도—심각한 병이나 가까운 사람의 죽음 혹은 중독 위기는 보다 극심한 'V 커브'를 가져올 수 있다—중년은 행복과 사이가 나쁜 시기라고 전한다. 행복이 커브 곡선이라는 뜻은 "중년이 되어 자신의 삶에 아주 만족하기"가 불가능하다는 의미는 아니다. 다만 "만족하기는 힘들다"라며 라우시는 다음과 같이 썼다.

"행복 곡선은 중년이 되어 당신을 끌어당기는 저류와 같다. 그렇다고 해서 당신이 저류에 전혀 저항할 수 없다는 뜻은 아니다."[7]

스탠퍼드 대학 심리학자 로라 카스텐슨은 자신의 연구와 TED 강연에서 인간의 수명이 늘어나는 것은 좋은 소식이라고 말했다. 나이가 들수록 스트레스, 걱정, 분노가 모두 줄어들기 때문이다. 이는 '노화의 역설'로 알려져 있는데, 이론적으로는 나이 들수록 사는 게 더 힘들어져야 하기 때문이다(대개 건강이 나빠지고 힘도 없어진다). 하지만 사람들은 40대일 때보다 삶의 끝자락에서 더 행복한 경향이 있다.[8]

그렇다고 해서 이전 세대에서 나타난 U 커브가 꼭 우리에게 행복한 미래를 보장해 주는 것은 아니다. 만약 우리 세대가 역사상 처음으로 커브가 없는 세대라면? 왼쪽에서 오른쪽 구석 밑으로 떨어지는 사선이라면? 우리 세대는 중년의 지표가 좀 더 복잡하다. X세대는 정확히 몇 살부터 중년으로 여겨야 하는지도 정해지지 않았다.

며칠 전 나는 도서관에 갔다가 〈중년의 위기?Midlife Crisis?〉라는 교육용 다큐멘터리를 보게 되었다.

다큐멘터리는 중년 남녀가 안내서를 읽고, 혼자서 카드놀이를 하고, 숲속을 산책하는 사진을 보여 주면서 중년 남성은 우울증에 걸리기 쉽고 자신의 삶을 이야기하는 데 어려움을 느낀다고 말했다. 그러고는《삶은 마흔에 시작된다Life Begins at 40》,

《남자가 겪는 인생의 사계절》,《남자 나이 마흔이 된다는 것》등 남성 중심적인 책에 관해 상세하게 이야기했다. 그런데 여자에 대해서는 화면에 다음과 같은 글귀가 나타나면서 1분 정도 다뤘다.

"여자는 평균적으로 서른다섯 살이 되면 막내가 초등학교에 입학하고, 배우자가 바람피울 위험이 시작되며, 재취업한다. 이 혼녀들은 재혼하는가 하면, 어떤 여자들은 '도피'하고, 출산을 선택하는 사람은 줄어든다."[9]

이 다큐멘터리는 2000년에 만들어졌는데 확실히 구닥다리다. 서른다섯 살 여자는 재학 중인 자녀가 있을 수도 있고, 첫아이를 임신하려고 노력할 수도 있다. 틀림없이 중고생 때부터 계속 일했을 것이다. 또한 해야 할 일이 산적해 있을 테고, 동시에 아마 폐경 전 증상에 시달리고 있을 것이다. 그래도 한 가지는 맞다. '도피'라는 선택지는 유혹적일 수 있다. 특히나 중년의 위기를 겪는 배우자를 둔 경우에는.

하루는 니키타가 볼일을 보러 나갔는데 휴대 전화에 문자가 왔다. 아마존에서 보낸 문자였다.

"저희 사이트에서 쇼핑해 주셔서 감사합니다. 고객님은《둘 이상: 윤리적인 비독점적 다자 연애를 위한 실질적 안내More Than Two: A Practical Guide to Ethical Polyamory》를 주문하셨습니다. 배송이 시작되면 다시 안내해 드리겠습니다."

니키타는 휴대 전화를 봤다. 가족이 함께 사용하는 아마존 계정이 그녀의 이메일과 연동되어 있는데 니키타는 이 책을 주문하지 않았다. 그렇다면 남편이 주문했다는 뜻이다.

"예전에 남편이 일부다처제에 관심이 있다고 말을 하긴 했어. 하지만 저 책을 주문한 것을 보니까 유체 이탈하는 기분이더라고."

니키타가 말했다.

이 사건에는 매우 X세대다운 무언가가 있다. 한 집안의 여자는 저녁으로 무엇을 먹을지, 어떤 싱크대를 살지를 결정할 뿐 아니라 이제는 남편이 다른 여자랑 자고 다녀도 되는지 아닌지까지 결정해야 한다.

불륜을 저지르고 싶지 않은 남자의 입장을 생각하면 이해가 가기는 한다. 남자는 아내를 사랑하고, 아내의 명백한 동의를 받고 난 후에만 다른 여자에게 느끼는 성욕을 해소하겠다고 마음먹은 것이다. 니키타는 허락을 거부했고 남편에게 다음과 같이 말했다.

"누구 좋으라고 허락해? 무엇보다 난 당신 죄책감을 달래 줄 의무가 없어."

X세대는 모든 것을 상의한다. 심지어 부부의 전통적인 경계까지 포함해서. 개방 결혼(부부가 상호 합의하여, 상대방이 다른 이성과 혼외 관계를 가지는 것을 인정해 주는 결혼 방식—옮긴이)을 두고 벌인 토론은 몇 달간 제자리걸음이었고, 니키타는 예전에 남편들이 출장을 떠나서 아내 몰래 바람을 피우던 시절이 그리울 지

경이었다. 그 시절에는 적어도 아내들이 텔레비전을 볼 시간에 울면서 일부일처제를 주장하는 대화를 하지 않아도 됐으니까.

✦ ✦

"모든 걸 아주 잘 해내는 날이 있기는 해요."

캘리포니아주 북부에 살면서 여섯 살짜리 쌍둥이를 키우는 니콜이 말을 이었다.

"아이들 학교에서 자원봉사도 하고, 파트타임으로 일도 하죠. 청소도 하고, 개 산책도 시켜요. 오백만 가지 일을 하죠. 그러다 가 어떤 날은 한두 가지 일을 하고 나면 그냥 잡지나 보고 싶어 져요. 청소도 안 하고, 장 본 물건은 그냥 조리대에 늘어놓고요. 늘 그런 식이죠. 지난 주말에는 남편이 집 안을 둘러보더니 '종일 뭐 한 거야?'라고 묻더군요. 거기서 폭발해 버렸어요. 남편의 말투가 시비조였거든요. 정말 화가 났어요. 이러다 신경 쇠약에 걸릴 것 같더군요. 방에 들어가서 어찌나 울었는지 목이 아팠어요. 우리는 휴전했고, 나중에 다시 대화를 나누면서 남편이 사과했어요. 내가 남편에게 그랬죠. '당신 말이 어떻게 들리는지 알아? 당신은 해야 할 일을 하지 않는 게으름뱅이 실패자야. 이렇게 들려.' 그날 밤에 잠을 잘 수가 없었어요. 머릿속에서 계속 실패자라는 말이 맴돌았거든요."

X세대 여성이 모든 게 엉망진창이고 앞으로도 나아질 기미

가 안 보인다는 막연한 느낌에 시달린다면 이는 U 커브 때문일 수 있다. 또는 폐경 전후 우울증이나 특정 상황으로 인한 일시적 스트레스, 결정을 내리는 데서 오는 압박감 때문일 수 있다. 확률은 낮지만 핵전쟁이 터질 거라는 어린 시절의 두려움이 남아서일 수도 있다.

한 여자는 자기 삶의 거의 모든 것을 스스로 결정하지 못하고 무력감에 빠져 있었다. 그녀는 3년 사귄 남자 친구와 헤어져야 할지 말지를 결정하려고 지난 1년 동안 상담을 받았다. 적어도 상담받는 동안에는 저택 사진을 찍는 자신의 사업을 어떻게 키워야 할지 생각할 수 있었기 때문이다. 또 한편으로는 적나라하게 말하면 반려묘들이 죽기를 기다렸다.

"스물여덟 살 때부터 고양이 두 마리를 키웠어요. 2007년에 한 마리가 당뇨 진단을 받았고, 다른 한 마리는 최근에 갑상샘 기능 항진과 신장병 진단을 받았죠. 고양이 돌보는 일이라면 명예 석사 학위를 받아도 될 거예요. 고양이들과 헤어지고 싶지 않아요. 하지만…… 그럴 때가 되었는지도 몰라요."

자녀를 둔 여성은 일에 좀 더 본격적으로 뛰어들려고 할 때 더 큰 부담을 느낄 수 있다. 한 CEO는 여성이 경력을 쌓는 데 제일 큰 족쇄는 엄마로서의 죄책감이라고 했다.

뉴스로 미니 다큐멘터리를 제작하는 비영리 뉴스 조직인 레트로 리포트에서 제작한 〈엄마들의 전쟁The Mommy Wars〉[10]이라는 다큐멘터리는 1990년대 내내 지속되어 오던 '유해하고 근거 없는 믿음', 바로 엄마가 일하는 동안 어린이집이나 다른 사람에게 아이를 맡기면 아이들이 피해를 본다는 믿음을 해체했다. 이 근거 없는 믿음 때문에 여성에게 죄책감을 주기 위한 세뇌 운동이 벌어지기도 했다. 다큐멘터리에서 가장 소름 끼치던 부분은 주간 토크쇼와 저녁 뉴스에서 일하는 엄마와 전업주부를 경쟁 구도로 몰고 가는 장면이었다. 그런 다음 대부분 남자인 아나운서와 토크쇼 호스트는 엄숙한 표정으로 카메라를 보면서 여자들에게 묻는다. 정말로 자식보다 일을 선택해야겠느냐고.

그들은 과연 남자에게도 "일이냐, 자식이냐?"라고 물어본 적이 있을까? 아빠가 아이에게 보이는 관심이 아이의 감정 건강을 결정짓는 주요 요인이라는 연구 결과가 있는데도? 2000년의 일하는 엄마들이 1975년에 전업주부이던 엄마들과 비교해서 자녀와 소통하는 시간이 똑같다는 연구 결과는 말할 필요도 없다.

이 다큐멘터리에서 사회학자 에이미 신은 아이가 어떤 사람이 되느냐에 있어서 엄마와 소통하는 시간의 양은 아이의 부모가 교육을 잘 받았는지, 아이가 다니는 학교의 수준이 어떤지, 아이가 안전한 동네에서 자라는지 같은 다른 요소와 비교하면 새 발의 피에 불과하다고 지적한다. 다른 요소들은 일하는 엄마가 얼마든지 만들어 줄 수 있다.

〈엄마들의 전쟁〉이 일으킨 논란은 뼈에 사무치는 진실 하나를 보여 준다. 사람은 누구나 도움을 받고 싶어 한다는 것이다. 대단히 새로운 진실은 아니다. 1971년에 주디 사이퍼스 브래디는 유명한 에세이 〈나도 아내가 있었으면 좋겠다 I Want a Wife〉에 이렇게 썼다.

"우리 집을 깨끗하게 청소해 주는 아내, 내 뒤를 따라다니며 치워 주는 아내가 있었으면 좋겠다."[11]

경제학자 헤더 부셰이는 《시간 찾기 Finding Time》에 여자들이 일을 시작하면서 미국은 '말 없는 동반자', 다시 말해 전통적인 미국인 아내를 잃었다고 썼다.

"전통적인 미국인 아내는 미국인 노동자들이 출근해서 일에 100퍼센트 집중하는 데 방해가 될 수 있는, 일상의 크고 작은 비상사태를 모두 처리했다. 어린 조니가 운동장에서 놀다가 아이들과 싸우게 되었다고? 미국인 아내가 곧바로 학교에 가서 선생님과 이야기할 것이다. 이모님이 넘어져서 고관절이 부러졌다고? 미국인 아내가 오후에 이모님을 위해 장을 봐 드리고 저녁을 챙겨 드릴 수 있다. 상사가 저녁을 먹으러 오겠다고? 미국인 아내는 이미 오븐에 팟로스트를 넣어 두었다."[12]

나도 이런 미국인 아내를 얻을 수만 있다면 바랄 게 없다. 그녀는 삼시 세끼 요리를 해 주고, 욕조를 청소하고, 병원을 예약해 주고, 아들이 정해진 시간 이상으로 휴대 전화를 보지 않게 단속하고, 백한 살 된 할머니가 머무는 요양원을 매주 방문할 것이다. 덕분에 나는 아주 많은 일을 해낼 것이다. 우리 집은 티

끌 한 점 없이 깨끗할 테고, 나는 매일 8시간은 잘 것이다. 어쩌면 9시간도.

물론 돈으로 이런 도움을 살 수도 있다. 하지만 그러려면 그 비용을 감당할 수 있을 정도로 돈을 많이 벌어야 한다. 아들이 어렸을 때 연극 공연을 보러 간 적이 있는데 공연을 보는 내내 눈물이 줄줄 흘렀다. 연극이 슬퍼서 혹은 아이가 보고 싶어서가 아니라 연극이 형편없는데 저런 걸 보려고 시간당 17달러에 베이비시터를 고용하고 그녀의 택시비와 식비까지 냈다는 걸 생각하니 정말로 온몸이 아파서였다.

'문제에 돈을 쏟아붓는' 해결책은 불편하기도 하다. 상류층이나 중산층 여성의 문제를 가난한 여성의 노동으로 해결한다는 의미이기 때문이다. 네일 아티스트, 배달 업체 직원, 베이비시터, 우버 운전사, 마사지사. 하물며 눈에 보이지 않는 노동은 말할 것도 없다.

10년 전쯤에 고학력 여성들이 아이를 돌보려고 줄줄이 퇴사한다는 이야기를 들었다. 이를 두고 전문가들은 엄마가 일할 때의 가치와 일하지 않을 때의 가치에 대해 설전을 벌였다. 그러자 헤더 부셰이는 그 데이터가 자녀를 둔 여성이 노동 시장에서 대거 빠져나간다는 사실을 보여 주기 위한 것이 아니라고 지적했다. 그녀 말에 따르면 "지난 4년간 노동 시장에서 여성의 참여율이 하락한 주요 이유는 노동 시장이 약하기 때문"이다.[13] 그들은 회사를 그만두기로 '선택'했다기보다 '항복'했다.

'생선을 먹을래, 닭을 먹을래?'라는 선택지를 받았지만 닭은 산꼭대기에 있고 마침 비가 내리고 있다. 반면 생선은 바로 눈앞에, 그것도 가림막 아래에 있다면 그걸 과연 제대로 된 선택이라고 할 수 있을까? 여자가 정말로 닭을 먹는 데 질려서 생선을 선택했다고 말할 수 있을까? 여자는 생물학적으로 생선을 더 좋아하도록 설계되었다고 말할 수 있을까?

X세대를 다룬 사설은 우리에게서 나타날 법한 특징을 나열하는 경우가 많다. 예를 들면 "피상적이고 쉽게 한눈을 팔며, 정착하지 못하고, 속을 알 수 없고, 자기중심적이고, 목표가 없으며 한심하다"[14] 혹은 "조심스럽고 소리 없이 경계하고, 시작하기도 전에 지치고, 조바심치고 의심이 많다"[15]라는 식이다. 1993년 《뉴스위크》 사설에서는 "칭얼거리는 세대", "가짜 불안을 보이는 소심한 자들"[16]이란 표현을 썼다.

X세대의 "고질적이고도 병적일 정도로 빈정대는 기질"은 음악 평론가 칼 윌슨이 썼듯이[17] 영화 〈청춘 스케치〉(1994년)에 나오는 노래 〈I'm Nuthin〉과 이선 호크가 위노나 라이더에게 행복해지는 데 필요한 것은 담배와 커피, 대화뿐이라는 대사에 영원히 살아 있다. 이런 캐릭터는 매사에 싫증 내고 빈정거리는 우리 세대의 기질을 반영하며, 그들의 거짓된 행동은 연약한 성격

을 감추지 못한다.[18]

당시 영화 속 X세대 남자들은 무심한 태도를 섹시해 보이게 만들었다. "그게 X세대의 새로운 남성성이었지"라고 내 친구는 말했다. 이 남자들은 신념을 버리거나 정착하지 않았으며 하기 싫은 일은 절대 하지 않는 자유로운 영혼이었다.

"우리 세대의 많은 여자가 실제로 그런 남자랑 결혼했어. 하지만 그런 남자는 스무 살 때나 멋있지 마흔 살 때는 정말 짜증나."[19]

내 친구가 말했다.

또 다른 친구는 자신이 20대에 좋아한 남자들이 새로운 남성성을 제시한 게 아니라 그저 엑스터시에 취해 1990년대를 보냈다는 사실을 알고 경악했다.[20]

존 휴스 감독의 1986년 영화 〈페리스의 해방〉 주인공 페리스는 고등학교 3학년인데 아프다는 핑계를 대고 9일이나 학교를 빠진다. 왜냐하면 "인생은 꽤 빨리 지나가고, 가끔씩 멈춰서 주위를 둘러보지 않으면 놓칠 수 있기" 때문이다. 그는 교실에서 시간을 낭비하고 싶지 않았다. 모험을 갈망했다.

당시 청소년이던 나는 삶에 대한 페리스의 태도가 매력적이라고 생각했다. 어떤 이즘ism에든 무관심한 태도도 포함해서. 하지만 나만의 꿈이 있고, 몇 가지 이즘에 열광하는 성인이 된 지금은 책임과 권위가 우습다고 생각하는 남자에게 결코 끌리지 않는다. 페리스와 함께 자식을 키우는 것을 상상이나 할 수 있겠는가?

1983년에 인기를 끈 〈위험한 청춘〉에서 톰 크루즈가 연기한 인물과 결혼했다면 한층 더 최악이었으리라. "〈위험한 청춘〉은 이 시기의 다른 어떤 영화보다도 평범한 남자가 불행한 여자를 이용해 우월감에 빠지는 것을 보여 준다"라고 지니아 벨라판테는 썼다.[21] 이 영화는 이 시기의 다른 많은 영화와 마찬가지로 남자들이 나쁘게 행동하거나 게으르기만 하면 부와 출세를 보장받게 된다는 사실을 가르쳐 준다.

중서부에 사는 마흔한 살의 여자는 자신이 록그룹 펄잼의 보컬 에디 베더와 똑같이 생긴 남자와 결혼했다고 말했다.

"농담이 아니에요. 내 트로피 남편이죠. 역시 뮤지션인데 매사에 느긋한 몽상가예요. 어른이 되는 걸 감당하지 못하는 것 같기도 해요. 남편은 모든 결정을 늘 내게 미뤄요. 아주 수동적이죠. 대체 왜 그러는지 모르겠어요. 잘못된 결정을 하게 될까 두려워서 그냥 기다리는 걸까요? 아니면 아내를 엄마로 만들고 싶어서요? 모르겠어요."

결정 피로에 대한 연구에 따르면 "선택지가 과도하게 많으면 실제로 결정을 내린 뒤에 더 만족하기보다 덜 만족하게 된다. 더 나은 선택을 할 수 있었다는 느낌이 사라지지 않는 경우가 많다"라고 《뉴욕 타임스》 기사에 나와 있다.[22]

어디에서 일할지, 어떤 직장에 다닐지, 돈을 어떻게 쓸지에 대한 선택은 우리를 심란하게 만든다. 하지만 지칠 대로 지친 상태에서 그렇게 중대한 선택을 하는 것은 슈퍼볼 중계 중인 스포츠 바에서 속 깊은 대화를 나누려는 것이나 마찬가지다.

최근 내 친구 니키타를 다시 만났다. 그녀는 전보다 더 느긋해 보였다. 결혼 생활이 어떠냐고 물었더니 나아졌다고 했다. 남편이 개방 결혼 이야기를 처음 꺼내고 몇 달이 지나 니키타는 모유 수유를 끝냈고, 적어도 화내지 않고 그 일에 관해 이야기할 수 있겠다는 느낌이 들었다. 하지만 그때쯤에는 개방 결혼에 대한 남편의 관심이 시들해졌다.

"그래서 그냥 다 지나갔다고? 나는 몇 달 동안 계속 생각하게 해 놓고 이제 와서 당신은 관심이 없다고? 그냥 지나가는 일이었다는 거야?"

니키타는 남편에게 이렇게 따졌다.

그게 사건의 전말이었다. 이 대화를 내게 들려주며 그녀는 한숨을 내쉬었다.

니키타는 이미 그런 남자와 결혼했고, 다른 결정도 마찬가지다. 큰 애들은 더 좋은 학교에 다니고, 막내는 머지않아 유치원에 다닐 것이다. 새집은 보수 공사가 거의 끝났다. 뉴욕 집에서 나오는 월세가 충분해서 니키타는 일할 필요도 없다. 하지만 그래도 무언가를 더 원한다. 그게 뭔지는 아직 잘 모르지만.

"평생 중요한 결정을 내릴 때마다 깨달음이 오는 순간이 있었어. '아하! 내가 해야 할 일이 그거구나' 하는 깨달음. 다음에는 어떤 깨달음이 올지는 몰라도 모습을 드러낼 거야. 그러길 바라고 있어."

니키타가 말했다.

난 행복해,
그런데 왜 아무도 안 믿지?

"당신이 아무리 행복하고 성공한 삶을 살고 있을지라도
결혼하지 않았다면 '아이 취급'을 받을 수 있다.
40대 싱글 여성은 늘 눈을 낮추라는 충고를 듣는다.
그러나 중년에 남자를 사귀는 일은
아무리 내면이 단단한 사람이라도 지치게 마련이다."

"지금쯤이면 결혼해서 아이가 있을 줄 알았어."[1]

《블랙아웃Blackout》의 저자이자 내 친구인 세라 헤폴라가 이렇게 말했다. 우리는 댈러스의 한 식당에서 함께 아침을 먹고 있었다.

세라와 나는 20대 때 주간 신문인 《오스틴 크로니클》에서 함께 일했다. 우리는 밴드 공연을 숱하게 보러 다녔고, 마치 술꾼이 직업인 양 술을 마셔 댔고, 서로가 딱히 최상은 아닌 삶을 살아가는 걸 보았다. 그래도 재미있었다. 롤러스케이트 컬트 뮤지컬 영화 〈제너두〉에 영감을 받아서 롤러스케이트를 타러 간 적도 있다. 천 번은 넘어졌는데도 우리는 스스로를 롤러스케이트 신동이라고 생각했다.

세라가 말했다.

"주변 유부녀 친구들을 보면 그 애들이 얼마나 힘든지 알겠어. 그래도 내 힘든 삶보다는 그 애들의 힘든 삶이 더 낫겠다는 생각을 안 할 수가 없어. 친구들은 '그냥 밖에 나가서 아무 남자하고나 자고 싶어'라고 말하지. 그럼 나는 생각해. '왜? 난 집에서 남편이랑 영화 보고 싶은데. 아이들이 새벽 4시에 날 깨웠으면 좋겠어.'"

세라의 말을 들으면 〈프리키 프라이데이〉를 리메이크해서 완벽한 X세대 영화를 찍을 수 있을 듯하다. 아이가 있는 유부녀와 멋진 직장에 다니며 불타는 연애를 하는 미혼 여자의 영혼이 뒤바뀌는 것이다.

"혼자 사는 여자가 많으니까 싱글이라는 사실을 마치 승리처럼 다뤄야 한다는 압력이 있는 것 같아. 하지만 난 전혀 승리한 기분이 아니야. 그렇다고 싱글인 게 싫다거나 싱글이 되면 안 된다고 경고하고 싶지도 않아. 그것 역시 사실이 아냐."

오랫동안 세라는 아이를 갖고 싶다는 마음이 강하지 않았다.

"어떨 때는 아기를 갖고 싶기도 하다가, 어떨 때는 아니기도 하고 그냥 막연했어."

그러다 마흔 살이 되자 마음이 바뀌었다.

"아기를 갖고 싶다는 마음이 아주 강해지더라고. 마흔한 살에는 다른 주에 사는 남자를 사귀기 시작했어. 그 남자를 사귀면서 이건 내가 원하던 관계가 될 수 없다는 경고 신호를 여러 번 받았지. 하지만 다 무시했어. 마지막 기회 같아서 어떻게든 잘해 보고 싶었거든. 그 남자와 헤어졌을 때는 마흔두 살이었어. 그러다 올해 초 자궁 근종 진단을 받았고, 지금 수술을 알아보는 중이야."

세라는 미래의 남편을 만나 아기를 입양할 거라는 희망을 놓지 않았다. 하지만 이런 질문이 머리를 떠나지 않는다.

'대체 그 남자는 어디에 있지?'

캘리포니아주 페퍼다인 대학의 분 가족 상담 센터 이사 켈리 멕스웰 하에르는 세라가 느끼는 감정을 '애매한 상실감'이라는 가슴 아픈 용어로 표현했다.

"40대 여자 중에서 자신이 싱글이 될 거라고 예상한 사람은 극소수예요. 싱글로 사는 사람들의 애매한 상실감은 마음속에는 있지만 현실에는 존재하지 않는 훌륭한 동반자에 대한 감정이죠."

X세대 여성은 자신이 원하는 것을 얻기 위해서는 다르게 해야 한다는, 혹은 해야 했다는 말을 끊임없이 듣는다. 하지만 비전 보드를 아무리 많이 그려도, 또는 남편이나 아기, 돈, 성공을 아무리 삶에 불러오려고 해도 안 될 때가 있다. 딱히 당신이 노력하지 않아서가 아니다.

그러니 아직 희망이 있다는 걸 어떻게 알 수 있을까?

"애매한 상실감은 정의 내리기 어렵고, 정확한 끝도 없어요. 특히 빠져나오기 힘들죠. 내가 원하는 사람은 5분 만에 찾을 수도 있고, 영영 못 찾을 수도 있어요. 하느님에게서 너한테 남편이 없을 거라는 메일은 오지 않죠. 그러니까 그 희망은 계속 남고, 이뤄지지 않는 희망 속에서 사는 건 힘들어요. 죽음처럼 끝이 있는 것도 아니죠. 죽음은 그 사람이 죽었고 이제는 끝났다는 걸 아니까 슬픔을 딛고 앞으로 나아갈 수 있어요. 사람은 불확실한 상황을 잘 견디지 못해요."

하에르의 말이다.

1950년에는 미국 성인의 대략 22퍼센트가 싱글이었다. 현재 그 수치는 두 배 이상이 되면서 지난 세기에 미국 인구 통계에서 가장 중요한 변화가 되었다. 2016년 기준 미국에서 혼자 사는 가구는 5980만으로 전체의 47.6퍼센트다.[2] 신생아의 거의 40퍼센트가 결혼하지 않은 여자에게서 태어난다.[3]

갤럽은 2013년 기준으로 X세대의 16퍼센트가 한 번도 결혼한 적이 없다고 발표했다. 베이비 붐 세대의 10퍼센트 그리고 우리 조부모님 세대의 4퍼센트와 비교되는 수치다.[4] '결혼한 적 없는 미국인의 수치가 사상 최고치' 같은 헤드라인이 등장했고,[5] 이런 경향은 밀레니얼 세대에도 지속되고 있다.[6]

결혼하는 사람들도 비교적 늦게 결혼하는 경향이 있다. X세대 덕분에 미국인의 결혼 연령은 최고치를 경신한다. 초혼의 중위 연령은 1890년부터 1980년까지 여자는 스무 살에서 스물두 살, 남자는 스물두 살에서 스물여섯 살 언저리를 맴돌았지만, 2018년에 이르러 여자는 거의 스물여덟 살, 남자는 서른 살까지 치솟았다.[7]

전미 결혼 프로젝트가 위대한 교차점이라고 부른 현상도 일어났다. 1989년 이후 초산의 중위 연령은 초혼의 중위 연령을 앞질렀다. 이 현상은 미국의 빈곤층 여성에게서 몇십 년간 지속되었다. 하지만 고등학교를 졸업했거나 대학을 졸업한 중산층 여성에게서도 최근 그쪽으로 급격한 변화가 나타났다.[8]

여기에는 좋은 소식도 많다.[9] 대학을 졸업하고 서른 살 혹은 그 이후에 결혼하는 여성은 연봉이 더 높은 편이다.[10] 결혼을 늦추면서 이혼율도 덩달아 낮아졌고,[11] 싱글 여성에 대한 오명이 줄어든 덕분에 여자들은 자신이 원하는 대로 할 수 있게 되었다. 더 이상 이전 세대처럼 남자에게 의존하지 않게 되었다. 1974년에 신용 기회 균등법이 통과되기 전에는 여자가 자기 이름으로 신용카드를 만들기조차 힘들었다. 오늘날 싱글 여성은 싱글 남성보다 집을 구입할 확률이 더 높다.[12]

사회학자이자 《솔로 되기Going Solo》의 저자 에릭 클라이넨버그는 미국에서 1인 가구의 증가는 도시를 재활성화하는 역할을 한다고 말했다. 그 원인 중에는 싱글이 기혼자보다 사람을 더 많이 만나는 성향이 있다는 이유도 한몫한다. 또한 클라이넨버그는 이런 현상에 또 다른 이익이 있다고 했는데 잡지《스미스소니언》과의 인터뷰에서 다음과 같이 말했다.

"혼자 살게 되면 기운을 회복시키는 고독, 생산적인 고독을 누리게 됩니다. 집은 끊임없는 수다와 도시의 디지털 문명이 주는 압도적인 자극에서 벗어날 수 있는 오아시스가 되기 때문입니다."[13]

단점은 중년이 되어 결혼할 준비가 된 여성은 주변에 결혼하고 싶은 남자가 없다는 사실을 알게 된다는 것이다.

얼마 전 워싱턴 DC에 사는 한 친구가 이렇게 말했다.

"난 에어로빅을 가르치잖니. 그래서 늘 차에 짐을 실어야 해. 매주 운동 기구와 대형 휴대용 카세트 플레이어 등 모든 도구를 차에 실어야 하지. 그러다 보면 '죽을 때까지 나 혼자 이 일을 해야 하나? 도와줄 남자는 영영 없을까?' 이런 생각이 들어."

그 친구는 원하는 남자를 찾는 일이 너무 어려웠다. 본인이 교회를 다녔으므로 교회에 다니는 남자를 원했다. 또 학벌이 좋고 야심만만했으므로 어느 정도 성공한 남자를 원했다. 게다가 자신과 나이가 비슷하고 집 안 이곳저곳을 손볼 수 있는 남자를 원했다.

워싱턴 DC에 살면서 직업이 있는 이성애자 남자이자 교회에 다니고 연장 도구가 있는 싱글 남자가 몇 명인지는 모르겠으나 그녀는 이제 모두 만나 본 것 같다고 말했다. 그리고 그녀가 깨달은 것은 자신의 선택지가 너무 적다는 사실이었다.

내 친구의 심정을 뒷받침해 주는 자료가 있다. 존 버거의 책 《데이트학Date-onomics》에 인용된 연구를 보면 전국적으로 "남자가 부족"하다. 적어도 대학 졸업자 중에서는 그렇다.[14] 내가 사는 뉴욕시에는 여자가 남자보다 40만 명 많다.[15] 퓨 리서치 센터의 연구를 보면 대다수 여자들은 꼭 직업이 있는 남자와 만나고 싶어 하는데 미혼 여성 100명당 직업이 있는 미혼 남성은 65명밖에 되지 않는다. 이 가운데 이혼했거나 별거 중이거

나 아내가 죽은 남자가 47명이다.[16]

비교적 학벌이 좋은 X세대 여성에게는 나쁜 소식이다.[17] 많은 남자가 자신과 지적으로 동등한 여자를 원한다고 말하지만, 사실은 자신보다 학벌이 좋거나 돈을 더 많이 버는 여자를 기피하는 경향이 있다. 과학 잡지 《성격 및 사회 심리학 회보》에 실린 연구를 살펴보면 남자들은 만나지 않은 여자일 경우에는 자신보다 시험 점수가 높은 여자에게 더 호감을 갖는다. 하지만 얼굴을 직접 보고 소통하는 경우에는 자신보다 시험 점수가 낮은 여자에게 더 끌린다.[18]

에어로빅 강사인 내 친구는 남자 보는 눈을 낮췄더라면 지금쯤 결혼했을 거라는 말을 자주 듣는다. 친구에게 이 말은 타협하라는 소리로 들린다. 40대 싱글 여성은 늘 그런 충고를 듣는다. 여성 잡지와 의기양양한 기혼녀 친구들은 그들이 너무 까다롭다거나 너무 독립적이라거나 너무 어쩌어쩌하다고 비난을 한다. 열심히 찾아보지 않았다는 말도 한다.

중년에 남자를 사귀는 일은 아무리 내면이 단단한 사람이라도 지치게 마련이다.

로맨틱 코미디 영화와 동화는 우리에게 비현실적 판타지를 주입하고, 틴더 같은 데이팅 앱들은 우리가 계속 남자를 찾는다면 언젠가는 솔메이트를 만나게 될 거라고 설득한다. 실망과 좌절과 서로의 조건을 충족하는 만남이 모두 합쳐진 퍼펙트 스톰 (여러 크고 작은 악재가 동시다발적으로 일어나 직면하게 되는 절체절

명의 위기—옮긴이)이다.

"데이팅 앱 때문에 자동으로 상대를 평가하고 선택하는 경향이 악화됐어. 머리가 큰 남자도, 직업이 없는 남자도 초반에 다 걸러 버리지. 실제로는 그런 남자를 만나도 좋아할 수 있는데 말이야."

내 친구가 말했다.

중년이 되면 인생은 20대 때보다 훨씬 더 복잡해진다. 싱글인 한 친구는 어머니가 돌아가신 뒤로 한동안 슬픔에 잠겨 있었으나 한 남자와 재미있는 데이트를 몇 번 하고 기운을 되찾았다. 몇 번 더 만난 뒤에야 그 남자가 아이들 엄마와 이혼하지 않았고, 심지어 별거도 하지 않았음을 알게 되었지만.

40대 중반인 또 다른 친구는 최근 남자와 헤어졌지만 그렇다고 해서 데이팅 앱을 이용하지는 않을 거라고 했다.

"남자 사진을 보면서 스크롤을 내리느니 쇼핑몰 사이트에서 테이블 구경이나 하겠어."

그러나 더 많은 남자를 만나라거나 더 나은 남자를 만나라는 압박은 계속 받을 수 있다. 아이를 둔 한 이혼녀는 몇 년 전 이혼한 뒤로 남자를 만난 적이 없고, 딱히 만나고 싶은 마음도 없다고 했다. 하지만 이제 나이가 드니까 집안 어른들이 그녀가 혼자라는 사실에 조바심을 낸다고 했다.

"예전에 엄마랑 할머니는 늘 여자에게 남자는 물고기에게 자전거 같은 존재라고 하셨죠. 그런데 이제는 갑자기 《오만과 편견》에 나오는 베네트 부인처럼 무슨 말만 하면 '어머나! 좋은 신랑감이네!' 그러신다니까요."

'프린스턴 맘'이라는 별명을 가진 수전 패튼은 여자들에게 가방끈만 긴 노처녀가 되지 않도록 대학 다닐 때 남자를 낚아 채라고 격려하는 책《똑똑하게 결혼하기Marry Smart》를 2014년에 발표했다. 그런가 하면《월 스트리트 저널》의 오피니언 코너에는 "밸런타인데이가 다시 돌아왔다. 초밥 1인분을 주문해서 〈다운튼 애비〉 재방송을 보는 또 한 번의 밤. 정신 차려요, 아가 씨들"이라고 썼다.[19]

하지만 이런 조언을 해 주는 책들을 다 읽고 최선을 다했는데도 중년에 아직 혼자라면 어떻게 해야 할까? 드라마 〈언리얼〉에서 독신인 세리나는 친구들이 모두 결혼했다면서 이렇게 덧붙인다.

"이상한 점은 나도 다 해 봤다는 거야. 결혼한 친구들이 한 걸 나도 다 했어. 친구들은 내가 너무 까다롭고, 어떤 남자도 날 만족시킬 수 없을 거라고 말하지만 사실은 아무도 날 선택하지 않은 거야."[20]

X세대 최고 연령층이 가임기에 접어든 이후 언론계에는 여성이 대학 졸업 후 결혼하거나 아이를 가질 확률은 절벽에서

떨어지는 바위처럼 매일, 매 순간 떨어지고 있다고 설득하는 열풍이 불었다.

1986년 6월 《뉴스위크》는 커버스토리를 통해 중년 여성은 결혼을 늦춘 탓에 노처녀가 될 수밖에 없다고 선언했다. 심지어 대학을 졸업한 마흔 살의 백인 여자는 결혼할 확률보다 테러리스트에게 살해될 확률이 더 높다고도 썼다. 이 기사는 1985년에 발표된 〈미합중국 결혼 패턴〉[21]이라는 인구학 보고서를 바탕으로 했는데, 그 보고서에 테러리스트에 대한 언급은 전혀 없었다. 보고서의 결론은 "초혼의 시기와 가장 큰 연관성이 있는 것은 교육"이었다. 잘못된 기사인 것이다.

2002년에 경제학자 실비아 앤 휴렛은 선동적인 책 《직장과 아이, 둘 다 가져라》에서 연봉이 5만 달러 이상인 여성의 40퍼센트가 마흔다섯 살에 아이가 없으며, 스물일곱 살 이후로 생식 능력이 떨어졌다고 주장했다. 잡지들은 '베이비 패닉' 같은 제목의 커버스토리로 선동에 나섰는데 그 내용은 다음과 같다.

"한때는 그토록 멋져 보이던 독립적인 여성이 더는 멋져 보이지 않는 듯하다. 적어도 '멋지다'라는 단어를 많이 쓰던 우리에게는."[22]

그러던 차에 〈새터데이 나이트 라이브〉의 주말 뉴스 코너에 출연한 작가이자 희극 배우인 티나 페이가 우리의 속을 시원하게 해 주는 발언을 했다.

"실비아 말이 맞아요. 난 시카고에서 오토바이 운전자들이

다니는 술집 건너편에 살면서 1년에 1만 2000달러라는 거금을 벌던 스물일곱 살에 결혼도 하고 아기도 낳았어야 했어요."[23]

티나 페이는 서른다섯 살과 마흔한 살에 각각 건강한 딸을 낳았다.

2014년에 미국 산부인과 학회에서는 아기를 낳을 수 있는 여성의 능력은 서른두 살 무렵부터 점차 줄어들다가 서른일곱이 넘으면 급격히 떨어진다고 발표했다.[24]

《뉴스위크》에서는 '테러리스트' 기사를 20년이 지난 뒤에야 철회했다. 그런데도 가짜 통계가 계속 출몰하며 아기를 원하지만 아직 없는 여자들에게 공포심을 불어넣는다.[25]

많은 X세대 여성은 결혼하지 않겠다 혹은 동거하지 않겠다 혹은 부모가 되지 않겠다는 의식적인 결정을 내린다. 그들은 자신이 원할 때는 언제든지 원하는 곳에 갈 수 있고, 원하는 만큼 일할 수 있으며, 다른 사람의 간섭이나 강요 없이 자기 삶을 꾸릴 수 있다. '선택적 출산 거부' 운동을 하는 사람들은 아이가 없는 삶, 그리고 그런 선택을 내린 사람을 지지해 줄 것을 강력히 주장한다.

싱글인 내 친구는 외국 특파원으로 레바논과 튀니지를 포함해 세계 각국을 돌아다니며 산다. 2~3년에 한 번씩 만날 때마다 한층 더 세련된 모습으로 나타나 와인을 홀짝이고 긴 머리를 뒤로 넘기며 그녀의 '연인들', 그리고 지중해가 보이는 사무실에 관해 이야기해 준다. 그 친구는 영원히 함께할 동반자나 아이를 원한 적이 한 번도 없다. 자신의 삶에 기뻐하고, 싱글로 사는 게 무엇인지 온몸으로 광고한다.

내가 아는 또 다른 여자는 어릴 때 결혼했다가 서른 살에 이혼했다. 서른다섯 살이 되었을 때 여전히 싱글이었고, 육아와 일을 동시에 하는 게 자신과 맞지 않는다는 판단을 내려 오로지 일에만 매진하기로 마음먹었다.

"그래서 지난 6년간 일만 했어. 대학원에 진학해 행정학 석사 학위를 땄지. 일이 내 삶의 전부가 되기를 바란 건 아니지만 지금 내 경력에 아주 만족해."

브라이얼린 호퍼는 재미있는 에세이 〈싱글이 되는 법How to Be Single〉에 싱글 인생을 어떻게 사수해야 하는지에 관해 썼다. 그러기 위해 집 안에 신문을 잔뜩 쌓아 두고 야생 너구리를 여러 마리 키워야 할지라도. ("너무 뻔하다는 이유로 이 방법을 배제하지 마라. 효과가 있다.") 호퍼는 그런 지경에도 여전히 누군가가 구애한다면 다음과 같이 하라고 조언한다.

"그에게 미스 하비셤(찰스 디킨스의 소설 《위대한 유산》 속 등장인물로, 결혼식 날 버림받은 충격 때문에 평생 집 안을 결혼식 당일 그대로 꾸며 놓고 자신만의 세계에 갇혀 산다—옮긴이)의 사진을 보내 줘라. 2012년에 나온 마이크 뉴얼 감독의 영화 〈위대한 유산〉에서 미스 하비셤을 연기한 헬레나 보넘 카터든, 2011년 BBC 버전의 질리언 앤더슨이든, 1946년 데이비드 린 감독의 영화에 나온 마르시타 헌트든 상관없다. (다만 1998년 영화의 앤 밴크로프트는 제외다.

너무 섹시하니까.) 상대가 계속 농담을 걸고 추파를 던지면 멈출 때까지 그냥 미스 하비셤 사진을 계속 보내라."[26]

싱글 여성은 혼자 사는 게 행복한데도 세상은 그들을 계속 소외시키고, 그들에게 오명을 씌울 수 있다. 사회 심리학자 벨라 드파울루는 자신의 책《싱글드 아웃Singled Out》에서 이를 '싱글 취급'이라고 부른다.

"당신이 아무리 행복하고 성공한 삶을 살고 있을지라도 여전히 싱글 취급을 받을 수 있다. 사실 가끔씩 당신을 그렇게 취급하는 사람 중에는 혼자라는 사실에 징징거리지 않거나 별로 커플이 되고 싶어 하지 않는 싱글을 보면 특히 더 화가 나는 경우가 있는 듯하다."[27]

1959년에 도리스 데이와 록 허드슨이 주연한 영화 〈필로우 토크〉에서 셀머 리터가 연기한, 종종 술에 취하는 인물인 앨머는 영화 속 록 허드슨의 말이 옳다고 여기며 그 말을 인용한다.

"혼자 사는 여자보다 더 끔찍한 게 있다면 혼자 사는 게 좋다고 말하는 여자지."

1959년에는 그 말이 절대 진리였나 보다. 하지만 행복하게 사는 많은 싱글 여성은 요즘도 그런 말을 듣는다. 2018년《뉴욕 타임스》에는 '나는 40대이고 아이도 없고 행복해. 그런데 왜 아무도 내 말을 안 믿지?'[28]라는 제목의 칼럼이 실렸다.

이 글을 쓴 글리니스 맥니콜은 자신이 존경하던 어르신을 디너파티에서 만난 일화를 들려준다. 그녀가 독신이라는 말을 들자 어르신은 그녀를 아주 불쌍하게 여기더니 자신이 먹다 남은 스테이크를 싸 주며 집에 가져가라고 했다는 것이다.

"난 행복해/아니, 넌 행복하지 않아"라는 이 소리 없는 대화는 단지 상대를 무시하는 정도가 아니라, 혼자 살아서 행복한 여자와 혼자 살아서 불행한 여자를 대립 구도로 몰고 간다. 오늘날 미국의 많은 미혼 여성은 특파원으로 세계를 돌아다니는 내 친구와 비슷하다. 자기 소유의 집이 있고, 활기찬 성격에 성적 자유와 독립적인 매력의 살아 있는 화신들이다.

"우리 할머니는 제2차 세계 대전 중에 할아버지가 돌아가시자 혼자서 두 아이를 키우셨어요. 할머니에 비하면 나는 정말 편하게 사는 거죠. 좋은 동네에서 좋은 집에 살고, 친구와 가족이 있고, 불평할 게 하나도 없죠."

전 세계의 멋진 레스토랑을 다니며 음식을 먹는 직업을 가진 40대 여자가 말했다. 그녀는 앤젤리나 졸리가 온갖 타블로이드 잡지 표지에 실렸을 때 자기도 혼자 아기를 낳아 볼까 생각했다고 한다.

'졸리는 애가 여섯이야. 나도 하나쯤 가질 수 있어!'

그녀는 당시에 이렇게 생각했다.

"하지만 그때 내게 아이가 있었다면 지금 하는 일을 하나도 할 수 없었을 거예요."

그런가 하면 다른 싱글 여성은 앞으로 그녀가 독감에 걸리면 자신이 먹을 오렌지주스를 직접 사러 나가야 한다는 사실을 깨달았다고 한다. 친구에게 부탁하거나 누군가에게 돈을 주고 사다 달라고 할 수도 있지만, 그럴 일을 생각하면 우울했다.

행복하게 사는 싱글 여성 중에도 자신의 독립적인 성격 때문에 말년이 힘들어지는 건 아닌지 모르겠다고 말하는 사람들이 있다. 지난 세대의 독신 여성은 '노처녀 이모나 고모'가 되어 가족과 함께 살았다. 그들은 가족 안에서 자신만의 역할이 있고, 경제적 지원을 받으며, 말벗이 있었다. 하지만 현재 미국의 많은 여성은 10대 후반에 부모 집을 떠나 독립한다. 그러니 동반자를 찾지 못하면 그 후로 50~60년은 혼자 살게 된다.

자녀를 몇이나 낳고 싶으냐는 질문의 답(2.8명)과 자녀를 몇이나 낳을 거냐는 질문의 답(1.8명)의 격차는 지난 40년 이래로 지금이 가장 크다.[29] 2018년 5월, 질병 통제 예방 센터에서는 미국의 출산율이 1978년 이래로 가장 낮다고 발표했다. 1960~1970년대에 출생률이 급락한 데에는 불안한 경제와 임신을 통제할 수 있는 여자의 능력이 한층 올라갔기 때문이라는 이유도 있다. 1960년에 피임약이 승인됐고 1973년에는 전국적으로 중절 수술이 합법화되었다.

최근 《뉴욕 타임스》 설문 조사에서는 오늘날 여성이 출산을 꺼리는 세 가지 주요한 이유를 찾아냈다. 더 많은 여가와 자유

를 원하고, 아직 동반자를 찾지 못했으며, 육아에 필요한 비용을 감당할 수 없기 때문이다.[30]

"나는 30대 초반까지 대학원에 다니느라 1년에 2만 5000달러도 못 벌었고, 마침내 취직했을 때는 학자금 대출로 매달 내는 돈이 육아에 드는 비용만큼이나 많았다. 한번은 두 아이를 둔 친구가 내 대출 빚을 농담 삼아 '대출 아기'라고 불렀다. 난 그 대출 아기가 악의적인 영혼이며, 아직 태어나지 않은 내 진짜 아기를 둥지에서 밀어내고 그 자리를 차지한 무시무시한 아기라고 상상하게 되었다."[31]

미스 하비셤 관련 에세이를 쓴 브라이얼런 호퍼의 글이다.

40대가 되면 임신이 불가능해지는 경우도 있다. 누군가는 그 사실에 안도할 수도 있고, 누군가는 마음이 무너질 수도 있다. 내 친구 중에는 아이를 원하지만 여러 이유로 못 갖게 된 사람이 많다. 연인과 헤어져서 임신이 가능한 시기에 아무런 시도도 못 했거나, 데이팅 앱으로 아무리 남자를 만나 봐도 마음이 통하는 사람을 찾아내지 못했거나, 죽어라 일만 하다 마침내 가정을 꾸릴 시간이 생겼는데 주위에 결혼 안 한 남자라고는 눈을 씻고 봐도 없거나 등등의 이유 때문이다.

한 친구는 20대 때 〈앨리 맥빌〉(1997~2002년에 방영된 드라마로, 보스턴에 사는 젊고 변덕스러운 여자 변호사가 주인공이다. 변호사인데도 미니스커트를 입고 법정에 서는 앨리는 갓난아기가 춤추는 환영을 보았다)에서 임신할 수 있는 시간이 얼마 남지 않았다고 하는 말이 반

페미니스트들의 음모인 줄 알았다고 한다. 성별은 사회적으로 만들어진 것일 뿐 자신의 몸은 자신의 소유라고 믿었다. 그때는 임신하지 않으려고 엄청 노력하던 터라 마침내 임신하고 싶어졌을 때 임신할 수 없다는 사실을 알고 깜짝 놀랐다.

"난 늘 아이를 갖고 싶었어요."

애리조나주에서 심리 치료사로 일하는 마흔두 살의 캐런은 잠시 뜸을 들인 뒤 말을 이었다.

"가끔씩 페이스북에 뜨는 '6년 전 오늘', 이런 걸 차단해야 해요. 그걸 보면 자책하게 되거든요. '그때 다른 선택을 했더라면 지금은 아이가 있었을 거야'라고 생각하면서요."

의학 기술 발달로 친자를 낳겠다는 여성의 희망은 더 연장되었다. 1978년에 체외 수정이 도입되고, 2016년 미국 불임 전문 병원에서는 26만 3577건의 보조 생식 기술이 시행되었다.[32] 난자를 냉동하는 붐은 더 최근의 현상이다. 1999년에 처음으로 냉동 난자 출산에 성공했고, 2016년에는 월 스트리트와 애플, 페이스북에서 냉동 난자 파티가 열렸다.

브랜다이스 대학 심리학 교수 마지 라흐만은 다음과 같이 말했다.

"이 세대의 약간 다른 점은 임신과 관련해 의학적으로 획기적인 사건이 있었다는 겁니다. 난자를 저장해 둔다거나 체외 수정 같은 방법이 개발되었죠. 덕분에 40대에도 아기를 낳는 영화배우들을 보게 된 것입니다."

니콜 키드먼과 셀마 헤이에크는 초산이 마흔한 살 때였다. 핼리 베리는 마흔일곱 살에, 수전 서랜던은 마흔다섯 살에 둘째를 낳았다. 지나 데이비스는 마흔여섯 살에 첫아이를 낳았고, 마흔여덟 살에 쌍둥이(!)를 낳았다. 그런데도 라흐만은 다음과 같이 말한다.

"그렇다고 여성들의 두려움이 누그러들지는 않을 거예요."

또한 내가 아는 몇몇 커플이 오랫동안 비싼 돈을 들여 가며 힘든 시간을 보낸 끝에 알게 되었듯이, 체외 수정이 늘 성공하는 것도 아니다. 2016년에는 여성이 본인의 난자로 시행한 보조 생식 기술에서 겨우 22퍼센트만 정상 출산으로 이어졌다.[33]

내 지인 중에 아기를 낳고 싶어 하는 마흔아홉 살의 싱글 여성이 있다. 그녀는 유산으로 힘들어 하는 기혼녀 친구를 위로해 주게 되었다. 유산한 친구는 그 후로 몇 달간 가는 곳마다 배가 불룩 나오고 얼굴이 환하게 빛나는 임신부만 눈에 들어와 너무 고통스럽다고 했다. 그러다 친구는 다시 임신했고 건강한 아이를 낳았다.

"친구에게는 정말 잘된 일이죠. 하지만 가끔은 친구가 환하게 빛나는 임신부들에게 둘러싸여 괴로웠던 기분을 떠올렸으면 좋겠어요. 그것도 철저히 혼자서 그렇게 사는 기분을요."

내 지인이 말했다.

조지아주 출신의 40대 후반인 미셸은 15년간 임신과 입양을 위해 노력한 끝에 둘 다 포기했다. 이상하게도 아기가 없어서 힘든 점 중 하나는 부모가 된 친구들에게서 느끼는 사회적 고립감이다.

"굉장히 외로웠어요. 친구들과 단절되었다는 기분이 들어서 정말 힘들더라고요. 무리 안에서 소수의 사람만 느낄 수 있는 공허감이죠."

미셸이 내게 말했다.

최근에 한 친구에게 여전히 아기를 가지려고 노력 중이냐고 물었더니 아니라고 했다. 친구의 말투가 가슴 아팠다. 마치 환자 가족에게 당신이 사랑하는 사람은 살아날 가망이 없다고 말해 주는 의사 같았다. 친구는 몇 년간 1년에 두어 번씩 유산을 하다 마침내 그만하면 됐다는 결론을 내렸다. 시술도 해 보고 약도 먹었다. 사람들의 충고를 다 따랐는데도 아기는 여전히 생기지 않았다. 이제는 그녀도 싫다고 선언했다.

주위 사람들은 입양을 권했지만 친구는 그것도 싫었다. 기관을 통해 국내 혹은 국외 입양을 하는 데 드는 비용은 평균적으로 2만 5000~5만 달러다.[34] 친구 부부는 그 정도 돈을 준비하기 어렵다고 판단했다. 가정 위탁 시스템을 통해 더 적은 비용을 내고 입양할 수도 있지만 갓난아이가 아닌 더 나이 많은 아이를 입양하는 과정에 따르는 불확실성을 감당할 자신이 없다고 했다.[35]

여성이 원하는 가정을 꾸리지 못하는 이유는 하나씩 살펴보면 가지각색이거나 운이 나빠서인 것처럼 보인다. 하지만 거기에는 패턴이 있다. 그들은 자신의 결정이 외부의 영향을 받은 결과였다는 사실을 무시한 채 자책한다.

자신이 좋아하는 일에서 경력을 쌓고 싶다는 마음은 나쁘지 않다. 아기를 낳기 전에 경제적으로 안정된 환경을 만들고 싶다는 마음도 나쁘지 않다. 제대로 된 동반자를 만나고 싶다는 마음도 잘못되지 않았다. 다만 불행히도 이런 일에는 시간이 걸릴 뿐이다. 그리고 50대에도 아빠가 될 수 있는 남자와 달리 여자는 아이를 낳을 수 있는 기간이 훨씬 더 짧다.

여성이 일과 가정이라는 두 마리 토끼를 다 잡으려면 두 배 더 빠르게 움직여야 한다. 여성은 실현 가능성이 낮은 이 목표를 이룰 수 있도록 도움을—이를테면 유급 육아 휴가나 직장의 가속화 프로그램, 혹은 육아를 위해 몇 년간 일을 기꺼이 제쳐둘 수 있는 동반자—받지 못한 채 대학에 다닐 때 남편감을 찾아야 한다느니, 스물일곱 살에는 아기를 낳아야 한다느니 하는 꾸중만 듣는다.

앞으로 몇십 년간 X세대 싱글 여성은 독립적인 생활을 유지하면서 노년을 살아가는 창조적인 방법을 찾게 될 것이다. 내 주위에는 노년이 되면 친구들과 옆집 주민이 되어 살겠다거나 한집에서 함께 살겠다고 말하는 여자가 꽤 된다.

플로리다주에 사는 마흔여섯 살 여성은 이와 관련해 다음과 같이 말했다.

"단짝 친구와 나는 그 일을 두고 오랫동안 얘기했어요. 내게는 정말로 사랑하는 친구들이 있어요. 늘 그 친구들과 함께 있고 싶어요. 그 애들과 늘 문자를 주고받고 통화하고 함께 노후 계획을 세우죠. 언젠가 복권에 당첨돼서 그 돈으로 집을 짓고, 거기서 모두 함께 사는 상상을 해요."

나는 서로 상대의 유언장과 건강 관리 위임장의 집행자가 되어 주는 경우를 봤다. 상대가 혼수상태가 되었을 때 병원을 방문해서 얼굴 털을 뽑아 주겠다는 맹세와 함께.

물론 그러다가 갑자기 원하던 것을 모두 갖게 되는 여자들도 있다.

조경사로 일하는 조는 코네티컷주 출신이다. 가정을 꾸리고 싶었지만 마흔의 나이에도 여전히 싱글이고 자녀도 없었다. 그 전에는 내 남편의 단짝 친구와 사귀어서 우리 부부는 두 사람이 결혼해 아기를 낳을 것으로 생각했다.

둘은 동거를 시작하고 조는 서른아홉 살에 임신했다. 그러다 불행히도 유산했다. 파트너는 별로 실망하지 않고 다시 시도하기를 원했다. 하지만 임신에 들어가는 비용과 수고가 너무 컸다. 그들은 레즈비언 커플이었으므로 정자 기증자를 찾아야 했다. 정자를 사는 데만도 수천 달러가 들고, 게다가 정자를 얼리고 저장하고 운반하는 비용까지 지급해야 했다. 진료실에서 수정하면 임신 확률이 더 높은데 그럴 경우에는 300달러를 추가로 내야 했다.

크게 상심한 조는 여자 친구와 헤어졌다. 그러고는 마흔의 나이에 다시 데이트 시장으로 뛰어들었다. 누군가를 만나서 임신할 수 있는 시간이 겨우 5분 정도밖에 남지 않은 느낌이었다. 그러던 조가 올해 결혼해서 아기를 낳았다. 어떻게 된 일일까?

얼마 전 나는 조에게 물어보려고 전화했다. 40대에 싱글이면서 아기가 없고 그런 현실이 바뀌기를 바라는 수십 명을 인터뷰하고 있는데 그녀가 유일하게 성공한 사례라고 말하고는 그녀의 효율성을 축하했다.

조는 박장대소했다. 그러고는 어떻게 된 일인지 설명을 해 주었다.

여자 친구와 헤어지고 1년 뒤 조는 다른 여자를 사귀게 되었고 아기 이야기를 꺼냈다.

"누군가를 새로 사귀고 그런 이야기를 꺼내려면 시간이 꽤 걸리잖아. 적어도 난 그렇거든. 하지만 그 사람이랑 헤어지고 나서 다시 원점으로 돌아갈까 봐 두려웠어. 난 혼자서라도 아기를 가질 계획이었고, 가족에게도 말해 뒀지. 다만 시작하기가 두려웠어."

하지만 마흔한 살에 새로운 사람을 사귀게 된 조는 산부인과에 갔다가 다음과 같은 말을 듣게 되었다.

"아기를 낳고 싶다면 지금 임신해야 해요."

"시간이 얼마나 남았는지 말해 주실래요? 몇 달? 며칠?"

조는 의사에게 물었다. 당연히 의사도 정확히 알 수 없었다. 그래서 조는 여자 친구를 만나 자신의 처지를 모두 털어놓았다. 지금이 아기를 가질 수 있는 마지막 기회이며, 자신이 다 알아서 할 테지만 그녀의 응원을 받고 싶다고.

"그랬더니 여자 친구가 뭐래?"

내가 물었다.

"그 자리에서 날 차 버렸어. 그리고 난 또 똑같은 상황에 놓이게 된 거지. 아이 문제가 계속 내 연애를 망치고 있었어."

다만 이번에는 나이를 더 먹어 버렸다. 어쩌면 너무 많이.

그러다 두 달 뒤, 조는 운이 좋게도 역시 아이를 원하는 다른 여자를 만나 사귀게 되었다. 그리고 사귄 지 6개월 만에 다시 임신을 시도했다. 다행히 조는 연봉이 인상되었고, 자신이 하는 일을 사랑했다.

"난 내 일이 좋아. 내가 가치 있는 일을 한다고 믿어. 그리고 그 일을 오래 해서 사람들이 날 인정해 주기도 하고."

연봉이 오른 덕분에 임신 시술을 받아 보기로 결정할 수 있었다. 그리고 첫 번째 체외 수정에서 임신이 되었다. 마흔네 살 생일에 조는 4.4킬로그램의 아들을 낳았고, 얼마 뒤 아기는 엄마의 결혼식에 참석했다. 조가 몇 년 전에 사귀었다 헤어진 내 남편의 단짝도 그 자리에 참석했는데 신혼부부가 춤을 추는 동안 아기를 안고 있었다.

아기나 결혼식이 없는 해피엔딩도 많다. 얼마 전 나는 친구 세라에게 연락했다. 댈러스에서 나와 아침을 먹으며 남자를 만나기가 힘들다고 토로한 친구다. 세라가 말했다.

"최근에 만나는 남자의 범위를 넓혔어. 평소라면 너무 어리다거나 너무 멀리 떨어져 있다는 이유로 거절했을 남자들까지 만나 보고 있지. 아직 '임무 완수' 깃발을 꽂을 준비는 안 되었지만, 연애 생활은 전보다 훨씬 좋아졌어. 남자를 만나는 게 재미있고, 절망감도 줄어들었어. 내 앞에 절대 나타나지 않는 남자를 기다리는 건 정말 외로운 일이야."

이혼을 말하기 전에
생각해야 할 것들

"우리는 확신이 들 때까지 기다렸다가 결혼했고,
멀쩡한 정신으로 서약도 했다.
그런데 어떻게 실패할 수 있을까?"

내 친구 해너는 최근 두 아이와 함께 새 아파트로 이사했다. 남편과 이혼한 뒤 아이들이 각방을 쓸 수 있는 집이 생긴 것이다. 아파트는 햇볕이 잘 들고 넓었다. 해너는 이런 집을 찾아내서 기뻤다.

　집들이 파티에 간 나는 해너가 음식을 만드는 동안 부엌에 앉아 말벗이 되어 주었다. 벽에 걸린 달력에는 아이들이 아빠와 보내는 주, 엄마와 보내는 주가 표시되어 있었다.

　해너는 장갑을 끼고 오븐에서 시트 팬을 꺼내 가스레인지에 올려 두었다. 또 소스를 섞고, 큰 접시에 여러 가지 음식을 담았다. 아이들이 부엌을 들락날락하며 뛰어다녔고, 놀러 온 아이들 친구들이 머리를 들이밀며 해너에게 인사했다.

　그때 새끼 고양이 두 마리가 부엌으로 들어왔다.

　"언제 고양이를 들였어?"

　내가 물었다.

　해너는 곧바로 대답하지 않았다.

　"잠깐만. 이거 크리스마스 선물로 받은 거야?"

　내가 재차 물었다.

"응."

해녀는 와인 한 병을 따며 말을 이었다.

"전남편의 새 여자 친구가 아이들에게 크리스마스 선물로 고양이를 줬어. 그래, 지난번에 우리 아들이 아빠가 새 여자 친구랑 오니까 내가 끼면 분위기가 '어색해진다'면서 나더러 올 필요 없다고 한 그 크리스마스 때 말이야. 내가 전에 얘기했지? 우리 아들이 나더러 '엄마는 안 와도 돼'라고 했다고."

해녀는 팔을 뻗어 고양이를 쓰다듬고는 오랫동안 와인을 들이켰다.

오늘날 우리는 '착한 이혼', '우호적 이혼', 건강한 공동 양육 등에 대해 배우지만, 1970~1980년대에 우리가 겪은 일반적 시나리오는 부모님이 말다툼 끝에 갈라서서 아버지는 자주 볼 수 없게 되고, 엄마는 파산하는 상황이었다. 그리고 몇 년이 지나면 계부나 계모, 그리고 배다른 혹은 아버지가 다른 형제자매가 생겼다.

시카고 대학 여론 조사 센터 선임 연구원이자 사회학자인 린다 웨이트는 X세대는 부모가 험악하게 이혼한 경우가 많아서 처음부터 불리하게 시작했다고 말한다.

"부모님이 이혼하면 세상을 근본적으로 다르게 봐요. 세상은 불안정하고, 약속은 아무 의미도 없게 되죠. 상황이 얼마나 나빠질 수 있는지 보여 주는 롤 모델은 있지만, 얼마나 잘될 수 있는지 보여 주는 롤 모델은 없어요. 결과적으로 자녀들은 좋은 남녀 관계의 모델을 얻지 못한 채 마음에 상처가 남고, 매사에 조심하게 되죠."

웨이트가 내게 말했다.

베이비 붐 세대는 사상 최고치의 이혼율을 기록했고, 우리 세대는 그에 시험당한 희생양이었다. 우리가 결혼을 늦게 하는 데에는 이혼이 두렵고 우리가 겪은 일을 다음 세대에게 대물림하기 싫다는 이유도 있을 것이다.

1980년에 최고치를 찍은 이혼율은 최근 들어 낮아졌다.[1] 어릴 때 부모가 이혼하는 고통을 겪지 않은 베이비 붐 세대 대다수는 자신의 이혼이 자유를 찾아가는 과격한 행동일 뿐이라고 생각했다. 또 밀레니얼 세대나 그보다 더 어린 사람들은 이혼하는 사례를 워낙 많이 보고 자란 터라 이혼을 실패라고 생각하지 않는다. 하지만 X세대에게는 이혼이 특히 더 두려울 수 있다.

《뉴욕 타임스》에 실린 〈좋은 이혼The Good Divorce〉이라는 기사에 수전 그레고리 토머스는 X세대 여성이 이혼한다면 어떻게든 우호적으로 헤어지려고 온 힘을 다할 거라고 썼다. "이혼한 부부가 자식을 서로 데려가려고 법정에서 혈전을 벌이는 영화 〈크레이머 대 크레이머〉와 같은 악몽을 자식에게 겪지 않게 하려고" 무슨 짓이든 할 것이다.[2] 또한 배를 흔들었다가는 가라앉았을지도 모른다는 두려움에 감정을 숨긴 채 힘든 결혼 생활을 꾸역꾸역 해 나갈 것이다.

내가 아는 한 여자는 20년 동안 야심만만한 남편의 뒷바라지를 하며 전업주부로 살았다. 그러다 경기가 나빠지면서 남편은 해고되었다. 실의에 빠진 남편은 다시 풀타임 직장을 구하지 않고 예전 연봉의 절반만 버는 컨설턴트가 되었다. 그녀는 모자란 생활비를 마련하기 위해 풀타임으로 일한다.

"남편이 실직하기 전까지 우리 결혼의 전제는 남편이 돈을 벌고 나는 프리랜서 작가로 일하면서 아이들을 돌본다는 거였어요."

그녀는 요즘처럼 어려운 시기에 풀타임 직장을 구할 수 있어서 다행이라고 생각한다. 하지만 더는 자신의 꿈을 좇을 여유가 없다는 사실이 싫다. 현명하게도 그녀는 결혼 생활을 하다 보면 그렇게 타협해야 할 때가 있음을 잘 알고 있다. 지난 20년간 남편이 그녀를 부양했고 이제는 그녀가 남편을 부양한다. 그러나 상의도 없이 규칙을 바꿔 버린 남편에게 가끔씩 화가 난다.

"나중에는 결국 다 잘되고 남편에게 고맙다는 말을 들을 수 있으면 좋겠는데, 그럴 것 같지가 않아요."

그녀가 말했다.

애틀랜타에 사는 마흔네 살의 카라는 다른 X세대 여성보다 일찍 두 아이를 낳았는데 1년 전 큰딸이 대학으로 떠나 버리자 마음이 허전해졌다.

"난 평생 힘들게 살아왔어요. 매사에 아내이자 엄마로서만 살아왔기 때문에 나만의 정체성은 없더라고요. 2년 동안 힘들었죠."

한번은 남편이랑 데이트를 나갔다가 둘째 딸마저 대학으로 떠나 버리면 남편과의 결혼 생활이 어떨지 알려 주는 끔찍한 예고편을 보게 되었다고 한다.

"남편은 피곤해했어요. 나도 별로 몸이 좋지 않았고요. 우린 할 얘기가 아무것도 없었어요. 우리 부부는 어떻게 해야 할까요? 지금도 이렇게 사이가 안 좋은데 둘째마저 떠나 버리면 어떻게 될까요?"

내 죽마고우 제니는 다시 공부를 시작하면서 2년 동안 일을 하지 않았다. 일곱 살짜리와 아홉 살짜리 아이를 둔 제니는 남편의 월급만으로 네 식구가 생활해야 했으므로 아끼고 또 아껴썼다.

"난 전단지에 있는 쿠폰을 잘라 이용하고, 원 플러스 원 제품을 구매해. 그런데 남편은 옆에서 '점심은 사 먹으면 되니까 내 걱정은 하지 마'라고 말해. 남편은 그게 잘하는 일이라고 생각하고, 난 남편에게 그건 전혀 도움이 안 된다고 설명하지. 남편은 집으로 음식을 배달시키고, 난 토마토소스에 물을 넣어서 양을 늘려."

친구가 말했다.

마치 전혀 다른 세상이 한집에 공존하는 듯했다. 특히나 제니의 남편은 일 때문에 미국 전역을 돌아다녀야 하기 때문에 더욱 그랬다.

"남편은 여행다니듯 출장을 다녀. 그런데 난 기름값을 아끼려고 이렇게 말해. '오늘은 아무도 차를 쓰면 안 돼. 딱 학교에 다녀올 만큼만 기름이 남았거든.'"

그들은 부부 상담을 받았고, 상담은 효과가 있었다. 하지만 이런 시기에는 제니의 경우처럼, 일시적으로는 힘들어도 근본적으로는 좋은 결혼과 그만 끝내야 하는 해로운 결혼을 구분하기가 어려울 수 있다.

포트로더데일에서 결혼과 가족 심리 치료사로 활동하고 있는 마흔여덟 살의 엘리자베스 스타빈스키는 플로리다주 가정 법원의 중재인이다. 열네 살에서 스무 살까지의 세 아들을 둔 그녀는 최근 22년간의 결혼 생활을 끝내고 이혼했다. 사람들이 이혼하지 않도록 돕는 일이 직업인 터라 요즘에는 "정작 자기 신발은 하나도 없는 제화공이 된 기분"[3]이라고 한다.

"그동안 날 찾아오는 사람들에게 공감은 했어도 이혼이 얼마나 힘든 일인지는 몰랐어요. 아주 평화로운 이혼이라고 해도요. 주위 사람들과 직장에서 놀랄 정도로 지지와 응원을 받은 행운아라 해도 마찬가지예요. 거의 매일 감정의 롤러코스터를 타는 기분이죠. 내 미래를 생각하면 너무 신나기도 했다가 가끔은 두려워서 온몸이 얼어붙어요. 머릿속에 가장 많이 맴도는 생각은 내가 혼자 늙어 간다는 거예요. 이혼을 후회하지는 않지만 인생의 동반자가 있으면 좋겠어요. 40대에 자신을 재창조해야 하는 건 힘들어요. 어떨 때는 내가 대단하게 느껴졌다가 어떨 때는 바람만 불어도 쓰러질 것 같죠. 누군가와 관계를 맺고 있을 때는 내가 혼자가 아니라는 환상이 있어요. 하지만 별거나 이혼 후에는 그 환상이 사라지죠."

스타빈스키가 말했다.

2년 전, 뉴욕에 사는 내 지인 줄리는 이렇게 말했다.

"난 이혼에 대한 환상이 있어. 친구 둘이 이혼했는데 그중 하나를 면밀히 관찰하는 중이야. 그 애 말로는 짐을 내려놓은 듯 하대."

이혼은 전염성이 있다. 30년간의 결혼 자료를 분석한 2009년 보고서에 따르면 참가자의 75퍼센트 이상이 친구가 이혼하면 이혼하는 경향이 높다고 한다.[4]

줄리는 남편이 폭언을 하거나 폭력을 쓰지는 않지만 아이가 생긴 뒤로 둘이 툭하면 싸운다고 했다.

"아이가 집에 온 첫날부터 그랬다니까! 남편은 내가 모유 수유를 그렇게 많이 해야 한다는 사실이 어이가 없다고 했어. 틀림없이 좀 더 효율적인 방법이 있을 거라고 했지. 지난주에 부부 상담을 하면서 엄청나게 싸웠는데, 하마터면 상담실에서 뛰쳐나올 뻔했어. 어느 시점이 되면 누가 옳은지 그른지는 중요치 않아. 누가 이기든 상관없다고."

최근에 나는 상황이 어떤지 보려고 다시 줄리에게 연락했다.

"남편이랑 최근에 별거했는데 효과가 좋아. 남편이 근본적으로 변하려면 충격을 받을 필요가 있었어. 그리고 오랜만에 처음으로 남편에게 다시 깊은 사랑을 느끼고 있어. 별거한 지 두 달밖에 안 됐는데 벌써 엄청나게 변한 듯해. 최근에는 우리가 타협할 수 있겠다는 기분까지 들었어. 재미있지? 가끔씩 결혼이라는 여정은 그냥 계속되더라고. 그리고 이번 여름에 새로 싱글이 된 기념으로 다른 남자를 잠깐 만났어. 그런데 다시 스물다섯 살이 된 것처럼 가슴이 아프더라. 난 쉰셋인데 말이야. 내 나이에 그런 일이 소중한 경험인지, 아니면 피해야 할 경험인지 모르겠어."

스탠퍼드 대학의 심리학자 마이클 J. 로즌펠드의 연구에 따르면 결혼하지 않은 이성애자 연애 관계에서는 남자와 여자가 똑같이 헤어지고 싶어 할 확률이 높다. 하지만 결혼하면 달라진다. 미국에서 발생하는 이혼의 대략 3분의 2는 여자 쪽에서 원한다. 우리는 윗세대보다 결혼에 대한 기대가 크고, 여자가 남자보다 결혼에 대한 기대가 크다.[5]

특히 중년이 되면 자기가 하지 못한 일을 배우자 탓으로 돌리기 쉽다. 이 덫에서 빠져나오는 방법은 이야기를 다르게 하는 것이다. "내면의 경험을 들려주는 일은 우리의 감정을 바꿀 수 있는 강력한 방법이다"라고 심리학자 다프네 드 마네프가 그녀의 책《힘든 시기The Rough Patch》에서 말했다.[6] 마네프는 상담실에서 자신이 이루지 못한 일을 배우자의 탓으로 돌리는 여성을 많이 본다.

"여자가 그 일을 포기한 건 단지 결혼 때문이 아니에요. 삶이 그렇게 만든 거죠."[7]

마네프는 내게 이렇게 말했다.

결혼만이 아니라 세상만사가 하나를 포기하면 하나를 얻는 법이다. 절망적인 동시에 위로가 되는 사실이다.

미네소타 대학 가족 사회학 교수이자 《결혼을 취소하라Take Back Your Marriage》의 저자 윌리엄 도허티는 X세대 여성이 결혼 생활의 낡은 시험대뿐 아니라 새로운 시험대도 마주하고 있다고 말한다.[8]

"X세대 여성은 페미니즘이 주는 이익을 당연시합니다. 예전에 내 아내는 회사에서 보험 혜택을 받기 위해 싸워야 했습니다. 남편이 있는데 보험이 왜 필요하냐면서 보험을 들어 주지 않으려 했기 때문이죠. 만약 X세대 여성에게 그런 말을 한다면, 상대가 과거에서 온 사람이거나 다른 행성에서 왔다고 생각할 겁니다."

X세대 여성은 결혼에 대한 기대도 더 크다.

"그들은 동반자가 최고의 단짝이자 솔메이트이길 바라며, 섹스도 늘 최고로 좋기를 기대합니다. 하지만 물론 그런 일은 없습니다. 그러면 불가피하게 실망감이 따라오죠."

도허티의 말이다.

"이혼을 고려하는 여성 대다수는 이혼한 뒤를 생각하지 못하거나, 생각하려 하지 않습니다. 그들은 자신이 불행하다는 사실을 알고, 결혼에서 빠져나오기만 하면 그 문제가 해결되리라 생각하죠. 이혼하면 인생이 훨씬 더 복잡해진다는 걸 깨닫지 못하고요."

역시 도허티의 말이다.

나는 주변의 이혼한 친구 중에서 이혼한 뒤 6개월 동안 온라인으로 만난 남자와 실컷 섹스를 하고, 머리를 새로 자르고, 새로운 취미 생활을 하는 사람이 있는지 생각해 봤다. 시간이 많아지고 방해하는 사람은 아무도 없으니 그동안 하고 싶던 일을 전부 다 하면서 사는 사람이 있었던가?

행복하고 자유로운 생활을 하는 친구들도 3~4명 있지만, 대다수는 자신의 선택을 후회하지는 않더라도 몇 달 뒤에 벽에 부딪힌다. 데이팅 앱에서 나이 쉰에 여전히 〈스타워즈〉 티셔츠를 입고 스물여덟 살짜리 여자를 쫓아다니는 남자를 보기도 한다.[9] 이걸 증명하는 자료도 있다. 2018년 한 연구 결과에 따르면 온라인 데이팅 사이트에서 가장 선호하는 여자의 나이는 열여덟이며 그 후로 선호도가 계속 떨어진다. 그렇다면 가장 선호하는 남자의 나이는? 쉰이다.[10]

친구 하나는 이혼 직후에 동료랑 진한 썸을 탔다. 그러다 둘이 데이트하기로 하고 남자가 친구를 데리러 왔는데 자동차 뒷좌석에 그의 두 아이가 사용하는 카시트가 있었다. 그걸 본 순간 친구는 우울해졌다. 카시트는 그들 관계에 포함된 지분의 상징이었고, 설사 둘 사이가 잘된다 해도 일이 간단하지만은 않을 거라는 증거였다.

일단 재혼을 고려하면 새로운 어려움이 생긴다.

"만약 이혼한 여성이 다른 사람을 사귀고 싶다면 의붓형제 등 복잡한 가족 형태 가능성을 생각해야 하죠. 아이들은 새로운 사람을 친족처럼 열렬히 환영하지 않을 겁니다."

도허티의 말이다.

혹은 아이들이 전남편의 새 애인을 너무 열렬히 환영해서 질투가 날 수도 있다. 한 친구가 전남편의 인스타그램에 들어가 자식들이 전남편의 새 애인과 미소 지으며 함께 찍은 사진, 자전거 타는 법을 배우는 사진, 혹은 예전에 그녀도 친하게 지내던 사람들과 해변에서 함께 노는 사진을 본다는 말에 나는 가슴이 아팠다.

도허티는 이혼이란 "한 세트의 문제를 넘겨주고 다른 세트의 문제를 받는다"라는 의미라고 말한다.

"분명 가끔은 이혼이 해결책일 때가 있습니다. 하지만 불필요한 이혼도 많습니다. 이런 결혼의 대다수는 구제될 수 있고, 나아질 수 있습니다. 너무 많은 여성이 남편에게 자신의 고충을 말하지 않는 실수를 저지릅니다. 처음부터 '당신과 이혼할까 생각 중이야'라고 말할 필요는 없습니다. 그냥 '우리 결혼 생활에 대한 믿음이 흔들려. 5년이나 10년 뒤에도 우리가 함께하지 못할까 봐 무서워'라고만 말해도 충분합니다."

도허티는 여자들이 남편에게 아무 말도 하지 않은 채 계속 살까, 헤어질까 고민하면서 머릿속으로 혼자 대화하는 동안 정작 남편은 부부 사이에 문제가 있다는 사실조차 인식하지 못한다고 말한다.

"가끔 여자는 정말로 포기하기도 합니다. 그러고는 남편에게 더 잘해 주죠. 남편을 바꾸고 싶은 마음이 완전히 사라져 버렸으니까요."

하지만 그렇다고 해서 결혼 생활을 더 잘 받아들이는 것은 아니다. 대신 덜 불행하고 덜 비판적인 것처럼 보인다.

"왜냐하면 빠져나갈 길을 계획하고 있으니까요. 그러다 불쑥 이혼 이야기를 꺼내면 남자는 완전히 당황합니다. 대개 그제야 문제를 해결하려고 하죠. 하지만 여자는 이미 머리와 가슴에서 결혼 생활에 대한 미련을 버렸습니다. 남편이 변해야겠다고 마음먹는 바로 그 순간에 여자는 결혼 생활을 끝냅니다."

섹스 문제도 중요한 이혼 사유다. 여자는 중년이 되면 섹스가 복잡해진다. 시카고 대학 통합 성 의학 프로그램 책임자 스테이시 테슬러 린다우는 남자의 성욕은 중년이 되면 줄어들고, 남성 파트너를 둔 사람은 이런 성욕 감소를 자신을 좋아하지 않는 것으로 받아들일 수 있다고 말했다.[11]

"아침에 발기가 되는 원리는 아직까지 과학적으로 입증되지 않았어요."

린다우의 말이다.

생소한 주제였지만 어쨌든 린다우는 아침에 발기가 되는 현상이 부부의 섹스 생활에 중요하며, 많은 남성이 중년이 되면 그런 증상이 사라진다고 말했다.

"아침에 발기가 되는 현상은 남자의 섹슈얼리티를 무의식적으로 상기시키죠. 그 규칙적인 자극이 없으면 여성은 성욕을 느끼게 해 주는 아침의 자극을 잃는 것입니다."

또 호르몬과 몸의 변화도 있다. 여성의 성욕과 가장 큰 연관이 있는 호르몬인 테스토스테론은 스무 살에서 마흔다섯 살 사이에 수치가 절반까지 떨어지고, 에스트로겐의 수치 변화로 질이 마른다. 혈류가 줄어들어 흥분 시점이 훨씬 느려질 수 있으며, 요실금 위험이 증가한다.[12] 설사 이런 증상이 없다고 해도 중년 생활의 정신적·감정적 부담감은 (호르몬 변화로 인한 수면 부족은 말할 것도 없고) 여성의 성욕을 죽이기에 충분하다. 지치거나 화가 난 상태에서는 섹스가 해야 할 목록에 있는 짜증 나는 일 중 하나가 될 것이다.

훌륭한 군인인 한 여자는 결혼 생활이 군대 생활보다 훨씬 힘들다고 말했다.

"사실 난 남편을 별로 좋아하지 않아요. 다른 여자들과 비교해 보면 남편과의 사이가 그렇게 나쁜 건 아니에요. 하지만 내 몸이 섹스를 전혀 원하지 않아요. 누구하고든요. 이젠 아기가 생겼으니까 더는 필요를 느끼지 못해서일까요? 아니면 호르몬이 엉망이 되어서?"

내가 만난 불행한 기혼녀 대부분은 "무슨 일이든 내가 다 해요. 대체 남편이 왜 필요한 거죠?"라고 말했다. 한 기혼녀는 둘째를 낳은 뒤에 남편이 이렇게 말했다고 한다.

"난 욕구 불만이야. 섹스를 더 자주 하고 싶어. 더는 자위하기 싫어. 뭔가를 상상하고 싶지도 않고 당신 말고 다른 것에 자극받고 싶지도 않아. 당신이 날 도와줘야 해."

그래서 그들은 적어도 이틀에 한 번씩 섹스하기로 했다. 그리고 지금 몇 달째 그 계획을 실행하는 중이다. 남편은 이 협상에 기뻐했지만 그녀는 '스케줄'이라 부르는 이 일정에 부담을 느끼기 시작했다.

"섹스를 하기로 되어 있는 날에 내가 잠이 온다거나 해서 그냥 넘어가면 이튿날은 반드시 해야 해요. 내가 출장을 가거나 남편이 출장을 갈 일이 있으면 그이가 '다음 주는 하루도 못 하니까 이번 주는 매일 해야 해'라고 말하죠. 그럼 내가 '진짜 멋대가리 없이 말한다. 분위기 다 깨잖아'라고 말해요. 하지만 그

이는 아랑곳하지 않고 '내가 아무 말도 하지 않으면, 우린 전혀 안 하게 될걸'이라고 말하죠. 맞는 말이에요. 한 달에 서너 번 정말로 하고 싶을 때가 있어요. 그땐 진짜로 성욕을 느끼죠. 그때를 제외한 나머지는 그냥 일하듯이 해요."

몇 년 전, 킨제이 연구소에서는 이성애자 남녀가 같은 비율로 바람을 피운다는 사실을 발견했다.[13] 여러 명의 유부녀가 내게 바람을 피웠거나 적어도 바에서 만난 아무 남자하고나 자는 상상을 해 봤다고 고백했다.

"물론 실제로 행동으로 옮기지는 않았어요. 하지만 생각은 해요. 아주 많이."

두 아이를 둔 엄마가 말했다.

기혼 여성의 불륜이 증가하게 된 이유로 가장 많이 듣게 되는 것은 기회 증가이다. 출근하는 여성이 늘었고, 대부분 주머니에 휴대 전화가 들어 있다. 소셜 미디어 덕분에 집에만 있으면 놓치는 게 얼마나 많은지 예전보다 잘 알게 되었다. 심리 치료사 켈리 로버츠는 이와 관련해 다음과 같이 말했다.

"지난 5년간 우리는 선택지가 늘어나면서 고심하는 커플들을 보아 왔죠. 프라이버시가 보장되는 휴대 전화 안에는 탐험할 수 있는 다른 세상이 있습니다. 이런 세상이 있으면 자신이 가진 것과 가지지 못한 것을 늘 비교하게 되죠. 그러면서 갑자기 이랬다면 어떻게 됐을까, 저랬다면 어떻게 됐을까 하는 놀이에 빠지게 됩니다. 휴대 전화가 나오기 이전에는 없던 일이죠.

휴대 전화 속의 이상적인 세상은 그들이 10년 혹은 15년 동안 유지해 오던 관계에 비현실적 기대를 흘려 넣습니다. 무언가가 너무 오랫동안 흘러넘치면 결혼 생활에 영향을 미치지 않을 수 없죠."[14]

어릴 때 목격한 부정적 본보기 때문인지 X세대는 칸스턴스 아론의 책《좋은 이혼The Good Divorce》이나 웬디 패리스의《이혼 천국Splitopia》에서 조언한 대로 건강한 이혼에 집중하는 듯하다. 그리고 우리 세대는 부모님 세대보다 이혼 후에 예전 배우자와 더 잘 지내는 듯하고, 이혼한 아빠들도 육아에 훨씬 더 적극적으로 참여한다.

하지만 많은 여성이 이혼과 관련해 엄청난 수치심을 느낀다. 그것은 아마도 우리 부모님과 연관이 있을 것이다. 우리는 확신이 들 때까지 기다렸다가 결혼했고, 멀쩡한 정신으로 서약도 했다. 그런데 어떻게 실패할 수 있을까?

마흔다섯 살의 배서 대학 대학원생인 한 여자는 매사를 제대로 해 왔는데도 모든 게 무너져 버렸다고 말했다. 몇 년 전 그녀는 네 살에서 열네 살에 이르는 세 아이와 노스웨스트에 살면서 파트타임으로 일했다. 모든 게 순조롭다고 생각했는데 가족의 생계를 책임지던 남편이 그녀의 표현대로 하자면 "유행도 지난 신경 쇠약"에 걸려 버렸다.

많은 여자가 그랬듯 그녀 역시 매일 생활비를 타서 쓰고 저축과 투자는 모두 남편에게 맡긴 터였다.

한 전문가가 특히 X세대 여자에게 유용하다고 말해 준 조언한 가지는 유언장을 갱신하고, 자신의 돈이 어디에 투자되었는지 알아 두고, 생명 보험이든 의료 보험이든 자동차 보험이든 세입자 보험이든 주택 보험이든 돈을 낼 수 있는 한 보험을 유지하라는 것이다.

"그이는 해고됐어요. 그리고 내가 모르는 사이에 내 연금을 빼돌렸더라고요."

그녀가 말했다.

집이 은행으로 넘어갔기 때문에 그녀는 문을 잠그려고 집으로 돌아갔다.

"재정 설계사와 상의했는데 상태가 너무 심각했어요. 이 상황을 해결할 유일한 길은 파산과 압류뿐이라고 했죠."[15]

그 시점에서 이혼은 피치 못할 결말이었다. 감정적으로나 재정적으로 최악의 상태였다. 지금은 그녀도 훨씬 행복하고, 아이들도 잘 적응한 듯하다.

지난번에 집들이를 한 친구 해녀를 최근에 다시 만났다. 그녀는 머리 모양을 바꾸고, 얼굴색이 돋보이는 빨간 원피스를 입었다. 요즘에는 요가와 명상을 하는데 덕분에 직장에서는 마음의 평화를 유지하고, 출장을 갈 때도 스트레스를 덜 받는다고 했다. 아이들은 아주 잘 지내고, 좋은 남자들과 데이트를 하고 있으며, 새로 산 아파트를 예쁘게 꾸미고 있다고 했다. 이제는 다 자랐을 새끼 고양이는 어떻게 됐을까?

"그거 알아? 그 녀석들과 함께 있는 게 얼마나 좋은지 몰라."

해녀가 말했다.

아홉 번째 이유

[폐경 전후 증후군]

화내든 울든
몸이 시키는 대로 하세요

"폐경기는 남을 즐겁게 해 줄 필요가 없음을 배우는 시기예요.
좀 더 자기 자신이 되어야 할 때죠."

"당신들은 여성을 어린애 취급하는 거라고요!"

내가 고등학생이던 어느 날 엄마가 소리를 질렀다. 깜짝 놀라 부엌으로 달려갔더니 엄마가 벽에 달린 전화기를 신경질적으로 내려놓고 있었다.

"무슨 일이야?"

내가 물었다.

"이거 봤니?"

엄마가 키친타월을 집어 들었다. 보통 하얀색인 키친타월과 달리 알록달록한 그 키친타월에는 사각형 블록과 테디 베어가 그려져 있었다.

나는 잠시 엄마를 바라봤다.

"엄마, 방금 키친타월 회사에 전화해서 왜 테디 베어를 그렸냐고 항의한 거야?"

"그래. 사람들이 부끄러운 줄 알아야지."

엄마가 눈을 반짝이며 말했다.

돌이켜 보면 불평이 많은 고등학생 딸을 키우고, 죽어 가는 부모님을 돌보고, 결혼 생활로 고민하고, 나이가 많다는 이유로 배우로서의 경력이 끝나 가던 당시 중년의 엄마는 키친타월 회사의 담당자 말고는 감정을 표출할 만한 대상을 찾지 못한 것 같았다.

엄마는 날 집에서 쫓아낼 생각도, 부모님의 병간호를 거부할 생각도, 이혼할 생각도, 방송국에 전화해서 지옥에 떨어지라고 말할 생각도 없었다. 그래서 대신 키친타월 무늬에 분노를 집중했다.

25년이 흐른 지금, 끝난 듯한 경력을 이어 가려고 안간힘을 쓰고, 몸은 여러 군데 고장이 나고, 아들을 좋은 공립 학교에 입학시키려고 노력하면서 나는 어느새 아들이 애완용으로 키우는 거북이에게 지나친 관심을 두게 되었다.

"제니가 심심해 보여. 공간이 더 필요할 것 같아. 제니가 마지막으로 재미있게 놀았을 때가 언제지?"

나는 수조 속에서 헤엄치거나 물 밖 쉼터에 앉아 있는 거북이를 바라보며 말했다.

"제니는 거북이야. 거북이는 취미가 없어. 그냥 수영하고 먹고 햇볕을 쬐는 게 전부야."

남편이 말했다.

"그 이상을 원할 수도 있어!"

내가 쏘아붙였다.

그 순간 난 깨달았다. 거북이 제니가 내게는 테디 베어가 그려진 키친타월임을.

꼬박 1년 동안 생리가 없는 시기로 정의되는 폐경은 게일 쉬이의 1992년 저서 《조용한 변화》에도 나와 있듯이 쉰한 살 무렵에 찾아온다. 우리 엄마와 할머니들도 같은 증상을 겪었다. 하지만 생리가 중단되기 몇 년 전에도 예상보다 감정적으로나 신체적으로 힘들 수 있다.[1]

이 몇 년 동안 우리는 많이 변한다. 사춘기 때 그랬듯이 과도기는 불편하다. 우리의 몸과 기분은 종종 우리를 배신한다.

"처음 안면 홍조를 느꼈을 때는 그게 뭔지도 몰랐어요. 그냥 감기라고 생각했죠. 몸이 뜨겁고 축축했어요. 땀을 정말 많이 흘렸죠. 근데 땀이 너무 많이 나는 거예요. 물이 든 풍선에 누군가 압정으로 구멍을 두 개 뚫었다고 생각해 보세요. 그 정도로 땀이 쏟아졌어요. 통제가 안 되더라고요. 온몸에서 불이 나는 듯했죠. 그게 뭔지 알고 있던 언니가 폐경기 증상이라고 말해 주더군요."

한 여자가 내게 말했다.

대기업에 다니는 내 친구는 회의실에서 안면 홍조에 시달리는 여자 이사를 처음 봤을 때를 이야기해 줬다.

"땀이 그냥 뚝뚝 떨어지더라니까. 마치 수영장에서 막 나온 사람 같았어. 아무 일도 없는 것처럼 프레젠테이션을 계속하려고 했지만 불가능했지. 아무 일이 아닌 게 아니잖아!"

당시 30대이던 내 친구는 여자 이사의 그런 모습에 충격을 받았다고 한다. 이제 40대 후반인 친구는 자신도 폐경기 증상을 겪고 있다.

"밤새 땀을 뻘뻘 흘린다니까. 매일 밤. 특히 생리 전에 그래. 무릎에서도 땀이 나. 거짓말 안 보태고 머리끝에서 발끝까지 온몸이 땀으로 흠뻑 젖어. 그게 가장 역겹고 불편해. 아무도 내게 이런 일을 겪을 거라고 말해 주지 않았어. 죽는 줄 알았지."

친구는 예전 일을 돌이켜 보며 그 여자 이사의 손이라도 잡아 주고 에어컨이라도 켜 줄 것을 그랬다며 후회했다. 하지만 그때 친구가 어떻게 알았겠는가. 폐경기의 나쁜 점은 아무도 그에 관해 이야기하지 않는다는 사실이다.

나도 올해 전에는 '폐경 전후 증후군'이라는 단어조차 들어 본 적이 없다. 이제는 매일 듣지만.² [내가 아는 트랜스젠더 남성 역시 안면 홍조를 겪는데 자신의 DJ 이름을 '페리 메너포즈'(폐경기가 영어로 메너포즈임—옮긴이)로 짓겠다고 농담을 했다. 그래서 나 역시 내가 스트리퍼로 일하게 되면 이름을 '파티 메너포즈'로 짓겠다고 농담을 했다.]

폐경 전후 증후군과 폐경기는 사춘기만큼이나 극적인데 훨씬 덜 논의되어 거의 금기로 다뤄진다. 살면서 우리가 수영 수업을 들으러 가는 아이가 아니라 아이를 수영장까지 데려다주는 나이일 때 겪게 되는 단계다.

폐경기를 겪지 않은 사람에게는 폐경기가 아주 이상해 보일 것이다. 배우자는 함께 사는 여자가 지킬과 하이드 같다거나 불안을 이상하게 표현한다고 생각할 것이다.

최근에 나는 출장을 떠나기 전 음식을 잔뜩 해서 냉장고에 넣어 두었다. 약간 정신이 나갔는지 라자냐에 캐서롤, 칠리 스튜, 참치 샐러드까지 만들었다. 먹을 사람은 남편과 아들 둘뿐이고, 출장도 며칠밖에 안 되고, 둘 다 음식을 만들거나 주문할 수 있는데 말이다.

냉장고를 들여다본 남편이 내게 문자를 보냈다.

"사랑해, 여보. 하지만 당신 좀 진정해야 할 것 같아."

때로는 불안보다 분노가 더 강해지기도 한다. 며칠 전에는 아침에 일어났더니 벽이 다가오는 느낌이 들었다. 집이 너무 좁게 느껴지고, 옷도 너무 꽉 끼었다. 사진틀 위에 남편이 놓아둔 샴페인 코르크 병마개 두 개가 눈에 들어오자 갑자기 물건을 부수고 싶어졌다.

"이게 뭐야? 여기가 빌어먹을 기숙사 방이야?"

나는 이렇게 중얼거리며 커피를 내렸다. 이 시기에는 예전에는 그냥 지나치던 것들이 눈에 들어온다. 벽장에서 삐져나온 가방, 탁자 위에 쌓인 영수증 무더기와 잔돈, 사방에 널린 아들의 매직 더 개더링 카드.

"저장 강박증 환자 집에 사는 거 같잖아!"

나는 집을 나서기 전에 이렇게 소리쳤다.

천성적으로 느긋하고 활기찬 성격이건만 그날 아침에는 손에 성냥과 불쏘시개가 있다면 집에 불이라도 지를 것 같았다.

1955년에 출판된《자신감 있게 삶의 변화에 맞서는 법How to Face the Change of Life with Confidence》이라는 책을 펼쳤더니 서른일곱 살 여자가 생리가 시작되기 전 매번 기분이 심하게 요동친다며 질문을 던졌다. 책의 저자인 남자 산부인과 의사는 그녀에게 이렇게 말했다.

"인간은 스물다섯 살에 신체가 성숙기에 도달하고, 감정적으로는 서른다섯 살에 성숙기에 도달합니다. 불행히도 당신은 37년간 살면서 그런 기회를 놓친 듯하고, 감정적 반응이 여전히 유아기 상태에 머물러 있습니다."[3]

수십 년간 이렇게 거들먹거리는 전문가들을 접하다 보니 우리는 비슷한 질문을 다시는 못 하게 되었다.

유명한 비디오 게임 회사의 COO인 마흔세 살의 이베트는 이와 관련해 다음과 같이 말했다.

"내 또래의 거의 모든 여자가 혼란 속에서 과도기를 겪고 있어요. 대다수가 각자 분야에서 실력이 뛰어나고, 재정적으로 안정되어 있으며, 부모라는 역할도 아주 잘 받아들이고 있는데 말이죠. 세상 사람들이 어떻게 생각하는지 점점 관심이 없어졌다가 또 잘 통제된 삶을 살기도 합니다. 아무튼 이 둘 사이를 오가는 이상한 상태예요."

이베트가 한숨을 내쉰 뒤 말을 이었다.

"요즘은 동갑내기 친구들과 보내는 시간이 많아요. 우린 각자 겪는 일들을 이야기하죠. 걱정이 있을 때는 와인과 신경 안

정제로 해결하는데 화가 점점 더 자주 치밀고 있고 그 이유가 호르몬 때문인지 폐경 전후 증후군 때문인지 잘 모르겠다는 이야기, 원치 않는 부위가 두꺼워지고 말랑말랑해지는데 그런 현상을 없애려고 무언가를 한다면 우린 천박한 사람이 되거나 페미니스트가 될 자격이 없어지는 거 아닌지 모르겠다는 이야기, 아이들이 휴대 전화를 많이 보지 않도록 감시해야 하는데 방법을 모르겠다는 이야기, 이제는 섹스가 별로 좋지도 않고 필요하지도 않다는 이야기, 우리가 '꿈에 그리던 일'을 할 시간이 점점 줄어들어서 걱정이라는 이야기 등등……. 지난주에 성공한 로펌을 운영하는 친구와 함께 아침을 먹으면서 분노에 관해 이야기했죠. 우리는 분노하고 거기에 압도당해요. 정말로 눈앞이 빨개지면서 휴대 전화를 벽에 던지고 싶다니까요. 그래서 요즘은 명상이 최우선이에요."

나는 수많은 여성에게서 벽에 물건—휴대 전화나 책, 접시—을 던지고 싶다는 고백을 들었다. 비록 난리가 끝난 뒤 현장을 치우는 사람은 대개 물건을 집어 던진 여자라는 사실이 의미심장하지만.

물론 이런 분노의 순간을 다루는 데 잘 알려진 기술이 있다. 바로 심호흡하기와 진정제 먹기다. 마음속으로 '정지'라고 계속 되뇌는 것도 인기 있는 방법이다. 이는 테이블을 엎어 버리고 싶을 때 지금 자신이 배가 고픈지, 화가 나는지, 우울한지, 피곤한지 자문해 보고 적절한 행동을 취해야 한다는 뜻이다(샌드위치를 먹고, 상담을 받고, 친구에게 전화하고, 낮잠을 자고 난 다음에 테이블을 엎어 버리자). 그래도 중년에는 이런 감정이 원시적 특징을 띨 수 있다. 우울이 아닌 절망이며, 짜증이 아니라 더 깊고 위험한 무언가이다.

소리를 지르는 것이 도움이 될 때도 있다. 내 친구는 특히 힘든 출장을 갔거나 결혼 생활에 문제가 생겼을 때 노래방에 가서 최소 3인 이상 사용할 수 있는 방을 빌린다. 직원에게는 곧 친구들이 올 거라고 말하고, 2시간 동안 고래고래 악을 써 가며 노래를 한다. 음식을 넉넉히 시키기 때문에 직원들은 친구들이 언제 오느냐고 캐묻지 않는다. 친구는 2시간 동안 목이 터질 듯 소리 지를 자유를 얻을 수 있다면 모차렐라 스틱 스물네 개 값은 낼 가치가 있다고 말한다.

폐경기에 대한 책《변화The Change》에서 저자인 페미니스트 학자 저메인 그리어는 여성이 중년에 겪는 고통은 두 가지 형태로 온다고 말한다.

"하나는 내가 불행이라고 부르는데, 유용한 기능이 전혀 없고 피해야 하죠. 다른 하나는 슬픔인데 고통스럽기는 해도 온전하고, 반드시 느껴줘야 해요."[4]

그리어에 따르면 불행은 "아무 희망도 없는 잿빛이며, 아무 목적 없는 삶 그리고 소비 사회에 속았다는 실망과 그저 경솔한 경멸의 대상으로 살아남아야 하는 분노에서 탄생"된다. 하지만 슬픔은 다르다. 슬픔은 우리의 떠나 버린 생식 능력을 자연스럽게 애도하는 기간이다. 이 기간이 지난 후에 여성은 "더 강하고 차분해질 수 있으며 자신을 스쳐 간 죽음이 원래의 자리로 물러났고, 매사가 순조로울 것임을 알게" 된다.

내가 만난 부인과 전문가들은 호르몬 대체 요법이 폐경기 증상을 가장 효과적으로 치료하며, 그 성능이 과학적으로 증명된 유일한 치료법이라고 말했다. 그런데도 우리는 호르몬 치료 요법을 받으면 암과 뇌졸중, 혈전의 위험이 증가한다는 말을 오랫동안 들어 온 터라 호르몬 치료법을 받지 않는다. 아마 그렇기 때문에 귀네스 펠트로의 쇼핑몰 굽Goop에서 질 속에 넣는 66 달러짜리 옥 달걀이 팔리는 것이리라.[5]

또한 같은 이유로 미국 전역의 여성은 LSD나 실로시빈 버섯을 항우울제 혹은 의식을 확장하는 수단으로 사용하는 치료법에 관심을 갖는다.[6] 아옐렛 왈드먼은 《아주 좋은 하루A Really Good Day》에 LSD를 아주 미량만 섭취해도 만족스러워진다고 썼다.[7]

환각제 섭취가 너무 과하다고 생각한다면 와인을 마셔서 의식 상태를 바꿀 수 있다. 단점은 수면에 지장을 준다는 것이다. 코미디언 브리짓 에버렛은 '샤르도네 충격'이란 단어를 만들었는데 술기운이 떨어져서 새벽 4시에 잠에서 깨는 현상을 말한다. 경험상 그렇게 잠에서 깨고 나면《뉴요커》만화에 나오는 대로 머릿속에 있는 자신만의 영화관에서 지옥 같은 일이 벌어진다.

"이제부터…… '당신이 어젯밤 파티에서 한 말들'이라는 제목의 영화가 상영됩니다."[8]

크리스티 콜터는 술을 끊고 다음과 같은 깨달음을 얻었다.

"주위 사람들이 전부 취했다는 걸 깨달았다. 특히 여자들은 두 배로 더 취했다는 걸. 술은 우리 모터를 돌아가게 하는 기름이고, 우리가 불만의 소리를 내야 할 때 계속 만족스러운 신음만 내게 한다는 걸 알았다."[9]

혹은 한창 유행하는 건강식품을 시도해 볼 수도 있다. 한 친구는 옵티바이트 P.M.T.라는 대용량 비타민을 먹는다고 했다. 아직은 오줌이 샛노래지는 것 말고는 딱히 효과를 모르겠지만. 중년에 시도해 보는 약물은 10대 때보다 훨씬 더 무모할 수 있다. 내 친구는 이렇게 말했다.

"웃기지 않아? 우리 대학 때는 마리화나를 피우고 산화 질소를 들이마셨잖니. 근데 이제는 옵티바이트랑 콜라겐 스무디를 먹네? '이상한 기름이랑 독이 있는 풀로 만든다고? 알 게 뭐야! 빨리 줘! 그걸 먹으면 배의 지방이 녹아 없어진대!' 이러면서."

내가 만난 산부인과 의사들은 여성이 이국적이거나 불법적인 방법으로 폐경 전후 증후군의 문제를 해결하려고 하는 게 놀랄 일이 아니라고 했다.

미네소타주에 있는 메이오 클리닉 내 여성 건강 클리닉에서 23년간 근무한 재클린 틸린은 오늘날 X세대 여성에게는 인생이 "훨씬 더 복잡하다"고 말했다. 그녀는 호르몬 요법을 받기가 두렵지만 폐경기 증상 때문에 힘들고 해야 할 일이 너무 많아서 선택의 여지가 없다고 호소하는 40~50대 여성을 많이 본다면서 다음과 같이 말했다.

"예전에는 슈퍼에 가면 크레스트 치약 아니면 콜게이트 치약을 샀죠. 그런데 요즘은 어떤가요? 화이트닝 치약도 있고, 치석을 줄여 주는 치약도 있고, 민감한 치아용 치약도 있어요. 생각해야 할 게 너무 많아서 여자들은 뭘 해야 할지 결정하기가 어려운 듯해요."

그 결과 여성은 피하 호르몬 요법, 부적절한 난소 제거술, 혹은 값비싼 '질 성형 수술'처럼 논란이 많은 치료법으로 피해를 본다고 틸린은 말했다. 특히 몇천 달러씩 하는 질 성형 수술은 소음순 축소 수술이나 질에 레이저를 쏘는 과정이 동반될 수 있다.[10] 우리 엄마들은 절대 하지 않았을 수술이라고 장담한다. 틸린은 유명 인사들이 선전하는 소위 복합 호르몬 요법도 FDA 승인을 받지 않았다고 말한다.

"여자들은 '왜 울고 싶지?' 혹은 '아직 생리를 하고 있는데 왜 소리를 지르고 싶을까?'라고 생각할 겁니다. 만약 에스트로겐과 프로게스테론 수치가 둘 다 오르락내리락한다면 둘 중 하나 혹은 둘 다 너무 많거나 적은 겁니다."[11]

북미 폐경 협회 이사이자 버지니아 대학 건강 시스템 산부인과 교수 조앤 핑커턴의 말이다.

폐경 전후에는 종종 불면증, 성교통, 가슴 통증과 물혹, 식욕과 에너지 변화, 오락가락하는 기분, 자꾸 나오는 배, 집중력 장애 등을 호소한다. 이 모든 증상은 호르몬과 연관이 있다.[12]

어떤 여성에게는 대수롭지 않은 정도지만, 어떤 여성에게는 심각할 수 있다. 미국 은퇴자 협회에서 진행한 설문 조사에 따르면 응답자의 84퍼센트에 해당하는 여성이 폐경기 증상 때문에 삶의 질이 떨어진다고 말했다.[13]

"슬픔에 잠긴 사람들에게는 1년 동안 중요한 결정을 내리지 말라고 하죠. 폐경 전후인 사람들에게도 같은 말을 해 줘야 합니다."

핑커턴이 말했다.

'좋은 생각이야. 폐경기가 끝날 때까지 마음의 여유를 갖는 거야.'

나는 이렇게 생각했다.

"그 기간이 얼마나 되죠?"

1년, 아마도 2년쯤 될 거라고 예상하면서 핑커턴에게 물었다.

"몇 달에서 10년 혹은 13년까지죠."

"맙소사."

"평균적으로는 4년이라고 해요."

핑커턴은 이렇게 말하고는 폐경기가 "폐경 전후보다 훨씬 더 수월하다는 사실"을 꼭 알아 둬야 한다고 덧붙였다. 왜 폐경기가 더 수월할까? 폐경 전후는 "예측할 수 없기" 때문이다.

"그 기간은 난소 변동에 기반을 두죠. 6개월간 지독한 안면 홍조에 시달리거나 생리를 건너뛸 수 있어요. 그리고 다시 3년에서 5년간 정상으로 돌아갔다가 또 그런 증상이 반복되죠. 난소가 얼마나 잘 작동하느냐는 각자의 사이클과 정신적·감정적 상태에 달려 있어요. 모두 연결되어 있죠. 여자들은 폐경 전후가 몸이 약해지는 기간임을 깨닫고, 그 상태에서 벗어나는 데 도움이 되는 방법이 있다는 걸 알아야 해요."

핑커턴은 예를 들며 말을 이었다.

"하루는 날 찾아온 여자가 이렇게 말하더군요. '남편이 싫고, 결혼 생활도 싫어요. 결혼 생활을 끝내야 해요.' 그런데 그녀가 찾아오기 전에 그녀의 남편이 먼저 내게 전화해서 '아내가 생리 무렵마다 매사에 극도로 과장되게 반응합니다'라고 했죠. 우린 결국 그녀에게 상담을 받도록 했고, 경구 피임약을 먹게 했어요. 경구 피임약이 호르몬을 진정시켰고, 상담을 받으면서 감춰진 스트레스 요인을 볼 수 있게 해 주었죠. 조금 전에 그녀를 만났는데 요즘은 결혼 생활이 더할 나위 없이 좋대요. 폐경 전후에 요동치는 호르몬 때문에 모든 문제가 해결 불가능하게 보였다는 사실을 깨달았더군요. 일단 경구 피임약을 복용해서 요동치는 호르몬을 진정시키고 상담까지 받으면서 그녀는 자신의 일과 남편의 일, 가족 문제에서 비롯된 스트레스 요인을 볼 수 있게 되었어요. 지금 당신이 폐경 전후라면 요동치는 호르몬 때문에 집이나 직장에서의 문제가 더 심각하게 보일 수 있다는 사실을 깨달아야 해요. 호르몬을 진정시키고 나면 장기적 관점으로 문제를 볼 수 있게 될 거예요."

핑커턴은 수면 시간을 늘려도 엄청난 이익을 얻을 수 있다고 말했다.

"하루에 7시간씩 자는 여자가 몇 명이나 될까요? 정신적으로나 신체적으로 스트레스를 받았을 때 꼬박꼬박 운동할 수 있는 여자는요? 운동과 수면은 종종 가장 홀대받지만 이 시기를 헤쳐 나가는 데 절대적으로 도움이 돼요. 그다음에는 스트레스를 줄여야 합니다."

핑커턴은 매사 기분이 나쁘다며 호소하는 폐경 전후 여성들을 다음과 같은 방식으로 진료한다고 한다.

"난 진료할 때 그림을 이용해요. 폐경 전후의 여성이 하는 말을 들으면서 원을 그린 다음, 가운데에 점을 그리고 원을 여러 개로 등분한 뒤 말하죠. '이제 당신이 직장에서 하루 중 몇 퍼센트의 시간을 쓰는지 말해 보세요.' 그런 다음 다시 묻습니다. '그럼 아이를 돌보는 데는 몇 시간을 쓰죠? 자녀가 청소년이면 시간을 더 많이 할애할 거예요.' 그리고 다시 묻죠. '부모님과 시부모님을 위해서는 몇 시간을 쓰고 있나요? 그분들을 얼마나 보살피나요?'"

여자들은 그 원을 보면 왜 자신이 기분이 나쁜지 이해하게 된다. 만약 어떤 여자가 "왜 직장에서 짜증이 날까요?"라고 말하면 핑커턴은 이렇게 말해 준다고 한다.

"단지 일 때문은 아니에요. 직장에서도 일하고, 집에서도 일하고, 가족을 위해서도 일하고, 지역 사회를 위해서도 일하기 때문이죠."

인종 역시 폐경 전후 증후군의 강도와 지속 기간에 영향을 미치는 요소다. 중년 여성의 건강을 조사하기 위해 고안된 다중 사이트 종단 역학 연구인 전미 여성 건강 연구에서는 백인 여성이 안면 홍조와 야한증을 포함해 폐경 전후 증후군을 겪는 기간이 평균 7년 정도인 것으로 보았다. 일본과 중국 여성은 5년 정도이고, 아프리카계 미국인 여성은 10년 정도, 히스패닉 여성은 9년 정도다.[14]

다른 연구를 보면 일본 여성은 안면 홍조나 야한증을 미국과 캐나다 여성보다 훨씬 적게 경험한다. 거기에는 생물학적·문화적 요인이 있을 수 있다.[15] 안면 홍조를 겪는 일본 여성의 수가 다른 나라보다 훨씬 적은 이유에 대해서는 그들이 평소 콩을 많이 섭취하기 때문이라는 학설이 있다.[16] 일리 있는 학설이다. 호르몬은 식생활, 스트레스, 운동, 수면의 영향을 받는다. 모든 사람이 알맞은 체중과 하루 8시간의 수면을 유지하거나 과거로 돌아가 평생 콩이 풍부한 음식만 먹고 살 수는 없다. 하지만 적어도 이론적으로는 도움이 되는 방법이 있다는 사실을 알아 두면 좋다.

내가 정말 궁금한 점은 왜 미국의 X세대 여성은 40대가 되면 곧 폐경기가 시작된다는 사실을 알면서도 그게 정확히 무엇인지 모르냐는 것이다.

한 가지 대답은 부정이다. 우리는 오랫동안 모든 면에서 남자와 같은 척하라고 격려받았다. 몇십 년 동안 여자들은 힘들고 불편한 생리 기간이나 임신 기간, 폐경과 관련된 증상을 겪으면서도 여전히 남자들과 똑같이 일하고 기능할 수 있다고 주장했다. 결과적으로 자신에게나 남에게나 그런 증상을 대수롭지 않은 것으로 치부했다. 우리가 여성이라는 사실이 다른 사람의 시선을 끌지 않도록 하려고 그런 증상을 안 겪는 척했다.

이런 현상은 베이비 붐 세대 여성들이 어깨에 패드가 들어간 갑옷을 입고 회사 생활에 뛰어들면서 시작되었다. 그들은 여성성이라는 불편한 진실을 숨겨야 한다고 느꼈을 테고, 특히 중년에는 더욱 그랬으리라.

1970년에 여성의 권리를 요구하던 패치 밍크 변호사와 메릴랜드주의 은퇴한 외과 의사이자 민주당 국가 우선순위 위원회 회원 에드거 F. 버먼은 폐경이 일하는 여성의 숙련도에 어떤 영향을 미치는지를 두고 설전을 벌였다.[17]

"국가 우선순위에 있어서 여성의 권리는 상위에 속하지 않습니다"라고 버먼은 말했다. 왜냐하면 "여성의 호르몬 상태가 세상을 위험하게 할 수 있기 때문"이다. 버먼은 피그스만을 침공해야 할지 말지 결정을 내려야 하는 폐경기 여자 대통령을 생각해 보라고 했다. "걷잡을 수 없는 호르몬의 영향을 받는 상태에서 대출을 승인해야 하는" 여자 은행장, 혹은 힘든 착륙을 시도해야 하는 임신한 여자 조종사도. 다시 말해 여성의 호르몬은 영향력이 막강하므로 경제를 뒤흔들 수 있고, 수많은 사람을 화염 속에서 죽게 할 수 있으며, 핵전쟁을 일으킬 수도 있다.

《뉴욕 타임스》에 인용된 반박 의견도 확신에 차 있지 않은 듯했다. 그 기사에 등장한 한 전문가는 핵전쟁 비유는 너무 갔다면서 "폐경기 여성은 성질이 지랄 같을 수는 있어도 심각한 판단 착오를 일으키지는 않는다"고 덧붙였다.

친구와 나는 아이들을 데리고 〈스타워즈〉 최신판 영화를 본 뒤 친구 집으로 가서 식탁에 앉았다. 아이들은 집 안을 마구 뛰어다녔다.

친구가 폐경기에 관해 이야기했다.

"너무 힘들어. 그냥 자연스럽게 두는 게 최선이라고 생각해서 참고 견뎠어. 근데 2년이 지나니까 그것 때문에 내 삶이 망가졌다는 생각이 들더라. 2년 동안 밤새 잠을 못 자고, 안면 홍조에 시달리고, 기운이 하나도 없었어."

나는 전혀 몰랐다. 왜 진작 말하지 않았느냐고 물었다.

"얘기하기 싫었어. 성적인 존재로서 난 폐업했다고 말하는 셈이잖아. 민망했지."

우리 뒤에서는 아이들이 아무것도 모른 채 깔깔거리며 계단을 오르락내리락 뛰어다녔다.

결국 친구는 항우울제를 처방받았는데, 약이 도움이 되었다고 한다.

하지만 항우울제가 모든 사람에게 효과가 있는 것은 아니다. 중서부에 사는 한 텔레비전 뉴스 프로듀서는 항우울제를 복용했더니 온몸의 감각이 없어지고 몸무게가 급증했다고 한다.

"30대 후반에서 40대 초반에 우울증과 불안 장애로 고생했어요. 그 감정들과 싸우다가 병원에 가면 '아, 마흔 살이고 우울하다고요? 그렇다면 몸무게가 늘어날 약을 처방해 드리죠'라는 말을 듣게 되죠."

요한 하리는 2018년에 발표한 책 《물어봐 줘서 고마워요》에서 우리 문화는 우울증 환자에게 약을 먼저 처방하고 질문은 나중에 한다고 주장했다. 약간 불편한 증상은 굳이 약을 처방할 필요가 없다는 사실을 깨닫지 못한 채 말이다. 하리는 자신이 베트남 정글에 갔을 때 이야기를 들려준다. 그가 구역질 때문에 병원을 찾아가 약을 처방해 달라고 사정했더니 의사들이 이렇게 말했다고 한다.

"당신은 구역질을 해야 합니다. 그건 메시지고, 우리는 그 메시지를 들어야 해요. 그걸 통해서 우리는 당신 몸에 무슨 이상이 있는지 알게 될 겁니다."[18]

나는 30대에 우울증을 겪은 적이 있는데 그때 항우울제를 처방받았다. 그때 왜 우울했는지 좀 더 파고들었더라면 좋지 않았을까 후회가 된다. 이제는 그 원인을 분명히 알 수 있다. 당시 나는 나와 가치관이 다른 사람들을 위해 풀타임으로 일하고 있었는데, 근무 시간에 집에 두고 온 아이가 보고 싶어 미칠 지경이었다. 또 내가 우리 가정의 생계를 책임진다는 압박감에 시달리고 있었다. 의미 있는 일을 하고 싶다는 꿈은 내 손이 닿을 수 없는 곳으로 멀어진 듯했다.

현재 뉴올리언스에서 임상 사회 복지사로 일하는 내 오랜 친구 에이저 왕은 다음과 같이 말했다.

"임상의로서 사람들과 우울증에 관해 이야기할 때 세 가지 원인이 있다고 말해. 유전자, 내적 풍경이나 심리, 그리고 생활 환경. 두 번째는 상담으로 좋아질 수 있지만, 생활 환경이 정말로 나쁘다면 거의 온종일 슬플 거야. 불안하고 어쩔 줄 모르는 기분이 들겠지. 만약 늙은 부모님을 돌보고, 풀타임으로 일하고, 어린아이들이 있고, 남편은 여전히 가부장적인 사람이라면 슬플 수밖에 없어. '우울증'이 있어서가 아니라 삶이 몸을 지치게 할 정도로 힘들기 때문이야. 예전에는 가난한 사람들에게만 해당되는 것이라고 생각했지만, 이젠 우리 모두에게 해당되는 것 같아."[19]

정신과 의사 줄리 홀랜드는 2015년 출간된 책《우울한 년들 Moody Bitches》에 우리의 기분은 "몸이 보내 주는 놀라운 피드백 시스템"이라고 썼다. 또한 우리는 "비정상적인 삶의 속도를

유지하기 위해 단 음식을 먹거나 커피와 알코올을 마시고, 항우
울제, 진통제, 에너지 드링크, 암페타민 같은 광범위한 신경 조
절 물질을 이용한다"고 했다.[20]

"외부 환경 때문에 항우울제를 복용해야 하는 건 남자도 똑
같을 거예요. 하지만 여성의 시각에서 바라보면 더 화가 나요.
우리는 이미 남들에게 우리 몸을 많이 나눠 주고 있잖아요."

내가 만난 중서부 출신의 한 여자가 말했다.

여성성의 상당 부분은 통증을 동반한다. 생리통, 출산, 유방
조영술, 팝 스미어(자궁암 진단에 사용되는 세포진 검사—옮긴이), 모
유 수유. 눈썹 다듬기는 말할 것도 없다.

"우리는 여기저기 손상되었는데도 다들 나이보다 어려 보이
기를 바라죠. 또 항우울제를 복용해서 뇌는 엉망이 되었어요.
하지만 살아가려면 어쩔 수가 없죠. 너무 버거우니까요."

대다수 여성은 의사에게 받아야 할 도움을 받지 않고 있다.
2013년에 존스 홉킨스에서 실시한 설문 조사를 보면 5명의 산
부인과 레지던트 가운데 겨우 1명의 비율로 폐경기 치료 약물
에 대한 공식 교육을 받았다.[21] 전체 부인과 전문의의 20퍼센트
에 해당하는 비율이다. 하물며 일반의는 말할 것도 없다. 한 설
문 조사에 따르면 폐경기 여성의 42퍼센트는 의사와 폐경기 문

제를 의논한 적이 없고, 겨우 5명 중 1명꼴로 폐경 전문가에게 넘겨졌다.[22] 북미 폐경 협회와 다른 단체들이 그런 현실을 바꾸기 위해 싸우고 있다. 북미 폐경 협회 웹 사이트에 들어가서 당신 동네의 우편 번호를 입력하면 북미 폐경 협회에서 폐경기 교육을 받은 그 근처의 부인과 의사를 찾을 수 있다.[23]

뉴욕시 우편 번호를 입력하면 나오는 의사이자 《폐경기 기밀 Menopause Confidential》의 작가 타라 올멘은 마침 그녀 자신도 폐경기를 겪는 중이라고 했다. 올멘은 내게 X세대를 위한 희소식이 있다며 말을 이었다.

"당신들 세대는 교육을 가장 많이 받은 세대가 될 거예요. 이제 다 함께 숨을 깊이 들이쉬면서 호르몬 요법으로 이익을 볼 수 있는 사람이 누구인지 이해해야 해요. 당신 세대는 희망이 있어요. '우린 정말 운이 좋아!'라고 생각해야 해요. 비록 인터넷에는 여전히 잘못된 정보가 넘쳐 나고 있기는 하지만요. 제대로 교육받지 못한 윗세대나 아랫세대 의사들도 마찬가지죠."[24]

알고 보니 X세대 여성이 호르몬 대체 요법—다시 한번 말하지만 폐경 전후 증후군에 효과가 있음이 유일하게 입증된 치료법—이 위험하다고 믿으면서 자라게 된 이유는 2002년 의학계에서 벌어진 사건과 연관이 있었다.

1990년대에 폐경은 굉장한 화젯거리가 되었다. 당시 많은 베이비 붐 세대 여성이 폐경 증상 치료를 받았다. 호르몬 치료법이 뉴스와 토크쇼에 등장했는데 1991년에 국립보건원 최초로

원장이 여자였기 때문이다. 바로 버나딘 힐리였다.

2년 뒤 힐리는 호르몬 치료가 폐경 후 여성에게 어떤 혜택을 주는지 장기간 연구하는 여성 건강 구상WHI:Women's Health Initiative에 착수한다. 하지만 2002년 7월 국립보건원은 이 연구에서 에스트로겐-프로게스테론 투약 부분을 조기 종료한다. 이유는 관상 동맥성 심장병, 뇌졸중, 유방암에 걸릴 위험이 현저히 증가했고, 혈전도 증가했기 때문이다. 다만 여기에는 한 가지 문제가 있었다. WHI는 쉰 살에서 일흔아홉 살 사이의 여성에게 호르몬이 어떤 영향을 미치는지 관찰했는데, 호르몬 치료가 여성이 심장병과 다른 병에 걸리는 걸 막는 데 도움이 되는지 알아내기 위해서였다. 이는 40~50대 여성에게 나타나는 폐경 전후 증상을 치료하기 위한 단기간의 호르몬 요법이 아니었다. 하지만 많은 중년 여성은 '암'이라는 단어만 듣고 호르몬 대체 요법을 즉시 중단했다.

북미 폐경 협회 설립자 울프 우티언은 사설에 WHI가 "엉성하게, 느닷없고 비인간적으로 종료되었다"라고 썼다.[25] 2017년 WHI의 연구원이던 로버트 D. 랭어는 2002년 보고서의 실수 때문에 많은 여성이 불필요한 고통을 겪었다고 말했다.[26] 같은 해 북미 폐경 협회에서는 호르몬 요법이 안면 홍조 같은 증상에 "가장 효과적인 치료법"이라고 공식 발표하며 다음과 같이 덧붙였다.

"예순 살 이하 혹은 폐경이 시작된 지 10년 이내에 있으면서 금지된 약물이 없는 여성에게 위험 대비 이익도가 가장 큰 치료는 안면 홍조 같은 성가신 혈관 운동 증상, 골 손실, 골절 등으로 나타났다."[27]

하지만 이런 말은 여자들은 물론 심지어 의사들 사이에서도 WHI에 대한 잘못된 뉴스가 심어 준 호르몬 요법의 공포를 달래 주지 못했다.[28]

"2002년 7월 9일은 폐경기 여성에게 두려운 날이었죠."

산부인과 분야에서 미국의 선두 주자라고 할 수 있는 예일 대학의 메리 제인 민킨이 말했다.[29]

"그 사건의 가장 끔찍한 점은 어떤 산부인과 의사도 그런 뉴스가 나올 줄 미리 알지 못했다는 거예요. 언론도 난리가 났죠. WHI 연구원은 《디트로이트 프리 프레스》에 연구 결과를 알려 주면서 그 결과가 《미국 의학 협회 저널》에 실리는 다음 주까지 신문에 내지 말아 달라는 조건을 걸었죠. 하지만 《디트로이트 프리 프레스》는 그 조건을 어겼어요. 그래서 《굿모닝 아메리카》에서 그 소식을 입수했고, 화요일 아침에 전국으로 방송됐죠. 다들 큰 충격을 받았어요. 미국의 산부인과 의사들은 이 일에 전혀 준비되어 있지 않았죠. 《미국 의학 협회 저널》은 7월 17일이 되어서야 나왔고요."

민킨이 말을 이었다.

"뉴스가 방송된 주에 모든 미국 여성은 약을 넣어 둔 찬장으로 가서 호르몬 처방 약을 전부 변기에 버렸어요. 당연히 어리

석은 짓이었죠. 왜냐하면 그 시점에 중단된 연구는 WHI 1부뿐이었으니까요. 그건 에스트로겐과 프로게스테론을 함께 투입하는 실험이었죠. 에스트로겐만 투입하는 실험은 2년이나 더 지속되었어요. 그 결과 유방암에 걸릴 위험은 올라가는 게 아니라 내려갔죠. 하지만 미국 여성들에게 '유방암'이라고 말하는 순간, 그들은 패닉에 빠져서 욕실로 달려가 약을 전부 변기에 버려요. 내가 아무리 에스트로겐을 사랑한다고 해도 2002년 7월 10일에 미국 해안의 물고기는 되고 싶지 않아요. 여자들이 변기에 버린 호르몬 약을 몽땅 먹어야 했을 테니까요."

사람들이 패닉에 빠지자 북미 폐경 협회에서는 에스트로겐의 사용 지침을 바꾸었고, FDA는 경고문을 발표했다. 대부분의 의대에서는 더 이상 호르몬 요법을 가르치지 않았다.

"이제 그 방정식에 뭐가 들어가죠? 폐경을 앞둔 X세대 여성이에요. X세대는 약간 요구 사항이 많죠. 그리고 폐경 전 증상을 모두 겪고 있었어요. '왜 이런 일이 생기지? 대체 뭐 때문이야?' 묻지만, 그들을 치료하는 의사는 답해 주지 않아요. 주위에서는 이런 말만 들리죠. '그냥 무시해. 언젠가 없어질 거야.' 혹은 'SSRI(선택적 세로토닌 재흡수 억제제)를 먹어 봐. 안면 홍조에 도움이 될 거야. 다만 성욕이 떨어지고 살이 찌기는 하겠지.' 선택지가 보잘것없는데도 호르몬 요법은 고려하지 않아요. 왜냐하면 그 치료를 받았다가는 유방암에 걸려 죽을 테니까요."

민킨이 이야기를 계속했다.

"의학계 종사자 중에도 에스트로겐이 나쁘다고 생각하는 사람들이 있죠. 만약 내가 환자에게 호르몬 요법을 시행하려 하면 젊은 의사들이 환자에게 가서 '민킨 선생님이 당신을 죽이려고 해요. 당장 그만두세요'라고 할 거예요. 사면초가죠. 또 다른 문제는 보험 회사예요. 호르몬 치료 약들은 대부분 비싸기 때문에 내가 미리 보험 회사에 연락해서 그 약이 환자에게 꼭 필요하다고 확인해 줘야 해요. 그래야 보험 처리를 할 수 있으니까요. 문제는 그뿐만이 아니에요. 사람들은 의사보다 킴 카다시안이나 수잰 소머스, 오프라 윈프리, 귀네스 팰트로의 말을 더 신뢰하죠."

민킨은 내 수첩을 가져가더니 들쑥날쑥하게 아래로 내려가는 선을 조심스럽게 그렸다. 그러고는 그 선이 "2008년 9월 다우 존스 산업 평균 지수"라고 했다.

"그리고 폐경 전후 기간에 여성의 난자 기능 변동을 추적해도 이와 비슷한 선이 나올 거예요. 선은 아래로 내려가지만 결코 매끈하게 내려가지 않죠."

이렇게 오르락내리락하는 선은 그토록 많은 여성이 겪는 변덕스러운 기분을 보여 준다.

민킨은 여자들이 이런 증상을 그저 웃으며 견뎌야 한다고 생각하지 않는다.

다음은 그녀가 우리에게 주는 몇 가지 조언이다.

매일 운동, 특히 근력 운동을 하고, 영양가 있는 식사를 하고,

잠을 많이 자라.

안면 홍조가 있다면 얇은 옷을 겹쳐서 입고, 한밤중에 땀을 흘리며 잠에서 깰 경우를 대비해 침대 옆에 다른 잠옷 한 벌을 놓아두어라. 또한 침실 온도는 서늘하게 해 두고, 배우자가 춥다고 투덜대면 전기담요를 덮고 자게 하라.

약 외에도 도움이 되는 물건들이 있다. 이를테면 생리 팬티라든가 생리 주기를 추적하는 앱 같은.

민킨은 많은 여성에게 알약이나 패치, 젤, 스프레이 형태의 에스트로겐과 프로게스테론 호르몬 요법을 고려해 보라고 충고한다(자궁 절제술을 했다면 에스트로겐만). 단, 의사의 지시 아래 치료를 받아야 한다. 피임약처럼 이 치료법에도 위험 요소가 있기 때문이다(민킨과 올멘 모두 저용량 피임약이 나의 폐경 전후 증후군을 치료하는 데 도움이 될 수 있다고 말했다).

저용량 SSRI나 SNRI(세로토닌-노르에피네프린 재흡수 억제제) 항우울제는 가바펜틴(뉴론틴)처럼 안면 홍조에 도움이 될 수 있다. 생리 양이 너무 많거나 불규칙할 때는 피임약을 먹거나 미레나라는 자궁 내 피임 기구를 삽입하면 도움이 될 수 있다고 민킨은 말한다. 프림로즈 오일이나 꿀벌 화분 같은 허브나 영양제는 과학적으로 입증된 효능은 없지만 몇몇 여성에게 도움이 되었다고 한다. 미나리아재빗과에 속하는 총상승마가 안면 홍조에 효과가 있다는 고무적인 연구 결과들도 있다. 비록 다른 것과 마찬가지로 총상승마에도 부작용이 잠재하지만.[30]

모든 충고를 샅샅이 살펴보기란 쉽지 않다. 특히나 헤드라인이 늘 바뀌는 듯한 세상에서는.

랜디 허터 엡스타인은 자신의 호르몬 역사를 기록한 책《크레이지 호르몬》에 다음과 같이 썼다.

"나이를 먹어 폐경기가 된 우리는 전문가들이 또 생각을 바꾸지 않을까 하는 의문이 들지 않을 수 없다."[31]

육체적으로 고통스러운 폐경기의 의미를 찾아가는 책《플래시 카운트 다이어리Flash Count Diary》에서 작가 다시 스타인케는 하루에도 몇 번씩 안면 홍조를 겪는다. 그녀는 폐경이 된 범고래—맞다, 범고래도 폐경을 겪는다—가 다른 고래들을 먹이가 있는 곳으로 이끈다는 사실을 알게 된다.[32] 또한 중년의 감정적·신체적 변화 이면의 이유, 그 고통에 의미가 있다는 사실을 알아내고 위안을 얻는다.

좋든 싫든 우리는 변화를 겪는다.

2019년에 출간된 자서전《깊은 개울Deep Creek》에서 팸 휴스턴은 젊은 여자들에게 다음과 같이 충고한다.

"그러니까 이 폐경기 이후의 모습이 기대된다는 말이다. 지혜를 얻었기 때문이든 호르몬 때문이든, 아니면 그냥 시간이 충분히 흘렀기 때문이든. 나이를 먹다 보면 자신을 해치는 건 멀리하게 되고, 마침내 자기 내면의 목소리를 듣는 법을 배우게 된다."[33]

폐경 전후 증후군은 몇 달 혹은 몇 년 동안 지속될 수 있고 다소 극적일 수도 있지만, 언젠가는 끝나게 되어 있다. 이 시기를 넘기면 우리는 달라져 있을 것이다. 아마도 무엇이 우리에게 중요한지에 좀 더 초점을 맞추고, 틀림없이 더 차분해질 것이다. 심리 치료사 에이미 조던 존스는 내게 다음과 같이 말했다.

"폐경기는 남을 즐겁게 해 줄 필요가 없음을 배우는 시기예요. 좀 더 자기 자신이 되어야 할 때죠."[34]

행복해지려는 노력은 종종
우리를 불행하게 만든다

"당신 내면을 다른 사람의 외면과 비교하지 마세요.
세상에는 틀림없이 당신을 보면서
완벽한 삶이라고 부러워할 사람도 있어요.
아무도 당신의 내막을 모르니까요."

파티 장소로 가는 길에 나는 휴대 전화를 꺼내 카메라를 누른 다음, 렌즈 방향을 바꾸는 버튼을 눌렀다. 축 처지고 지친 노파 같은 얼굴이 날 맞이했다. 나는 너무 놀라서 숨을 헉 들이쉬고는 파우더와 립스틱을 발랐다. 이번에는 카메라 필터를 바꿔서 다시 얼굴을 바라보았다. 여전히 끔찍했다. 나는 전화기를 가방에 넣어 버렸다.

　우리 엄마와 할머니 시대에는 전화기와 거울은 현명하게도 탁자에 놓여 있거나 벽에 걸려 있었다. 하지만 X세대 여성은 확대가 가능한 휴대 전화 카메라로 첫 주름을 발견한다. 그리고 그 이미지는 뇌리에서 쉽사리 지워지지 않는다.

　"미쳤어요? 우린 10대가 아니에요. 위에서 찍어 주세요. 자, 이 의자 위로 올라가요."

　젊은 남자가 이상한 각도로 우리 사진을 찍어 주려 하자 중년인 내 친구는 이렇게 말했다.

　베이비 붐 세대인 내 지인은 직장에서 증명사진을 신분증으로 사용한다. 밀레니얼 세대는 자신의 아바타를 늘 바꾼다. 하지만 X세대는 SNS에 사진을 올릴 때도 꼼꼼히 계획하고, 신중

하게 프레임을 정하며, 필터를 씌운다. 최근에 아이를 데리러 학교에 갔을 때 난 주위를 둘러보며 학부모 중에 페이스북 프로필 사진과 같은 얼굴은 하나도 없음을 깨달았다.

포토샵으로 수정된 얼굴만 온종일 보는 탓에 우리는 40대에도 얼굴에 주름이 있어서는 안 된다고 믿는다.

"나도 알아요. 내가 늙어 보이지 않으려고 안간힘을 쓰고 있다는 걸."

실리콘 밸리의 중역이 말을 이었다.

"매일 운동하고, 자연식만 먹고, 보톡스를 맞죠. 늙고 싶지 않으니까요. 무시당하고 싶지 않아요. 어떤 공간에 들어가 공적인 업무 때문에 처음으로 누군가를 만나면 상대는 내 외모를 평가하기 마련이죠. 그럴 때 불리해지고 싶지 않아요. 그게 위기의 일부이기도 하고요. '저기 저 촌스러운 아줌마는 누구야'라는 소리를 듣고 싶지 않아요."

물론 노화에 대한 두려움은 새삼스러운 일이 아니다. 며칠 전 밤에 나는 처음으로 영화 〈선셋 대로〉를 봤다. 영화에서 예전 무성 영화 스타인 노마 데즈먼드는 시간이 흐르고 세상이 변했다는 사실을 인정하지 않은 채 집에만 틀어박혀서 산다. 잃어버린 젊음과 성적 매력을 슬퍼하는 한심한 인물이다. 이 영화에서 노마 데즈먼드가 몇 살인지 아는가? 쉰 살이다.

주름 제거 수술을 받는 나이는 평균적으로 쉰 살 이상이지만, 여성이 성형 수술을 받는 나이는 낮아지고 있다. 2015년 미국 성형외과 협회 발표에 따르면 마흔 살과 쉰네 살 사이의 사람들이 받는 성형 수술이 760만 건 이상이었다. 2000~2016년에 콜라겐 같은 연조직 필러를 주입하는 시술은 300퍼센트 정도 증가했고, 보톡스나 그 비슷한 약을 이용한 시술은 800퍼센트, 겨드랑이 안쪽의 처진 살을 끌어올리는 수술은 5184퍼센트 증가했다.[1] 이는 아무 시술도 하지 않으면 나보다 나이가 어린 사람은 물론 동갑내기 대다수보다도 나이 들어 보인다는 뜻이다.

"난 오랫동안 젊었어요. 5분 전만 해도 젊었던 것 같은데."

뒷마당에서 열린 파티에 참석했을 때 모닥불 근처에서 한 여자가 내게 말했다.

그녀의 페이스북 프로필은 어릴 때 사진이다.

X세대는 인터넷 전후 세상에 걸쳐 있다. 최저 연령층 X세대는 소셜 미디어 전에 대학을 졸업한 마지막 학번이다.[2] 페이스북은 2004년에 개발되었고, 아이폰은 2007년에 출시되었다. 많은 저연령층 X세대와 고연령층 밀레니얼 세대가 〈오리건 트레일〉이라는 게임을 통해 컴퓨터에 입문했다니 이 얼마나 적절한가. 이 게임은 종종 나와 내 친구들이 이질에 걸려 죽는 것으로 끝났다.[3] 개인적으로 나는 이 게임을 아주 좋아했다. 다시, 다시! 이번에는 콜레라에 걸릴 수도 있다!

매슈 헤네시는《X세대가 행동을 개시해야 할 때:어떻게 마지막 성인 세대가 밀레니얼 세대로부터 미국을 구할 것인가Zero Hour for Gen X:How the Last Adult Generation Can Save America from Millennials》에 컴퓨터 이전의 세상을 주제로 일종의 교향시를 썼다.

　"우리는 아날로그 기술 속에서 자랐다. 연필, 볼펜, 공책, 책, 색인 카드, 듀이 십진분류법, 신문, 잡지, 북 이슈, 포스터, 통신 판매(미안하지만 상품 수령 시 현금 결제 방식은 안 된다), 레코드, 레코드플레이어, 카세트테이프, 대형 휴대용 카세트, 비디오 가게, 유선 전화기, 자동 응답기……."4

　우리는 인터넷 세상의 본토인이 아닌 터라 인터넷에 대한 자연 면역 항체가 없다. 느릿느릿 작동하는 소니 워크맨, 컬럼비아 하우스 레코드, 테이프 클럽, 공중전화기, 타자기 속에서 형성된 우리의 가여운 1970년대와 1980년대의 뇌는 이제 인스타그램 스토리로 만족해야 한다.

　잠깐만.

　'인스타그램에서 제니 C.라는 사람이 날 팔로잉하네. 누구였더라? 아, 맞아. 아기가 있네? 어머나, 너무 귀엽다! 나도 아이를 하나 더 낳고 싶어. 이젠 너무 늦었지, 뭐. 비디오 게임 포트나이트에서 좋은 밈이 나왔네! 하하. 알라나 아이가 많이 컸구나. 천지가 아이들이네. 휴. 웨일런은 왜 파리에 있지? 자미는 이탈리아에 있네. 리슬은 인도에 있고. 나도 파리와 인도와 이

탈리아에 가고 싶어. 왜 갑자기 우울해지지?'

소셜 미디어는 우리의 외모만 못마땅하게 여기도록 하는 게 아니다. 종종 우리의 불완전한 삶도 부끄러워하게 한다. 전문가들은 페이스북[5]이 "삶의 가장 재치 있고 즐겁고 별표로 표시해야 하는 순간들을 전시해 끊임없이 비교하도록 부추겨 나를 실패자로 보게" 한다고 말한다.[6]

정신분석가 애덤 필립스는 《놓치다Missing Out》라는 책에 다음과 같이 썼다.

"우리는 그 어느 때보다도 요즘 들어서 불가능한 삶이 어떤 것인지 알게 되었다. 그리고 풍족해진 세상은 그 어느 때보다도 많은 사람에게 선택의 관점에서 자신의 삶을 생각하게 만들었다. 결과적으로 우리가 될 수도 있던 혹은 할 수도 있던 가능성에 대한 근거 없는 믿음이 늘 우리를 따라다닌다."[7]

소셜 미디어 덕분에 우리는 자축하는 말투로 발랄한 언론 담당관처럼 사람들에게 명절 축하 글을 포스팅할 수 있다. 누군가 정직하게 쓴다면 아마 이런 내용일 것이다.

"아이들 성적이 좋지 않아서 실망이 이만저만이 아니에요. 우리 부부는 1년간 섹스를 안 했답니다. 지난 추수 감사절에 브래드의 누나와 말다툼했는데 그 후로 시댁 식구와는 연락을 안 해요. 난 내 일이 싫지만 돈이 필요하니 어쩔 수 없죠. 명절 잘 보내세요, 여러분!"

온라인에서도 솔직하고 가식을 떨지 않는 방법이 있다면 좋으련만.

X세대인 내 친구는 얼마 전 함께 일하는 밀레니얼 세대 직원에게 이런 질문을 했다고 한다.

"너희는 온종일 서로 밈을 보내잖니. 그걸 받는 사람이 재미없어 하면 어쩌나 하는 걱정은 안 해?"

친구 말로는 직원들이 그녀를 미친 사람 보듯 바라봤다고 한다. 친구는 그때 깨달았다. 커뮤니케이션에 대해 지나치게 걱정하는 것은 우리 세대뿐임을.

"우리 부모님과 조부모님들은 상대가 짜증 내면 어쩌나 하는 걱정 없이 신문 스크랩을 보내셨어. 이젠 아이들이 1초의 고민도 없이 친구에게 밈을 보내. 왠지 알아? 즐거움이 넘치기 때문이야. 그들은 끊임없이 자신을 검열하지 않아. 반면 우리는 믹스 테이프 하나 만드는 데도 몇 주 동안이나 고민하다가 건네면서 '별거 아냐. 네 마음에 안 든다고 해도 이해해'라고 말하지."

노스캐롤라이나주에 사는 한 여자는 소셜 미디어는 실제로 살 수 없는 완벽한 삶을 소장하는 공간이라고 했다.

"아침 8시에 입고 있는 셔츠가 이미 세 번이나 갈아입은 셔츠라는 건 아무도 모르죠. 첫 번째 셔츠는 아기가 냅킨으로 써 버렸고, 두 번째 셔츠는 텀블러 뚜껑을 느슨하게 닫은 탓에 커피가 튀어 버렸거든요. 페이스북에 올린, 해변에서 찍은 완벽한 가족사진은 사실 아이들이 서로 얼굴에 모래를 뿌려 대고 아기가 갈매기 똥을 먹으려고 하는 바람에 열 번도 넘게 찍은 끝에 나왔어요. 하지만 아무도 모르죠.”

심리 치료사 데버라 루에프니츠는 자신을 찾아오는 X세대 내담자들이 자신과 남을 비교하며 큰 고통을 받는다고 말했다.

“다들 힘들게 산다고 말하면 내담자들은 늘 이렇게 말해요. ‘우리 앞집 부부를 모르셔서 그래요. 길 건너편에 사는 부부인데 집이 얼마나 예쁜지 몰라요. 늘 깨끗하죠. 둘 다 각자 분야에서 최고 실력자예요. 아이들은 온갖 체육 대회에서 상을 받았고요. 두 사람은 늘 기운이 넘쳐 보여요. 심리 치료사 앞에서 울 필요도 없고, 불평도 하지 않아요. 그저 즐겁게 살죠. 지극히 편안하고 태평해 보여요!’ 다들 그런 본보기가 하나씩 있죠. 그런 사람들에게 난 이렇게 충고해요. ‘당신 내면을 다른 사람의 외면과 비교하지 마세요. 세상에는 틀림없이 당신을 보면서 완벽한 삶을 산다고 부러워할 사람도 있어요. 당신의 내막을 모르니까요.’”

어쩌면 우리는 ‘#소셜미디어에서이기기게임’을 그만둬야 할지도 모른다. 허울을 유지하기란 지치는 일이며, 늘 자랑하다 보면 다른 사람들과 멀어지기 마련이다. 무엇보다 우리의 이야기를 소셜 미디어에 짧게 올리는 데는 훨씬 더 파괴적인 단점이 있으니, 바로 우리 삶을 더 넓은 플롯 안에서 고찰할 수 없게 된다는 것이다.

하지만 소셜 미디어를 그만둔다고 하더라도 우리는 휴대 전화에서 빠져나올 수 없다. 우리의 어머니와 할머니는 인생의 가장 바쁜 시기에 휴대 전화를 들고 다니지 않았다. 그 작은 기계는 늘 충전해 주고 업데이트를 해 줘야 하며, 감정 변화 버튼을 매번 눌러 줘야 한다. 우리는 휴대 전화로 통장에 돈이 얼마나 있는지, 다른 사람들은 얼마나 재미있게 사는지, 다른 사람들의 정치 성향은 어떤지, 내 문자에 답장하지 않는 사람은 누구인지 알 수 있다. 살면서 가장 집중해야 할 시기에 이런 끊임없는 정보가 우리를 산만하게 만든다.

짜증 나는 포스팅을 보게 되리라는 걸 알아도 난 여전히 소셜 미디어를 보고 싶다. 좋아서가 아니다. 유용한 정보는 한 번도 본 적이 없다.[8] 마음이 따뜻해지지도 않는다. 하지만 세상이 궁금하고, 소셜 미디어는 수수께끼 상자 같다. 열 때마다 새로운 것이 들어 있다. 새끼 고양이! 갓난아기! 전 남자 친구의 결혼식 사진! 기뻐서 어쩔 줄 모르는 전 남자 친구는 말할 것도 없고, 새끼 고양이와 갓난아기를 보는 게 무슨 의미가 있다고. 하지만 나는 어느새 휴대 전화를 들여다보며 이런저런 앱을 열어 본다. 그러면 시간은 쏜살같이 흘러간다.[9]

잠자리에 들기 전에는 은행 앱을 이용해 수표를 입금한다. 누군가에게 앞으로 쓸 책에 대한 이메일을 보내고, 여러 친구에게 안부 메일도 보낸다. 스크래블 게임을 열 번은 하고, 대중교통 앱을 확인하고, 또 확인한다. 소셜 미디어와 속보를 보고, 전 세계에서 일어난 위험한 일들을 듣고, 해변에서 일몰을 감상하는 내 친구를 질투한다(왜 누구나 해변에서 즐기는 친구가 한 사람씩 있는 걸까?).

그러다 한밤중에 더위서 잠이 깨면 창문을 열고, 머리를 뒤로 모아 묶은 다음, 물을 마신다. 휴대 전화를 힐끗 보고, 알림 몇 개를 지우고 스팸 메일을 본다. 아무 생각 없이 '구독 안 함' 버튼을 누르고 다시 침대에 눕는다. 그러면 문득 '스팸 메일을 눌러서 내 계정이 해킹됐으면 어쩌지? 방금 내가 내 메일로 새벽 2시에 사람들에게 버거킹 광고 메일을 보낸 거라면?' 하는 생각이 든다.

다들 잘 알고 있듯이 휴대 전화를 보는 시간은 수면의 질과 깊이 연관되어 있다.[10] X세대는 밀레니얼 세대나 베이비 붐 세대보다 소셜 미디어에 더 중독되어 있다. 2017년 《닐슨 보고서》에 따르면 X세대가 휴대 전화를 보는 시간은 일주일에 거의 7시간으로 열여덟 살에서 서른네 살 사이의 사람들보다 40분 정도를 더 본다.[11] 2017년 국내 보고서에 따르면 수면 시간이 7시간 이상일 확률이 가장 낮은 사람은 폐경 전후 여성이고, 그 다음은 폐경이 끝난 여성이다.[12]

여자들이 모일 때 가장 흔한 주제는 잠드는 법과 깨지 않고 계속 자는 법이다. 백색 소음과 허브차, 멜라토닌으로 효과를 본 사람들도 있다. 내 친구 셰리는 아시아 음식을 파는 슈퍼에서 메가리듬 젠틀 스팀 아이 마스크라는 일회용 안대를 샀다. 안대를 착용하면 뜨거워지면서 라벤더 같은 향이 나온다고 한다.

"대형 생리대를 얼굴에 올려 둔 꼬락서니지만 효과는 아주 좋아."

셰리가 말했다.

임상 심리학자이자 NYC 슬립 닥터 설립자 재닛 K. 케네디는 다음과 같이 말했다.

"40대가 되면 모든 면에서 극심한 고통을 겪게 됩니다. 경력, 육아, 부모님 건강 상태, 재정 문제 등 모든 게 힘들어지죠. 그러면 당연히 스트레스가 심해집니다. 수면은 호르몬 변화에 아주 민감한데, 호르몬이 요동치면 불면증이 오고 수면 시간도 바뀌고 자다가 깨게 됩니다. 한 가지 혹은 전부 다 일어날 수 있어요. 예측할 수 없다는 점이 가장 힘들죠."

《시간 전쟁》의 저자 로라 밴더캠은 휴대 전화는 단지 우리의 잠만 빼앗아 가는 게 아니라 우리를 패닉에 빠지게 하고 늘 시간이 부족하다고 느끼게 한다고 말했다. 시간 일지를 써 보면 시간은 충분하다는 사실을 알게 될 거라고 한다. 밴더캠은 900명에게 하루 동안 자신의 시간을 기록해 보게 한 뒤 시간이 많다고 느낀 사람들과 시간에 쫓기고 불행하다고 느낀 사람들을 비교했다.

"좀 더 느긋한 기분을 느낀 사람들은 하루 중에 휴대 전화를 확인하는 횟수가 적었습니다. 시간을 자꾸 쪼개면 여유 있다는 느낌이 사라지죠. 그리고 대부분은 일 때문에 확인하는 게 아닙니다…… 신호등이 바뀌길 기다릴 때, 아이들이 하는 경기를 지켜보기 지루할 때, 다른 사람들이 신을 신고 차에 타기를 기다릴 때 전화를 집어 들죠……. 그 바보 같은 물건을 비행기 모드로 두세요."[13]

그래야 한다. 나도 안다. 이 책을 쓰기 위해 심리 치료사를 여럿 만났는데 휴대 전화 보는 시간을 더 늘리라고 말한 사람은 하나도 없었다.

셰리 터클은 《외로워지는 사람들》에 다음과 같이 썼다.

"삶의 무게와 속도에 압도당한 우리는 첨단 기술에 의존해 시간을 만들어 내려 한다. 하지만 첨단 기술 때문에 그 어느 때보다도 휴식을 찾느라 더욱 바빠진다. …… 첨단 기술은 감정적 삶의 풍경을 바꿔 놓지만 과연 우리가 원하는 삶을 제공하고 있을까?"[14]

나는 잠으로 빠져들면서 이 말을 생각한다. 내일 아침에는 커피를 마시기 전까지 휴대 전화를 보지 않겠다고 다짐하며.

이튿날 아침, 아이폰 알람이 울리자 나는 휴대 전화로 손을 뻗어 무수한 알림을 본다. 침대에서 일어나기도 전에 스크롤을 내리며 화면을 들여다본다.

'트위터에 문학상 수상자들이 대거 발표됐네. 난 없어. 올해는 내 책이 나오지도 않았는걸. 그런데도 왠지 마음이 아파. 오늘 성폭행을 규탄하는 파업이 열리네. 맙소사, 이 성폭행 기사들 좀 봐. 윽, 윽, 윽. 분열을 조장하는 프로파간다를 두고 벌이는 싸움이 뭔지 이제야 알겠네. 그리고 아! 싸우지 마, 친구들.

왜 싸우니.'

이전 세대의 미국 여성들이 중년이 되어 마주한 세상은 객관적으로 볼 때 여러 면에서 우리보다 스트레스가 훨씬 많았을 것이다. 제2차 세계 대전이나 대공황 시기에 태어난 우리 엄마와 할머니들은 자신의 삶을 결정할 힘이 훨씬 적었다. 세상은 경제적 하락에 둘러싸여 있고, 그들은 유명 인사들의 암살과 전쟁의 여파도 대면해야 했다. 현재 우리가 살아가는 방식에는 사태를 실제보다 더 나쁘게 느끼도록 하는 무언가가 있다. 아마도 뉴스를 너무 많이 보기 때문일 것이다.

여러 회사와 정당 조직은 소셜 미디어를 이용해 분노와 잘못된 정보를 퍼뜨리고, 특히 공포를 일으킨다. 우리는 그 사실을 알고 있지만 안다고 해서 도움이 되지는 않는다. 2016년 선거 기간에는 요동치는 뉴스 사이클을 피하기 어려웠다. 지금은 그 대다수가 좋게 말하면 진실 추구나 유권자에게 정보를 주는 데 관심이 없는 채널을 통해 우리에게 유포되었다는 사실을 안다.[15] 매일 새로운 드라마와 흥측한 사실, 충격적인 주장이 쏟아졌다. 강간, 테러, 총격 사건은 더욱더 늘어났다.[16]

특별히 암울한 뉴스가 나올 때마다 심리 치료사들은 내담자들의 불안이 치솟는 걸 목격했다고 말한다. 한 의사는 '헤드라인 스트레스 장애'라는 신조어를 만들었다.[17] 갤럽 설문에 따르면 2016년 선거는 많은 미국인에게 '주요한 스트레스의 근원'이었다. 선거가 끝난 후 민주당 지지자들이 더 많이 걱정하기는 했으나, 무소속 후보와 공화당 지지자들도 별반 다르지 않았다. 가장 많이 걱정한 집단은 여자, 흑인, 연봉이 9만 달러 이상인 사람들, 서른 살에서 마흔다섯 살 사이의 사람들이었다.[18] 갤럽은 미국인의 전반적인 행복도가 2017년에 크게 하락했음을 발견했다. 감정적·심리적 지표가 최악이었고, 특히 여성이 가장 많이 고통받았다.[19]

한 X세대 여성은 선거 이후로 "매일 데프콘 1단계예요. 머리가 터질 것 같아요."라고 말했다.

미국 심리학회에서 실시한 미국 내에서의 스트레스 통계에 따르면 미국인의 절반 이상이 지금이 미국 역사상 최악의 시기라고 믿고 있다. 단지 X세대만이 아니라 진주만 폭격을 겪은 윗세대 그리고 가장 어릴 적 기억이 9·11 테러 사건인 아랫세대도 마찬가지다.[20]

나는 미국 심리학 협회에 전화해 이토록 많은 미국인이 절망하고 있다는 사실이 놀랍지 않으냐고 물었다. 연구팀 일원이던 베일 라이트가 대답했다.

"네, 놀랍죠. 특히 네 세대에 모두 걸쳐서 그렇다는 게 충격입니다. 식견이 부족한 젊은 세대야 지금이 미국 역사상 최악의 시기라고 말해도 그러려니 하죠. 하지만 나이 많은 어른들과 베이비 붐 세대를 포함한 모두가 극심한 스트레스를 받고 있는 건 놀라운 일이죠."[21]

한 가지 덧붙이자면, 여론 조사에 참여한 네 세대 중에서 X세대가 가장 많이 괴로워했다.

인터넷은 이미 존재하는 불안을 악화시키고, 중년이 된 자신의 몸이 어떻게 보일지 한층 더 걱정하게 한다.

어느 날 오후, 동료가 창백하게 질린 얼굴로 내 맞은편에 앉더니 말했다.

"방금 엘리베이터에서 누가 나더러 축하한다는 거야. 내가 임신한 줄 알더라고. 그래서 난 '아뇨, 그냥 뚱뚱한 거예요'라고 말하면서 웃어넘겼는데, 다들 민망해했어."

이래서 절대 다른 사람에게 임신을 축하한다는 말은 하면 안 된다. 몸에서 아기가 나오는 걸 보기 전까지는. 아기 정수리를 본 후라야만 비로소 "어머, 임신하셨어요?"라고 말할 수 있다.

2011년에 연령별로 이뤄진 포괄적 연구에 따르면 미국 중년 여성 가운데 38퍼센트가 비만이다.[22] 하지만 세상의 칸막이 화장실이나 비행기 좌석, 레스토랑 의자에는 이런 현실이 반영되지 않는다. 미국 평균 여성은 이제 16~18사이즈(허리 35~37.5인치—옮긴이)를 입는데도 패션 업계는 마른 사람들을 위한 옷만 만든다.[23] 케이블 방송 리얼리티 쇼인 〈프로젝트 런웨이〉 진행자 팀 건은 《워싱턴 포스트》에 다음과 같이 썼다.

"많은 디자이너가 여전히 (플러스 사이즈 여성을 위한) 옷 만들기를 거부한다. 경멸감 때문이기도 하고, 상상력이 부족해서, 혹은 모험을 하기에는 그저 너무 비겁해서일 수 있다."[24]

X세대 여성은 종종 중년에 자기 몸을 통제하려고 하지만 중년의 몸은 놀랍도록 원래 몸무게로 돌아가려 한다는 사실을 알게 될 뿐이다.

"누구나 노력하면 자신이 원하는 몸매를 가질 수 있다는 환상은 특히 여성에게 매우 고통스럽다. 특히 극도로 마른 몸이 '이상적'인 우리 사회에서는."[25]

배리 슈워츠가 《점심메뉴 고르기도 어려운 사람들》에 쓴 글이다.

폐경기 역사를 다룬 책 《안절부절못하는Hot and Bothered》을 쓴 주디스 A. 하우크 교수는 자신의 몸을 통제하고 싶어 하는 여성의 바람은 점차 의무감으로 바뀐다고 내게 말했다. 하우크는 '황혼의 수면'으로 알려진 옛날 출산 전략을 언급했다. 약물을 이용해 반마취 상태에 빠지게 하는 방법인데 출산의 고통은 사라지지 않지만 기억이 지워진다고 한다.[26]

"의학적 도움을 받을수록 발생하는 아이러니죠. 중산층 여성은 출산을 더 많이 통제하고 고통과 트라우마를 줄이고 싶어 했어요."

그들은 황혼의 수면을 요구했지만 거기에 심각한 단점이 있다는 걸 깨달았다.

하우크가 말을 이었다.

"우리를 늘 따라다닐 부작용을 보여 주는 완벽한 예죠. 당신은 심각한 문제가 있기 때문에 의학적 도움을 원해요. 하지만 일단 도움을 받게 되면 요구하지 않은 것도 따라옵니다. 의학적 도움의 의도치 않은 결과는 언제나 복잡하죠."

X세대 여성에게 가장 쓸모없는 말은 날씬한 몸매를 가지려면 더 열심히 운동해야 한다는 말일 것이다. 우리 세대의 아주 많은 여성이 핏빗Fitbit처럼 걸음 수를 측정해 주는 기기를 손목에 차고 자신의 모든 동작을 감시한다. 젊었을 때 우리의 몸은 종종 사람들의 찬사를 받았지만 이제는 걱정스러운 시선을 받는다. 끊임없는 감시를 받는다. 우리는 이 감시탑의 교도관인 동시에 죄수다.

"난 마음의 평화를 원하는 게 아냐. 섹시한 몸매를 원하는 거라고."

요가 수업 맨 마지막 휴식 단계인 사바사나를 건너뛰는 친구에게 왜 그러냐고 물었더니 이렇게 대꾸했다. 이렇게 생각하는 사람은 그 친구만이 아니다. 지난 20년간 점점 더 많은 사람이 완벽한 몸매를 가꾸려고 노력해 왔다.

중년 여성이 불만을 표시할 때 주로 받는 충고에는 늘 몸매를 관리하라는 말이 들어간다. 나는 헬스장 러닝머신 위를 걷는 내 또래 여자들을 바라본다. 너무도 단호한 표정으로 열심히 걷고 있다. 아침 프로그램부터 저녁 뉴스까지 전문가들은 집안일을 도표로 만들라거나, 수입의 몇 퍼센트를 저축하라거나, 옷장을 정리하라거나, 체질량 지수를 25 아래로 유지하라고 말한다. 자존감이 떨어지는 여성을 상대하는 것만큼 돈벌이가 되는 일도 없는 듯하다. 그렇다 하더라도 올리버 버크먼이《합리적 행복》에 썼듯이 "행복해지려는 노력이 종종 우리를 불행하게 하는 원인"이 된다.[27]

다시 말하면, W. H. 오든이 셰익스피어 희곡 속 인물들을 주제로 한 에세이에 썼듯이 "고통을 거부하는 자들은 고통을 피할 수 없을 뿐 아니라 죄와 고통에 점점 더 깊이 빠져들게" 마련이다. 오든에 따르면 셰익스피어 작품에서는 모두가 고통받는다. 차이점이라면 비극에서는 고통이 '자신을 제대로 보지 못하고, 반항하고, 미워하는' 방향으로 흘러가지만, 희극에서는 '자신을 이해하고, 회개하고, 용서하고, 사랑하는' 방향으로 흐른다.[28]

고통을 피하는 법에 관해 우리에게 쏟아지는 조언은 X세대 여성에게 더는 강조할 필요가 없는 생각을 강화시킨다. 이를테면 더 많이 일하고, 더 열심히 일하고, 더 많은 강좌와 프로그램을 듣고, 디톡스도 더 많이 해야 한다는 등의 생각. 하지만 사실 전혀 흠잡을 데 없이 산다고 해도 문제는 생길 수 있다.

한 친구는 이렇게 말했다.

"둘째 아이가 태어난 후에 매년 1.5킬로그램씩 체중이 늘었어. 그러다 어느 순간 안 되겠다 싶더라고. 그래서 열심히 운동하고, 이것도 하고 저것도 했지. 그런데 문득 이런 생각이 드는 거야. 그냥 엄마로 살면 안 되나? 꼭 섹시한 아줌마가 돼야 해? 곧 있으면 마흔이니까 노력하면 얼마든지 섹시하게 보일 수 있지만 그냥 푸근한 엄마가 될 수도 있는 거잖아. 스무 살이 아닌 마흔 살처럼, 그냥 나이 들어 보이면 안 되는 거야? 나이 들어 보이는 것도 아니지. 난 애를 둘이나 낳았어. 그러니까 좀 봐줘라. 필라테스도 다니기 싫어. 내 기억에 우리 엄마들은 마흔 살에 그렇게 섹시해 보이지 않았다고."

2세대 페미니스트이자 사회 운동가이며 작가이고 "개인적인 것이 정치적인 것이다"라는 인기 있는 격언으로 유명한 캐럴 허니시는 어떤 면에서는 1970년대 여자들의 삶이 장점도 있었다고 말했다.

"지금 시대 여성의 삶이 더 나아졌는지 아닌지는 논쟁의 여지가 있어요. 확실히 요즘에는 직업을 가진 여자가 더 많죠. 반면 예전에는 브라질리언 왁싱을 하고 킬힐을 신어야 하는 부담도 없었어요."[29]

미시간주에 사는 한 여자는 중년이 되어서야 마침내 몸에 대한 수치심을 내려놓을 수 있었다고 말했다.

"20대 때 바텐더를 하면서 가슴 수술을 하려고 돈을 모았죠. 그걸 알고 손님들이 팁을 더 많이 줬어요. 내가 가슴이 정말 작았거든요. 수천 달러를 모으고도 그 돈은 절대 쓰지 않았죠. 왜냐하면 가슴 수술을 할 거니까요. 그런데 천만다행히 머릿속에서 수술하지 말라는 작은 목소리가 들렸어요. 그래서 그 돈으로 소파와 냉장고를 샀죠. 너무 잘한 일이에요. 예전에 한 아주머니가 '어머, 그런 수술은 할 필요 없어. 마흔이 되면 저절로 커질 테니까'라고 말한 적이 있는데 그 말이 맞았어요. 지금은 살이 좀 찌기는 했지만 아주머니 말대로 됐죠."

하우크는 중년이 되면 여성은 자신에게 너그러워져야 한다고 생각한다. 자기 부정이 영원한 미덕은 아니다.

"초콜릿을 거절하는 게 잘하는 일이라는 생각은 대체 어디서 온 거죠?"

하우크의 말을 듣기 전까지는 나도 그런 생각을 별로 해 본 적이 없다. 왜 우리는 통통하고 투덜대고 마음대로 행동하면 안 될까? 나는 내 인생의 영웅을 떠올려 본다. 날 격려해 주던 선생님들, 따라 하고 싶던 작가들, 어릴 때 내게 친절했던 친척들. 그들 중에 슈퍼모델처럼 생긴 사람은 없었다.

"약간 못마땅한 몸으로 사는 게 세상에서 가장 끔찍한 일은 아니에요."

하우크의 말이다.

소셜 미디어가 키우는 불안을 해결하는 한 가지 방법은 가상 관계를 진짜 관계로 대체하는 것이다. 중년 여성들은 중년의 가장 큰 축복이 다른 여자들과 쉽게 소통할 수 있는 점이라고 말했다.

최근 들어 나는 또래 여자 서넛이 모인 곳에서는 거의 매번 연대 의식을 조성한다.

"이 검사 정말 싫지 않나요?"

검사복 차림의 지쳐 보이는 표정의 여자가 뉴욕 병원 대기실에 앉아 있는 나와 다른 사람을 향해 큰 소리로 말했다. '앞을 벌려서' 입어야 하는 푸른색 검사복이 초음파 젤 잔여물 때문에 가슴에 딱 달라붙은 우리는《인스타일》과월 호 사이에 앉아 있었다.

다들 그녀의 말에 동의하는 소리를 냈다.

그녀는 우리보다 먼저 검사 결과가 나왔는데, 아무 이상이 없었다.

"뭐, 다행이네요."

우리는 마치 평생 알고 지낸 사이처럼 그녀를 축하해 주었다.

당신도 그렇게 우연히 서로를 지지해 주는 집단에 속할 수 있다. 혹은 미리 계획해서 그런 모임을 만들 수도 있다. 예전에는 공동의 관심사를 가진 사람들이 서로 어울리는 문화가 있었다. 로버트 퍼트넘은 2000년에 출간된 유명한 책《나 홀로 볼링》에 우리가 점차 그런 관습에서 멀어졌다고 썼다. 15년 후 퍼트넘은《우리 아이들》에서 그 문제를 다시 제기한다. 퍼트넘은 "지난 20년간 혈연 그리고 비혈연 네트워크는 점차 줄어들었으며 비가족 유대 관계는 한층 더 심하게 줄어들었다"고 말한다.

"미국인의 사회적 네트워크는 무너지고 있으며 이제는 더 적은 인원이 더 *끈끈하고*, 더 균질하며, 더 가족적인(덜 비혈연적인) 유대 관계를 구성한다."[30]

마흔이 된 후로 나는 우연히 얻게 되는 응원과 동지애가 더욱 필요하다고 마음먹고 계획을 세웠다.

"당신은 마흔이 된 후로 삶에 더 많은 여자를 끌어들여야겠다고 결심하고 실행에 옮기는 것 같아."

남편이 내게 말했다.

난 우리 아들에게서 영감을 받았다. 작년에 열한 살이던 아들은 같은 학교에 다니는 열두 살 여학생과 함께 브리티시 클럽을 만들었고, 지금까지 클럽 활동을 계속한다. 두 사람은 매주 토요일 점심시간에 만나서 벽에 영국 국기를 걸고, 홍차와 영국 과자를 먹고, 영국식 억양이 들어간 영어로 이야기한다. 심지어 자기들만의 건배법도 있는데 새끼손가락을 쭉 뻗은 채 찻잔을 들어 살짝 건배하며 "런던을 위해!"라고 외치는 것이다.

브리티시 클럽의 마법 같은 기운을 닮고 싶어서 나도 나만의 클럽을 가능한 한 많이 만들었다. 매달 집마다 돌아가면서 적은 돈을 걸고 포커 게임을 하는 모임에 들어갔고, 여름에 매주 시합을 벌이는 친구의 퀴즈 팀에도 들어갔다. 친구 리사와 1년에 서너 번씩 만나 스크래블 게임을 하고, 친구 에밀리와는 정기적으로 철자 바꾸기 게임을 한다.

더 나아가 올해 두 작가 친구와 나는 야심 차게 논픽션 작가

들끼리 저녁에 바에서 만나는 모임을 만들기로 했다. 만나서 일이야기를 하고, 빅 벅 헌터라는 아케이드 게임도 하고-《어니언》기사에서 여자들이 모여서 떠들썩해지면 정말로 어떤 일이 벌어지는지 설명한 대로-"서로를 열나게 인정해 주는" 모임이다.[31] 누구든 부담 없이 올 수 있도록 술과 간단한 안주를 파는 허름한 술집에서 매달 2시간 정도 만나기로 했다. 우리는 그 모임의 이름을 감상적인 기사만 쓴다며 여기자들을 폄하하던 구식 표현인 '흐느끼는 자매들'로 결정했다. 첫 모임에 10명 정도 올 거라는 예상과 달리 50명이 왔다. 다른 도시에서 온 사람도 몇 명 있었다. 편집자를 씹어 대고 술을 더 시키는 여자들을 보며 '우리에겐 이런 모임이 필요했나 봐'라는 생각이 들었다.

중년에 새 친구를 사귀는 일은 지독하게 힘들다. 이와 관련해서 한 작가는 다음과 같이 썼다.

"중년에 접어들면 삶이 신나는 소개팅처럼 느껴지는 탐색의 나날은 점차 사라진다. 빡빡한 일정과 우선순위의 변화로 종종 친구에게 원하는 것이 더 까다로워진다."[32]

나는 이를 해결할 한 가지 방법을 찾아냈다. 지겨운 일을 하는 동안 친구에게 연락하는 것이다. 친구 타라와 나는 일주일에 서너 번씩 뭔가를 기다리거나 걸어가는 동안 시간을 죽이려고 짧게 통화한다.

"나는 드러그스토어에 함께 갈 친구밖에 없어."

타라가 말했다.

폐경 전후 증상이 나타난 중년 여성에게 내가 기꺼이 해 줄 수 있는 조언은 첫째는 북미 폐경 협회 자격증을 가진 친절한 산부인과 의사를 찾아가라는 것이고, 둘째는 모임을 만들라는 것이다. 북클럽에 가입하면 책도 읽고 친구들과 어울릴 수 있다. 하지만 어떤 주제로든 당신이 직접 모임을 만들 수도 있다. 뜨개질 모임, 춤 모임, 월요일마다 마르가리타를 마시는 모임, 시내 피자 가게를 모두 섭렵하는 모임, 새로운 중년의 위기 입문 클럽 등등.

만날 사람을 찾기 힘들다면 중년과 노년 여성을 위한 '밋업'이나 티파니 두푸가 만든 '더 크루'처럼 연회비를 내는 사교 모임에 가입할 수도 있다.[33] 너무 바쁜 사람이라면 가뜩이나 꽉 찬 일정에 또 다른 일정을 추가하는 게—마치 더워 죽겠는데 머플러를 하나 더 두르는 것처럼—이해가 안 될 테지만 그럴 만한 가치가 있다.

"중년은 특히 오랫동안 젊음을 누린 세대에게는 이상한 나라처럼 느껴지지."

내 친구가 말했다.

친구는 중년의 모임을 "자신이 선택한 격리 막사"라고 빈정거렸다. 하지만 그렇게 말하면서도 모임에 나간다.

매달 세 번째 월요일 저녁 7시부터 9시까지 가격을 할인해 주는 술집에서 혹은 각자 도시락을 준비해 교회 지하실에서 만난다든지 하는 식으로 한두 달에 2시간씩 만나면 좋다. 매번 모든 회원이 참석하지는 않을 테지만 운이 좋으면 매번 사람들이 모일 테고, 적어도 1년에 서너 번은 모든 회원이 다 참석할 것이다. 우스꽝스러운 모자를 쓰고 박하 술을 마시며 매해 열리는 켄터키 더비 경마 경주를 즐기는 파티를 포함해 이런 정기적인 모임을 많이 주관하는 내 친구 비즈는 이렇게 말했다.

"어른들도 재미있게 노는 법을 찾아야 해."

내가 주관한 모임이 열리는 날, 우리는 서로를 보며 미소를 지었다. 술집 안은 주름진 얼굴로 가득했지만, 아무도 신경 쓰지 않았다.

열한 번째 이유

[새로운 내러티브]

스스로를
구원하는 법

"어쩌면 우리가 받아들여야 할 현실은
'난 아무것도 되지 못했어'가
아닐 수 있다. '우리는 힘든 일을 치렀어, 삶은 큰 실험이었지.
하지만 지금 우리를 봐, 아주 많은 걸 이뤘잖아'가
더 맞는 말일지도 모른다."

그녀는 앞으로 다가올 날들을 생각하며 미친 듯이 상상의 나래를 펼쳤다. 봄, 여름, 그리고 혼자서 보내게 될 온갖 종류의 나날들. 앞으로 오래 살게 해 달라고 짧은 기도를 내뱉었다. 어제만 해도 앞으로 살날이 많다는 사실이 끔찍해서 몸을 부르르 떨던 그녀였다.

—케이트 쇼팽, 〈1시간 동안에 생긴 일〉, 1894년[1]

어젯밤에 나는 평소처럼 새벽 4시에 깼다가 얼마 지나지 않아 다시 잠들었다. 다시 잠들 때까지 옆에서 잘 자는 남편을 욕하지 않았고, 통장 잔액이나 내가 하는 일의 미래를 곰곰이 생각하지도 않았다. 옆으로 돌아누웠더니 어느새 알람이 울렸고, 아침을 준비할 시간이었다.

이 책을 쓰면서 내 중년의 위기는 치유되었다. 난 이 시기를 견디기 쉽게 해 줄 특효약을 찾는 건 포기했다. 대신 이 시기를 더 힘들게 혹은 쉽게 보낼 수 있게 해 주는 것이 많음을 알게 되었고, 덕분에 변화했다.

우선 날 도와줄 전문가들로 팀을 꾸렸는데 〈오션스 일레븐〉 못지않다. 도움이 필요할 때면 언제든 만날 수 있는 훌륭한 상담가와 프리랜서의 우여곡절을 이해하는 회계사, 가족들 유언장과 건강 관리 위임장 및 다른 서류들을 적법하게 처리해 줄 상속 전문 변호사, 목구멍이 부었을 때 응급으로 치료받을 수 있는 병원, 집을 비울 때 거북이를 맡길 수 있는 학생까지. 그리고 나와 같은 분야에서 일하고 같은 지역에서 사는 사람들과 정기적으로 만날 수 있는 모임도 만들고 가입하기도 했는데 아주 재미있다.

더 사소하게는 내 기분을 나쁘게 하는 것(과음, 소셜 미디어 보기)과 좋게 하는 것(하루 세 끼 먹기, 신선한 공기 속에서 걷기)이 무엇인지 알아내고 그에 따라 행동했다. 혹은 적어도 파티 이튿날 아침이나 온종일 컴퓨터 앞에서 보낸 후에 기분이 나쁘면 원인이 무엇인지는 알게 되었다.

호르몬 대체 요법에 사용되는 에스트로겐과 프로게스테론을 저용량 피임약 형태로 먹기 시작했다. 서너 달 적응기가 지나자 생리는 훨씬 더 불규칙해졌다. 몸이 부었고, 나는 계속 살이 쪘다고 확신했다. 그러다 그런 증상이 사라졌고, 생리도 한결 규칙적으로 되었다.

그러더니 갑자기 생리가 멈췄다. 조기 폐경인가 싶었지만, 아니, 아직은 아니었다. 꿀벌 화분을 처방해 주던 병원을 그만 다니고 다른 병원에 다녔는데 그 병원의 의사는 피임약이 배란을 억제하기 때문이라고 했다. 그러면 자궁에 내보내야 할 물질이 전혀 쌓이지 않고, 부정 출혈이 있거나 아예 생리를 안 하게 된다고 한다. 난 생리가 그립지 않다.

몸에 신경을 덜 빼앗기니 세상에서 내 위치를 좀 더 명확하게 생각할 수 있었다. 순진한 소녀로서가 아니라 엄마, 멘토, 이웃 사람, (감히 꿈꾸자면) 섹시한 아줌마로서.

"어머, 이제 걷는구나!"

최근에 나는 근처에 사는 아기가 막 걸어 다니기 시작하는 걸 보고 이렇게 외쳤다. 전에는 걱정이나 자기비판에 사로잡혀 멍한 상태로 다닌 터라 설사 그 아기가 스케이트보드를 타고 쏜 살같이 지나가도 알아차리지 못했을 것이다.

기대치도 한결 낮아졌다. 이 나이에는 단단한 복근이나 완벽하게 차분한 마음, 100만 달러가 든 통장을 가질 수 없다는 사실을 받아들였다. 자기 삶에 대해 솔직히 말하는 동년배 여성들에게 둘러싸여서 지내는 것도 도움이 되었다.

인내심도 늘었다. 많은 여성에게 폐경 전후는 힘든 시기이며, 그 시기가 언젠가는 끝난다는 사실을 알고 있다. 내가 뭘 하든 혹은 하지 않든 10년쯤 지나면 달라질 것이다. 나는 나보다 나이 많은 사람들과도 친구가 되었고, 그들을 보며 내 미래도 더 평온해질 수 있다는 사실을 상기했다.

내가 해 주는 충고를 흔히 말하는 '자기 돌보기'의 영역에 넣어서는 안 된다. 스파에 가거나 얼굴 마사지를 받는 것과 같은 단기간의 호사는 부러진 뼈 위에 반창고를 붙이는 꼴이다. 우리의 문제는 '나만의 시간'을 갖는 것으로는 해결되지 않는다. 이 시기에 가장 사양해야 할 것이 있다면 자기 계발이다. 다들 우리에게 이렇게 해라, 저렇게 해라 훈계한다. 마치 인간의 조건을 바꿀 수 있는 빠른 해결책이라도 있다는 듯이. 이 시기에 필요한 것은 더 많은 충고가 아니라 위로다.

내가 대면해야 했던 중년의 큰 문제는 '불안하면 안 돼'라는 변치 않는 믿음과 짝을 이룬 불안이었다. 참으로 불합리하다. 솔직히 말해서 내가 불안하지 않다면 도리어 이상하리라. 인간은 늘 상황을 자신에게 부당한 쪽으로 보도록 설계되었다.[2] 2013년 오스트레일리아의 어느 대학 졸업 연설에서 코미디언 팀 민친은 다음과 같이 말했다.

"인간은 늘 만족하는 쪽으로 진화하지 않습니다. 만족한 호모 에렉투스는 유전자를 물려주기 전에 잡아먹혔어요."[3]

이상한 말이지만 내가 겁에 질릴 이유가 충분하다는 사실을 알고 난 후 나는 한결 느긋해졌다.

내게는 중년에 마음의 평화를 얻는 첫 번째 단계가 게임이 조작되었다는 사실을 아는 것이었다. 지금 상황이 더 힘들게 느껴진다면 그것은 단지 우리가 주의를 너무 기울이기 때문일 수 있다. 지금은 인생에서 평탄치 않은 시기다. 기분이 좋기를 바라서는 안 된다.

《느린 나날, 스쳐 가는 인연Slow Days, Fast Company》에 이브 바비츠는 다음과 같이 썼다.

"여성은 '모든 것'을 가질 준비가 되어 있지 않다. 성공을 통해 쟁취한 '모든 것' 말이다. 다시 말해 왕자와 결혼해 영원히 행복하게 살 준비만 되어 있을 뿐 그 외의 '모든 것'은 가질 준비가 되어 있지 않다(결혼생활이 불행해지고 왕자가 베이비시터와 도망쳤더라도 그런 선례는 본 적이 있다). 반면 '모든 것'을 가지고도 불행해질 수 있다는 사실은 배운 적이 없다."[4]

이런 상황에서는 현실에 불만을 품고 페미니즘이 도리어 우리를 불행하게 만들었다고 선언하기 십상이라는 걸 나도 알고 있다. '가능성이 있다는 게 마음에 안 들어? 걱정하지 마! 다 가져가 버릴게!'라고 말하는 악당의 소리가 들리는 듯하다.

선택지가 많아서 싫다는 말이 아니다. 선택지만 너무 많고 충분한 도움을 받지 못하면 수치심만 느끼게 된다는 뜻이다. 직장과 집에서 온전하고 평등한 동반자가 되고, 여러 사람을 만나고, 사회에 기여하고, 날씬한 몸매를 유지하는 등 이 모든 것을 하기란 이 중 하나만 하는 것보다 훨씬 더 힘들다. 우리는 더 많은 것을 요구했지만 언제 얻은 적이 있던가? 세상은 분명 예전보다 더 공평해졌다. 하지만 살기가 쉬워졌는가? 절대 아니다.

2018년 12월 어느 날 밤, 토니상을 받은 여배우이자 가수인 토냐 핀킨스는 무대에서 자신이 겪은 폐경기를 말하며 이렇게 덧붙였다.

"수십 년 전보다 세상은 훨씬 좋아졌지만 좋으면서도 동시에 나쁠 수 있어요."[5]

'좋으면서도 나쁘다'는 중년에 우리의 가능성을 생각하는 하나의 관점이 될 수도 있다.

올 한 해 동안 다른 여자들의 이야기를 들으며 마침내 나는 우리의 기대가 터무니없다는 확신을 얻었다. 내가 만난 많은 여자가 객관적으로 성공을 거뒀는데도 자신을 실패자로 생각하고 부끄러워했다.

만약 우리가 실패자가 아니라면 어떻게 될까? 우리가 훌륭한 일을 해냈다면? 어쨌든 그 정도면 충분히 잘했으리라.

"예전에는 아마 서너 가지 분야에서 자신을 평가했을 거예요. 외모, 집, 남편, 아이들 정도로요. 요즘은 그 모든 것에 경력, 재정, 친환경 감수성, 건강 등등이 계속 더해지죠."[6]

창조적 리더십 협회 수석 연구원 제니퍼 J. 딜의 말이다.

아주 많은 X세대 여성이 모든 분야에서 다 성공하지 않으면 기회를 낭비하는 것으로 믿으며 자랐다고 말했다. 그들은 엄마와 할머니가 갖지 못한 기회를 모두 이용해야 한다는 압박감을 지녔다. 그리고 그 과정에서 자신을 몰아붙였다.

"내 주변의 행복한 사람들은 모든 것에 신경 쓸 수 없음을 깨달았어요. 어디에 신경 쓸지 결정해야 해요. 모든 게 중요하다면 미쳐 버릴 거예요."

딜이 말했다.

그래서 우리가 미쳐 버린 것이다. 그리고 우리는 의지나 능력만 있다면 문제를 해결할 수 있다고 들어 왔다.

나는 지치고 우울하지만 명상하고, 요가하고, 상담을 받고, 혹은 일주일에 세 번씩 교회에 나간다고 말하는 여자를 많이 만났다. 그들에게 가장 큰 영향력을 미치는 사람은 오프라 윈프리였다. 그들은 디톡스 요법으로 몸을 해독하고, 휴식을 취한다. 스파에 가고, 스타일을 바꾸고, 성형 수술을 한다. 그렇게 함으로써 많은 실수 중에서 무엇이 그들을 꿈꾸던 삶과 전혀 다른 삶으로 이끌었는지 알아낼 수 있으리라고, 다시 원래 선로로 돌아갈 수 있으리라고 믿는다.

태피 브로데서 애크너는 귀네스 펠트로가 운영하는 쇼핑몰 굽에 관한 글에 다음과 같이 썼다.[7]

"'모두 다 가져라'라는 문구가 여자들에게 인기를 잃은 순간, 그 공백을 메우기 위해 웰빙이 끼어들었다. 우리도 모르는 사이에 웰빙의 관점이 삶의 곳곳에 침투했다. 여름 세일도 웰빙이고, 공원에서 하는 요가도 웰빙이다. …… 실내 자전거 타기, 아사이베리, 노화 방지제, '마인드 보디'라는 문구, 명상, 아들이 학교에서 가져온 마음 챙김 유리병, 콤부차, 인도 홍차, 주스 전문점, 귀리 우유, 아몬드 우유, 엄밀히 말해서 우유가 될 수 없는 물질에서 추출한 모든 우유도."

굽에서 구입한 물건에 둘러싸여 몇 달을 보낸 후에 브로데서 애크너는 깨닫는다.

"우리는 평생 무언가를 열망하게 되어 있다. 열망은 고통이다. 웰빙도 고통이다. 원하는 것을 모두 얻는 순간 가능성이 얼마나 무한한지, 가능성 없이 산다는 게 얼마나 끔찍한지 알게 될 것이다."

나는 비교적 잘 챙겨서 먹고 가끔씩 자연을 접하려고 노력하지만, 그런 것들이 존재적으로 중요한 시기인 중년의 문제를 해결할 수 있다는 환상은 없다. 이 문제를 해결할 수 있는 것은 새로운 이야기뿐이다.

다음은 내게 도움이 된 실화인데 교훈이 담겨 있다.

한 여자가 정신없이 바쁜 날에 우버 앱으로 차를 불렀다. 차에 올라타고 보니 내부가 지저분했다. 짜증 나는 일이 또 하나 추가된 것이다. 이보다 더 나쁜 하루는 없으리라. 여자는 뒷좌석을 청소하고 운전사에게 쓰레기를 건넸다.

운전사는 아무 말도 하지 않고 그녀를 빤히 바라보았다.

여자는 더 화가 났다. 내가 자기 차를 청소해 줬는데! 온종일 다른 사람들을 위해 일했는데, 심지어 이 남자는 고맙다는 인사조차 없다!

그때 창밖을 내다본 그녀는 차에 타려고 기다리고 있는 여자를 보았다. 그제야 이 차가 자신이 부른 우버가 아님을 깨달았다. 창밖의 여자와 운전자는 서로 바라보며 눈썹을 치켜세웠다. 이 차는 우버 차량조차 아니었다. 그녀는 엉뚱한 차의 뒷좌석에 올라타 씩씩거리며 차 주인에게 쓰레기를 건넨 것이다. 여자는 자신의 실수를 설명하고 사과했다.

이 지점에서 상황은 여러 방향으로 갈릴 수 있다. 운전하던 남자는 여자에게 호통을 쳤을 수 있다. 그녀를 조롱했을 수도 있다. 차 밖에서 기다리고 있던 여자는—나중에 알고 보니 운전자의 아내였다—화를 내거나 둘 사이를 의심했을 수 있다. 힘든 하루를 보낸 여자는 민망해서 쥐구멍에라도 들어가고 싶었을 수 있다.

하지만 다른 일이 벌어졌다. 남자가 웃음을 터뜨린 것이다. 그는 차에서 내려 아내에게 자초지종을 설명했다. 아내도 웃었다. 그러자 뒷좌석에 앉아 있던 여자도 웃었다. 세 사람은 웃음을 멈출 수 없었다. 그렇게 셋은 한낮에 도심 인도에 서서 함께 웃어 댔다. 여자는 여전히 낄낄거리며 자신이 부른 우버 차량을 찾으려고 자리를 떴다. 이전까지 느끼던 우울한 감정이 사라졌을 뿐 아니라 그 이후로 내내 기분이 좋았다. 무엇이 이런 차이를 만들었을까? 운전자의 웃음 덕분이었다.

난 뉴올리언스에서 임상 사회 복지사로 일하는 친구 에이저에게 이 이야기가 왜 그렇게 내 마음에 드는지 분석해 달라고 했다. 에이저는 이 이야기가 중년에게 좋은 이유는 상황을 다른 시각으로 보는 것이 얼마나 도움이 되는지 보여 주기 때문이라고 했다. 우리는 너무도 자주 잘 살아야 한다는 임무를 부정적이고도 자신을 벌주는 식으로 바라본다고 그녀는 말했다. "운동을 더 해야 해!", "요가를 할 때는 세상 최고로 집중해!", "이틀에 한 번은 완벽한 채식을 해야 해!" 등등. 에이저가 말을 이었다.

"우리는 기본적으로 좋은 생각을 받아들인 다음, 그걸 자신을 채찍질하는 수단으로 삼지. 하지만 우버 이야기에 등장하는 남자 운전자와 실수한 여자는 둘 다 민망하거나 기분이 나쁘거나 화가 날 만한 순간을 받아들여서 재미있고 사랑스러운 일로 넘기는 능력을 보여 줬어."

이를 흔히 말하는 '매사를 즐겁게 보는 태도'로 요약할 수도 있지만, 이 이야기는 그보다 훨씬 더 심오한 듯하다. 실수를 받아들이는 방법을 알려 줬고, 그 이야기 안에서 우리는 응원받을 자격이 있는 주인공이 되었다.

자서전 쓰기 수업을 할 때 나는 이야기의 구조가 이야기를 의미 있게 만든다고 설명한다. 시작과 중간, 끝은 무엇인가? 플롯의 주요한 요점은 무엇인가? 가장 감동적인 장면은 무엇인가?

우리를 중년의 고통에서 구제해 주는 것은 외부의 힘일 수도 있지만 자신의 삶을 예상 밖의 무언가로 새롭게 보는 시각일 수도 있다.[8] 바버라 브래들리 해거티, 브레네 브라운, 엘리자베스 길버트, 셰릴 스트레이드를 포함해 인생의 위기에 대해 이야기하는 많은 작가가 우리 삶에 등장하는 사람들의 역할을 다시 결정하고 자신의 삶을 다시 생각하라고 말했다. 앤 보스캠프는 최근 중년에 관한 논평에 "삶이 좋아진다고 해서 꼭 쉬워져야 한다는 법은 없다"라고 썼다.[9]

어쩌면 X세대 이야기는 '우린 빈털터리야, 우린 불안정해, 우린 외로워'가 아닐 수 있다. '우리는 힘든 일을 치렀어. 우리 삶은 큰 실험이었지. 하지만 우릴 봐. 아주 많은 걸 이뤘잖아'가 되어야 할지도 모른다.

휴대 전화와 헬리콥터 부모 없이 어린 시절을 보낸 X세대 여성은 일찌감치 자신의 수완에 의지하게 되었다. 자신을 안전하게 지키기 위해 상황을 통제했다. 열심히 일하고, 목록을 만들고, 오랫동안 별다른 도움 없이 혼자서 모든 걸 동시에 하려고 했다. 자기 자신을 책임지고, 나중에는 일뿐 아니라 동반자, 자녀, 부모까지 책임졌다. 우리는 자신을 자랑스러워해야 한다.

나는 1980~1990년대에 방송된 게임 쇼 〈더블 데어〉[10]가 자꾸 생각났다. 거기서 어린이 참가자들은 진흙으로 만든 산 같은 장애물 속에서 주황색 깃발을 찾아야 했다. 내가 생각하기에 그런 상황은 중년이 된 우리 세대의 훌륭한 비유다. 우리는 진흙 때문에 온몸이 찐득거리지만 그 난리 속 어딘가에 작은 주황색 깃발이 있다.

내가 좋아하는 연구가 하나 있는데 아이들에게 '흥망성쇠가 있는 가족사'[11]를 들려주는 게 어떤 혜택을 주는지 알아본 연구다. 연구자들은 아이들의 회복 탄력성을 높이는 데 다음과 같은 이야기가 도움이 된다는 걸 알아냈다.

"있잖니, 우리 집안은 흥망성쇠를 거쳤단다. 우리는 가족이 힘을 모아 사업을 했어. 네 할아버지는 지역 사회의 기둥 같은 분이셨단다. 네 엄마는 병원 임원이었고. 하지만 나쁜 일도 있었지. 네 삼촌은 경찰에 체포된 적이 있어. 우리 집은 불에 타기도 했고, 네 아빠는 실직하기도 했어. 하지만 무슨 일이 있든지 우리는 늘 똘똘 뭉쳤단다."

이런 식의 이야기는 아이에게 자신감을 키워 준다. 심지어 가족이 계속 잘되기만 했다는 이야기보다 더.

X세대는 호황기에 살지는 않았지만 우리의 추락을 의미 있게 만들어서 '괜찮아질 거야'라고 말할 수 있을 것이다. 우리가 모든 걸 해결하지 못한다면 아마 우리 아이들이 해낼 것이다. 포스트 밀레니얼 혹은 Z세대는 미국 역사상 가장 다양하고 고학력인 세대가 될 확률이 높다.[12] 과거에도 그랬듯이 우리의 미래도 좋을 때가 있고, 나쁠 때도 있을 것이다. 무엇이 오든 우리는 감당할 수 있다.

봉사 활동을 많이 하는 내 지인은 너그러운 자신과 달리 남편은 이기적인 성격이지만 자신은 개의치 않는다고 말했다.

"누구의 인생이 더 풍요로운지 보세요……. 일은 내가 훨씬 많고, 남편은 온종일 다른 사람을 위해 아무것도 하지 않고 혼자 앉아 있지만 내가 얻는 이익이 훨씬 커요. 친구도 많고요. 난 최고의 인생을 살고 있죠."

지난봄, 플로리다에 사는 친구와 저녁을 먹었다. 우리는 직원들이 테이블 위에 의자를 올리며 정리할 때까지 레스토랑에서 수다를 떨었다. 직원들은 우리에게 원할 때까지 앉아 있다가 가라고 했다(친구가 사장과 아는 사이였다). 친구는 이혼을 하고 직업까지 바꿨지만 행복해 보였다. 일에서 보람을 느끼고 아들들을 자랑스러워했다.

그녀는 자신의 상황이 얼마든지 기분 나쁠 수 있음을 알고 있었다. 돈도 많지 않고, 운동도 원하는 만큼 자주 하지 못했다. 그래도 이상하게 희망적인 기분이라고 말했다.

"좀 궁금해. 내 인생이 뭔지, 그리고 앞으로 내 인생이 어떻게 될지. 사는 게 이상한 모험 같거든. 다음에 무슨 일이 벌어질지 전혀 모르겠어. 이상하면서도…… 무섭고…… 그러면서도 재미있어. 무서운 재미지만."

내게는 이것이 삶, 매일, 온종일을 전혀 다르게 생각하는 방식이다. 나는 이것들을 하나의 이야기로 받아들이는데, 이 이야기 속에서 나쁜 일은 플롯의 일부일 뿐 무작위로 일어나는 재앙이 아니다.

인테리어 잡지에 글 쓰는 일을 할 때 나는 편집자가 교정지에 적어 둔 메모를 보고 화가 잔뜩 났다. 이를테면 이런 식이었다.

"정확히 어떤 종류의 고리버들 의자를 말하는 거죠?"

하지만 문득 나는 돈을 벌어야 하고 따라서 어떻게든 이 일을 좋아해야 한다는 걸 깨달았다. 그래서 편집자를 작문 선생님이라고 생각하기로 했다. 나는 글쓰기 수업을 듣고, 그녀의 메모는 내가 해야 할 숙제인 것이다.

"어떤 종류의 고리버들 의자냐고요? '줄기를 넓적하게 엮은, 하늘색 낡은 고리버들 의자'는 어떨까요?"

내가 돈을 받고 듣는 수업이라고 생각하니 그 과정도 즐거워졌고, 배울 수 있었다. 그 일을 그만두고 내게 더 맞는 직업으로 옮길 때까지.

내게는 "난 그냥 계약 분석가야"라고 말하는 친구들이 있다. 하지만 세상에는 계약 분석가가 필요하다. 관리직도 필요하다. 조직도 필요하다. 유통되는 돈도 필요하다. 교사, 은행원, 변호사, 의사, 소방관도 필요하고, 그런 사람들이 맺는 계약을 분석해 줄 누군가도 필요하다.

'후학 양성 욕구'를 드러낸다는 것은 자기 자신과 가족 외의 사람들에게도 신경을 쓴다는 뜻이다. 이는 다음 세대를 도와주는 행동으로 이어질 수 있고, 종종 긍정적인 유산이 된다. 어쩌면 우리의 유산은 아이들인지도 모른다. 우리가 한 일일 수도 있고, 우리의 우정이나 수리한 집일 수도 있다.

후학 양성 욕구와 자신의 서사를 어떤 식으로 이야기하는가의 연관성을 연구하는 심리학자들도 있다.[13] 댄 매캐덤스 교수는 사람들이 자신의 이야기를 어떻게 들려주는지 관찰한다. '후학 양성 욕구가 높은' 어른들의 이야기에는 종종 부정적인 경험을 의미 있는 경험으로 바꾸게 된 전환점, '구원의 시퀀스'가 들어 있다.[14] 중년이 되어 자기 삶에서 구원의 시퀀스를 볼 수 있는 사람은 전반적으로 더 행복한 것으로 나타났다.[15]

우리의 의지로 그렇게 될 수 있을까? 인생과 주위를 돌아보며 이건 이런 의미였고, 이건 끝났고, 저건 시작됐다고 말할 수 있을까? 중년에 자신의 이야기를 쓰려면 이야기 속 등장인물의 정체성을 파악해야 한다. 누가 영웅이고, 누가 악당인가?

중년의 위기에서 빠져나온 X세대 여성의 이야기에는 거의 빠짐없이 어떤 식으로든 기대치를 낮추는 과정이 들어가 있었다. 내게도 그것이 가장 중요했다. 돈을 많이 모아 두지 못했다, 훌륭한 글을 쓰지 못했다, 아들의 필체가 엉망이다, 오늘 운동을 빼먹었다 등등 크고 작은 실패로 날 비난할 때 내가 애초에 무엇을 기대했는지 구체적으로 파악하려 한다.

또한 내 몸매가 더 날씬하다거나 아들이 글씨를 잘 쓴다거나 비상 계좌에 예정대로 3만 달러가 있다 해도 인생이 꼭 더 나아지지는 않았으리라는 사실도 상기하려 한다. 설사 많은 것을 이루고, 화려한 삶을 살고, 돈이 많다 해도 중년은 매우 힘들 수 있다. 중년의 위기를 인정하지 않는 사람이라고 해도 몸이 예전 같지 않고 새로운 스트레스가 시작된다는 사실은 부인할 수 없으리라.

따라서 첫 번째 해결책은 도움을 받는 것이고, 두 번째 해결책은 비현실적인 기대를 제거하기 위해 삶을 보는 방식을 바꾸는 것이며, 세 번째 해결책은 아마도…… 기다리는 것이리라. 언젠가는 중년이 끝난다. 아이들은 자랄 테고, 부부 관계는 나아질 것이다. 50대와 60대 여자들은 내게 폐경기가 지난 후에 한결 나아졌다고 말했다. 덜 불안하고, 더 자신감이 생기고, 더는 바보 같아 보일까 두렵지 않다고 했다.[16]

폐경이 되고 나니 자신의 인생과 감정을 더 분명히 알게 되었다고 말한 사람도 있었다.

"이젠 본론으로 곧장 들어가요. 싫을 때는 싫다고 하고요. 남편은 내가 딴사람 같다고 말해요."

물론 좋은 뜻으로. 남편은 이제 단호하게 변한 부인을 알아가는 중이다. 예전에 그녀가 자신이 대머리와 결혼했다는 사실에 익숙해져야 했듯이.

"여성의 삶에 두 번째 청춘을 받아들일 용량이 있다는 사실은 언제 깨달아도 너무 이르지 않다"라고 애나 갈린 스펜서가 1913년에 썼다.[17]

멕시코에서 어린 시절을 보낸 친구 바버라는 이런 말을 했다.

"30대는 성인기의 사춘기이고, 쉰이 되면 새롭게 시작하는 거야. 두 번째 기회지."

중년 여성은 무엇이 중요하고 무엇이 중요하지 않은지 알 수 있다.

"만약 당신이 젊고 이 글을 읽고 있다면 아마 예순 살, 일흔 살, 여든 살 혹은 아흔 살 여인의 눈에서 볼 수 있는 빛을 이해하지 못할 것이다. (미안하지만) 그들은 당신을 대수롭지 않게 여길 것이다. 왜냐하면 그들에게 당신은 그저 아이이기 때문이다. 당신에게 사랑스러운 아이가 있고, 비싼 구두가 수두룩하고, 섹스를 즐긴다고 하더라도. 당신은 그저 소꿉놀이를 하는 아이일 뿐이다."[18]

연로한 사람들은 더 행복한 경향이 있고, 언젠가는 우리도 그런 사람이 될 것이다.

이 책을 쓰는 동안 나는 내가 만난 많은 여성의 삶이 대부분 더 나은 쪽으로 변하는 것을 보았다. 그들은 새로운 일을 구하거나 새로운 도시로 이사를 하거나 새로운 사람을 만나거나 이미 가지고 있는 것을 더 많이 누리는 법을 찾아냈다. 호르몬 약을 먹기 시작했거나 끊었거나 운동을 시작했거나 그만두었다. 시간이 흘렀고, 상황은 달라졌다.

1991년에 발표한 책 《세대Generations》에서 윌리엄 스트라우스와 닐 하우는 우리를 13세대라 불렀는데, 우리가 미국 건국 이후 열세 번째 세대이기 때문이고 13이라는 숫자처럼 우리가 불운해 보이기 때문이었다. 그들은 2004년부터 2025년까지 X세대가 "중년의 위기라는 시기에 진입"할 것이라고 썼다. X세대는 늙어 가는 베이비 붐 세대를 보살필 것이고, "자신들이 호

된 역사의 손길을 받았을지라도 적어도 명료한 두뇌를 가지고 자랐음을 깨닫게" 될 것이다.[19]

무시무시하게도 스트라우스와 하우는 2020년에 베이비 붐 세대로 인한 위기가 닥치리라 예언했다.

"그 위기가 닥치면 X세대는 유능한 현장 매니저이자 뒤에서 활약하는 조력자가 될 것이다. 그들의 빠른 판단력이 성공이냐, 비극이냐를 판가름할 수 있다. …… 사회적 불관용이 증가하는 시대에 중년이 된 구제 불능의 열세 번째 세대는 때때로 미국의 축복이 되리라."

내가 아는 한 CEO는 일리노이주 남부에서 자란 X세대 여성인데 현재 넓은 농지를 감독한다. 그녀는 회사에서 가장 힘든 일을 할 사람이 필요할 때 X세대 여성을 뽑는다고 했다. 그들은 놀랄 정도로 회복력이 뛰어나기 때문이다.[20]

"X세대 여성이 최고죠. 동시에 여섯 개의 모니터를 보면서도 하나도 놓치지 않거든요. 울보도 아니고요. 그들은 능력이 있고, 회사를 위해 오랫동안 열심히 일할 겁니다. 특권 의식은 눈곱만큼도 없죠. 직원들이 맡은 일을 다 해내도록 감독하고, 거리낌 없이 생각을 밝힙니다."

그녀는 자신이 가장 아끼는 X세대 여성 경영자들에게 여섯 자리 금액의 연봉을 주고, 재택근무나 해외 근무도 가능하게 해준다. 그녀는 이렇게 말했다.

"그들이 우리 회사에 계속 남도록 노력할 거예요. 그 정도로 가치 있는 사람들이거든요."

우리가 남의 눈에 띄지 않는 존재라는 사실을 새로운 힘의 근원으로 받아들일 수는 없을까? 해리 포터의 세상에서 투명 망토는 위기를 기회로 만드는 귀한 마법 도구다. 무언가 과소 평가되는 데는 엄청난 장점이 있다. 내가 아는 훌륭한 기자 둘은 50대다. 그들은 애초에 눈에 잘 띄지도 않지만 어쨌거나 아주 친근하고 전혀 위협적으로 보이지 않는다. 경계심이 많은 사람의 의심을 사지 않고서 어디든 숨어들 수 있다. 그러고는 내부를 고발하는 파괴적인 글을 쓴다.

세상은 무서운 줄도 모르고 중년 여성들을 무시한다.[21]

시댁에 가기 위해 이스트 텍사스를 가로질러 차를 몰 때 우리 가족은 '학교냐, 교도소냐' 하는 게임을 즐겨 한다. 그 지역은 건물들이 모두 소박한 탓에 멀리서 보면 학교인지 교도소인지 구분하기 힘들다. 따라서 저 멀리 대형 시설로 보이는 건물이 눈에 띌 때마다 우리는 "게임 시간이 왔습니다……. 학교냐, 교도소냐!"라고 외친다. 그러고는 각자 어느 쪽일지 맞힌다. 가시철조망이 보일 정도로 가까이 다가간 후에야 누가 이겼는지 알 수 있다.

부모님이 아프다거나 결혼 생활이 힘들어지거나 일이 끊기거나 하는 힘든 상황이 닥치면 우리는 그 상황이 교도소인지 학교인지 자문해 볼 수 있다. 달아나야 할 상황인지, 무언가를 배워야 할 상황인지.

올여름에 나는 계단에서 미끄러지는 바람에 엄지발가락이 부러졌다. 의사는 X레이를 들여다보며 "와, 이렇게 다치기도 힘든데 대단하시네요!"라고 말했다(X세대의 역사적 타이밍을 알게 되었을 때의 내 심정도 딱 그랬다. "와, 이렇게 나쁘기도 힘든데 대단하네!"). 나는 목발을 짚고 다녔고, 그다음 주로 예정된 출장을 취소해야 했다.

발가락이 부러지니 교도소에 갇힌 심정이었다. 그러다 교도소가 서서히 학교가 되었다. 발가락이 아픈 몇 주 동안 나는 정원의 잡초도 뽑지 않았고, 서랍장 청소도 하지 않았으며, 진공청소기도 돌리지 않았고, 볼일도 보러 다니지 않았다. 엄마가 대신 장을 봐 주었고, 아들이 준 바퀴 달린 의자에 앉아 집 안을 돌아다녔으며, 남편이 요리와 청소를 다 했다. 나는 기꺼이 다른 사람들의 도움을 받았다.

친구가 우리 집에 와서 말벗을 해 주었고, 우리는 내가 '목발이 준 지혜'라는 제목의 엄청나게 지루한 책을 쓸 수도 있겠다고 농담했다. 결국 그 사고는 선물이었다. 내가 온종일 소파에 앉아 있어도 세상은 무너지지 않았다. 사고를 당하지 않았더라면 결코 몰랐을 것이다.

◇ ✦

　마흔두 살 생일 아침, 나는 남편과 아들이 속삭이는 소리와 커피 향 속에서 눈을 떴다. 옆방에 들어가 보니 색색의 긴 장식과 '해피 버스데이!'라고 적힌 종이가 걸려 있었다. 테이블에는 선물과 케이크가 놓여 있었다. 오후에는 친구들이 놀러 왔고, 우리는 음식과 와인이 잔뜩 차려진 식탁에 둘러앉아 웃고 떠들었으며, 아이들은 방 안을 들락날락하며 뛰어다녔다.

　그날 오후 나는 대형 마트에 갔는데 주차장에 서서 맑고 파란 하늘을 올려다보며 익숙지 않은 이상한 감정을 느꼈다.

　지금까지 내가 한 선택으로 인해 빚을 지기도 했고, 인생은 불확실해졌으며, 많은 사람이 내게 의지하고 있다. 하지만 그 선택은 또한 아침 일찍 일어나 집을 꾸며 준 가족, 그리고 집에 놀러 와 함께 먹고 마시고 농담하는 친구들을 데려와 주었고, 추운 날 맑은 하늘을 감상할 수 있는 능력을 주었다.

　우리가 계속 산다고 가정하면 내년도 있고, 내후년도 있을 것이다. 눈물 흘릴 날도 있고 돈 때문에 스트레스를 받고 가족을 돌보느라 부담을 느끼기도 할 테지만, 동시에 마트 주차장을 가로질러 가다가 얼굴에 닿는 햇살을 느끼며 느닷없이 '참 좋은 날이네' 하고 생각하는 순간도 있으리라.

작가의 말

1. 1970년대에 가장 인기 있던 아기 이름 1위는 제니퍼다. 〈연도별로 인기 있는 아기 이름〉, ssa.gov. 나는 6명의 제니퍼를 인터뷰했다. 제니퍼의 뒤를 이어 10위 안에 든 이름은 에이미, 멜리사, 미셸, 킴벌리, 리사, 앤절라, 헤더, 스테퍼니, 니콜이다. 내 원고 폴더를 보면 이 이름들이 빠지지 않고 등장한다.

시작하며

1. X세대의 출생 연도에 관해서는 여러 의견이 있다. 하버드 센터에서는 1965년부터 1984년까지로 보고 있다. 그러니까 〈닥터 지바고〉가 상영되던 해부터 〈고스트버스터즈〉가 상영되던 해까지다. 조지 매스닉 펠로, 〈세대 정의〉, 주택 전망, 주택 연구를 위한 하버드 합동 센터, 2012년 11월 28일. 1961년을 X세대 시작으로 보는 견해도 있다. 내 경험으로는 1960년대 초반에 태어난 사람들은 자신을 베이비 붐 세대로 보는 경향이 더 강했지만. 1981년이나 1985년을 X세대의 마지막 출생 연도로 보는 의견도 있다. 나는 퓨 리서치 센터의 견해에 가장 신뢰가 간다. 퓨 리서치 센터에서는 1928~1945년을 침묵의 세대, 1946~1964년을 베이비 붐 세대, 1965~1980년을 X세대, 1981~1996년을 밀레니얼 세대, 1997~2012년을 Z세대로 본다. 마이클 디목, 〈세대 정의:밀레니얼 세대가 끝나고 X세대가 시작되는 시점은 어디인가〉, 퓨 리서치 센터, 2019년 1월 17일. 세대별 경험이나 정서를 규정하려고 해 봐야 헛수고라고 생각하는 사람이 많다는 사실도 알고 있다. 예컨대 2018년 4월 13일 Slate.com에 올라온 데이비드 코스탄자의 글 〈제발 세대 이야기 좀 그만할 수 없을까? 그게 무슨 대수라고〉처럼. 아니, 그만할 수 없다. 다음 질문.

2. 닐 하우와 윌리엄 스트라우스, 《열세 번째 세대:낙태, 재시도, 무시, 실패?》(뉴욕:빈티지, 1993년). 그리고 같은 저자들이 쓴 1991년의 책 《세대》에서도 그들은 우리를 '열세 번째 세대'라고 부른다.

3. 폴 테일러와 조지 가오, 〈X세대:미국의 홀대받은 둘째 아이〉, 퓨 리서치 센터, 2014년 6월 5일.

4. 이 수치는 조금씩 달라지기도 한다. 다른 기준으로 보면 X세대는 6600만 명, 베이비

붐 세대는 7400만 명, 밀레니얼 세대는 7100만 명이다. 킴벌리 랭크퍼드, 〈X세대:은퇴를 위한 시간은 당신 편이다〉,《키플링어스 퍼스널 파이낸스》, 2019년 1월 3일.

5. 리처드 프라이, 〈밀레니얼 세대가 베이비 붐 세대를 따라잡아 미국에서 가장 거대한 세대가 될 예정이다〉, 퓨 리서치 센터, 2018년 3월 1일. (X세대를 1965년부터 1977년까지로 보는 사람도 있다. 그럴 경우 우리는 4500만 명이고, 밀레니얼 세대는 7500만 명이며, 베이비 붐 세대는 7800만 명이다.) 다른 분류법을 제시하는 인구학자도 있다. 그들은 X세대와 밀레니얼 세대에 걸쳐 있는 Y세대가 있다고 주장한다. X세대 연도를 1965년부터 1979년까지로 본다면 Y세대 출생 연도는 1980년부터 1994년까지. 하지만 내게 이 분류법은 너무 억지스러워 보여서 이 책에서는 베이비 붐 세대와 X세대, 밀레니얼 세대라는 더 큰 분류를 따랐다.

6. 에드 마자, 〈명단에서 누락된 일에 대해 가장 X세대다운 방식으로 반응하는 X세대〉,《허핑턴 포스트》, 2019년 1월 21일.

7. 페이스 팝콘, 저자와의 인터뷰, 2017년 8월 30일.

8. 제니퍼 잘라이, 〈'모두 다 가져라'라는 말의 복잡한 기원〉,《뉴욕 타임스 매거진》, 2015년 1월 2일.

9. 1982년에 출간된 베스트셀러《세상은 내게 모두 다 가지라 한다:사랑, 성공, 섹스, 돈-설사 당신이 빈털터리로 시작하더라도》(뉴욕:사이먼 앤드 슈스터, 1982년)로 유명한 작가 헬렌 걸리 브라운도 자녀를 낳지 않았다는 사실을 명심할 필요가 있다.

10. 《고삐 풀린 세대》의 저자 이저벨 V. 소힐은 여성의 삶을 정말로 달라지게 할 수 있는 문제를 세 가지로 보았다. 첫째는 피임이다. 덕분에 여성은 "아이를 가질지 말지, 가진다면 언제 누구와 가질지" 결정할 수 있게 되었다. 둘째는 동등한 임금이고, 셋째는 일과 가정생활의 균형을 잡도록 도와주는 조치들이다(보육원, 출퇴근 시차제, 유급 가족 휴가). 이저벨 V. 소힐, 〈여성의 삶을 향상시키는 것:목적 있는 육아, 적당한 임금, 유급 가족 휴가〉, 벅스 카운티 여성 옹호 연합이 주최한 강연, 2018년 5월 23일. 2018년 5월 30일에 저자에게 메일로 제공되었음.

11. 벳시 스티븐슨과 저스틴 울퍼스, 〈하락하는 여성의 행복이 말해 주는 역설〉,《아메리칸 이코노믹 저널:경제 정책 1》no. 2, 2009년 8월.

12. 2017년 12월, 갤럽에서는 미국인 10명 중 8명이 일상에서 자주 혹은 가끔씩 스트레스를 받는다고 발표했다. 남자보다는 여자가, 다른 연령보다는 서른다섯 살부터 마흔아홉 살까지의 사람들이 스트레스를 더 많이 받는다고 보고했다. 설문 결과를 보면 잦은 스트레스를 받는다고 한 비율이 여성은 49퍼센트인 반면, 남성은 40퍼센트. 쉰 살에서 예순네 살까지는 56퍼센트가 잦은 스트레스를 받는다고 한 반면, 예순다섯 살 이상은 24퍼센트에 불과하다. 〈미국인 10명 중 8명이 스트레스를 받는다〉, Gallup.com, 2017년 12월 20일.

13. 로니 케어린 로빈, 〈항우울제 과다 복용〉,《뉴욕 타임스》, 2013년 8월 12일. 대니얼 스

미스, 〈여전히 '불안의 시대' 인가?〉,《뉴욕 타임스》, 2012년 1월 14일.

14. 미국 은퇴자 협회 정보:X세대 긴장. 2018년 8월 5일에 검색.

15. J. 월터 톰프슨 인텔리전스, 〈X세대 여성:마흔 살과 놀기〉, Slideshare.net, 2010년 5월 19일. 2018년 8월 5일에 검색.

16. 마지 라흐만, 〈가운데 틈을 조심하세요:중년 공부하기〉,《인간 개발 연구 12》, 2015년.

17. 중년의 위기를 겪는 여성을 주제로 한 책들이 있기는 하다. 메리앤 윌리엄슨이 쓴《울고 있는 여성, 당신은 우주의 어머니》의 갈색 톤 표지에는 상의를 벗은 여자가 웅크리고 있다. 나는 아무 페이지나 펼쳐서 읽어 본다. "오늘날 대부분의 여성은 히스테리 기질이 있다."

18. 중년의 위기에 대한 개념의 역사에서 흥미로운 책은 주자네 슈미트의 글이다. 〈반페미니스트 재구성:1970년대 미국의 인기 심리학, 저널리즘, 사회 과학〉,《성과 역사 30》no. 1, 2018년 3월. 그녀는 대부분의 사람이 '중년의 위기' 개념이 남성 사회학자들에 의해 발견된 다음 게일 쉬이의 베스트셀러《여정》(뉴욕:밸런타인, 2006년)을 통해 사람들에게 알려진 것으로 생각하는데, 이는 잘못되었다고 주장한다. "중년의 위기는 성 역할, 일과 가정생활의 가치 등이 1970년대 미국에서 구체화된 형태에 관한 논쟁에 역사적 뿌리를 둔다." 다시 말해, 사람들이 중년의 위기에 관해 대화를 나눈 게 먼저이고, 그다음에 쉬이가 그걸 책으로 썼으며, 그런 다음에야 남성 사회학자들이-쉬이는 자신의 글과 페미니스트 비평에서 그들의 책을 다룬 적이 있다-자기들의 '발견'을 '많은 사람에게 알렸다'고 말했다.

19. 엘리엇 자크, 〈죽음과 중년의 위기〉,《창조성과 작업》(매디슨, CT:인터내셔널 유니버시티스 프레스, 1990년).

20. 대니얼 레빈슨,《남자가 겪는 인생의 사계절》(뉴욕:크노프, 1978년).

21. 수전 크라우스 휘트번, 〈중년의 위기에 대한 열 가지 잘못된 믿음〉, PsychologyToday.com, 2012년 7월 21일.

22. 누군가 여자는 기분 나쁠 권리가 없다고 주장하는 논문을 쓸 수도 있으리라. 1975년 영화 〈행복한 방황〉에서 마이클 케인이 연기하는 남편이 침대에서 글렌다 잭슨이 연기하는 아내에게 "사는 게 불만족스러워?"라고 묻자 아내는 이렇게 대답한다. "그럴 수도 있지만 그럴 권리가 없는 기분이야." 남편은 그 말을 자신이 쓰고 있는 대본에 집어넣는다.

23. 이 노래는 1998년에 에이스 오브 베이스가 다시 부르기도 했다. 열네 살 때 헤어진 남자 친구가 내 사물함에 메모를 잔뜩 남겨 두었는데 거기에는 에이스 오브 베이스와 윌슨 필립스의 노래 가사도 적혀 있었다. 하지만 그걸로 내 마음이 돌아서지는 않았다.

24. 리처드 아이젠버그, 〈베이비 붐 세대와 X세대는 비용 때문에 병원 진료를 포기한다〉, Forbes.com, 2018년 3월 27일.

25. 비브 앨버틴,《개봉하지 않은 채로 버리기》(런던:파버 앤드 파버, 2018년).

26. 짐 탱커슬리, 〈고용 없는 성장은 영원하다고 경제학자들은 말하지만 그 이유는 알 수 없다〉, 《워싱턴 포스트》, 2013년 9월 19일.

27. 리넷 칼파니 콕스, 〈X세대에 대한 재미있는 사실 다섯 가지〉, AARP.org. 2018년 5월 18일에 검색. 엑스페리언의 조사에 따르면 밀레니얼 세대는 (대출금과 신용카드 빚, 학자금, 자동차 대출을 포함해서) 5만 2120달러의 빚을 지고 있으며, 베이비 붐 세대와 침묵의 세대는 8만 7438달러의 빚을, X세대는 12만 5000달러의 빚을 지고 있다. 2014년 8월 27일에 크리스 매슈스가 Fortune.com에 올린 〈미국에서 빚이 가장 많은 세대? X세대〉도 살펴보라.

28. 리넷 칼파니 콕스, 〈X세대에 대한 재미있는 사실 다섯 가지〉, AARP.org. 2018년 5월 18일에 검색.

29. 제프리 바타시, 〈소비자 물가 지수에 따르면 높아진 월세와 주택 가격으로 인해 12월 소비자 물가가 증가했다〉, 마켓워치, 2018년 1월 12일.

30. 샌프란시스코나 뉴욕 같은 대도시에서 대학을 졸업한 초산 임산부의 평균 나이는 이제 서른셋이다. 꾸엉쭝 보위와 클레어 케인 밀러, 〈여자들이 임신하는 나이: 격차가 어떻게 미국을 갈라놓는가〉, 《뉴욕 타임스》, 2018년 8월 4일.

31. 클라이브 톰프슨, 〈휴대 전화에 진짜로 중독된 사람들이 누굴까? 노인들이다〉, 《와이어드》, 2018년 3월 27일.

32. 게일 쉬이, 《여정》(뉴욕: 밸런타인, 2006년).

33. 같은 책.

첫 번째 이유: 바닥난 시간

1. 타이틀 나인의 세부 사항은 미국 교육부 웹 사이트 www2.ed.gov에 나와 있다. 2018년 7월 5일에 검색.

2. 엔졸리 광고, Youtube.com. 2018년 8월 30일에 검색. 최근에 이베이에서 엔졸리 향수를 주문했다. 머스크, 재스민, 복숭아와 비현실적인 기대가 섞인 향이었다.

3. 〈I'm a Woman〉은 제리 리버와 마이크 스톨러가 작사와 작곡을 했고, 1962년 크리스틴 키트렐이 처음 불렀다가 나중에 페기 리가 다시 불렀다. 그 후로도 베트 미들러, 레바 매킨타이어, 와이노나 저드, 드라마 〈앨리 맥빌〉의 배우들이 불렀다. 1975년 뮤지컬 〈셰어 쇼〉에서는 라켈 웰치가 셰어와 듀엣으로 불렀고, 〈머펫 쇼〉에서는 미스 피기와 함께 불렀다.

4. 〈워킹 걸〉, Youtube.com. 2018년 7월 11일에 검색.

5. 매슈 헤네시, 《X세대가 행동을 개시해야 할 때》(뉴욕: 인카운터, 2018년).

6. 케어린 제임스, 〈텔레비전 만평: '머피 브라운'이 영화 '아버지의 인생'을 만나다〉, 《뉴욕 타임스》, 1992년 11월 15일.

7. 2003년 《그랜터 82: 인생은 그런 것》에 실린 캐스린 쳇코비치의 〈질투〉는 조너선 프랜

즌의 여자 친구이자 자신만의 야망이 있는 작가로 산다는 게 어떤 것인지 보여 주는 에세이다.

8. 제이 D. 티치먼과 캐슬린 M. 파시, 〈이혼이 아이들과 그 가정에 끼치는 재정적 영향〉, 《아이들의 미래 4》no. 1:아이들과 이혼, 1994년 봄.

9. 메리 E. 코르코란과 아제이 초드리, 〈아동 빈곤의 역학〉, 《아이들의 미래 7》 no. 2, 1997년. 그리고 P. O. 코르코란의 출간되지 않은 논문, 앤아버에 있는 미시간 대학, 통계 연구 센터, 1994년 5월.

10. X세대 대다수가 중고생일 때 이뤄진 한 연구에 따르면 이혼한 가정의 재산은 설사 예전 배우자의 재산을 합친다 하더라도 결혼을 계속 유지한 부부와 비교하면 절반에 그친다. 조지프 P. 럽턴과 제임스 P. 스미스, 〈결혼, 자산, 저축〉, 출산과 인구 프로그램, 워킹 페이퍼 시리즈 99~12, 랜드 코퍼레이션, 1999년. 이런 차이는 흑인 아이일 경우 더 커진다. 한 연구에 따르면 결혼 생활을 계속 유지한 부부의 자녀 중 87퍼센트가 부모의 성인일 때 수입을 앞지르는 반면, 이혼 가정일 경우에는 53퍼센트에 그친다. 〈가족 구조와 자녀의 경제적 이동성〉, 경제적 이동성 프로젝트, PewTrusts.org, 2010년 5월 18일.

11. 테드 할스테드, 〈X세대를 위한 정치〉, 《애틀랜틱》, 1999년 8월.

12. 1979년의 평범한 아이들은 1960년대 중반 아이들의 81퍼센트보다 자신감이 낮았다. 진 M. 트웽이, 《나의 세대》(뉴욕:프리 프레스, 2006년).

13. 제임스 포니우직, 〈역대급 텔레비전 드라마 100: '그날 이후'〉, 《타임》, 2014년 8월 11일.

14. S. J. 키레일리, 〈핵전쟁 위협의 심리적 영향〉, 《캐나다 주치의 32》, 1986년 1월.

15. 톰 맥브라이드, 〈X세대 사고방식 목록〉, Mindsetlist.com, 2017년 5월 15일.

16. 대니얼 버스타인, 〈물건 구매를 결정할 때 밀레니얼 세대와 X세대 및 다른 연령 집단은 텔레비전 광고를 얼마나 신뢰하는가〉, MarketingSherpa.com, 2017년 8월 22일.

17. 〈슬링키, 놀라운 장난감, 남녀 모두 재미있게 즐길 수 있지!〉, Youtube.com. 2017년 8월 16일에 검색.

18. 케빈 길버트, 〈Goodness Gracious〉, 1995년에 발매된 〈Thud〉 앨범, Youtube.com. 2018년 8월 28일에 검색.

19. 〈클린턴 대통령과 모니카 르윈스키 관계의 본질〉, 《워싱턴 포스트》 온라인. 2018년 7월 7일에 검색.

20. 〈MTV 비디오 뮤직 시상식〉, 1984년 9월 14일.

21. 신시아 하이멜, 《소녀들을 위한 섹스 팁》(뉴욕:사이먼 앤드 슈스터, 1983년).

22. 테드 프렌드, 〈나랑 하자 페미니즘〉, 《에스콰이어》, 1994년 2월.

23. 캐서린 로즈먼, 〈대학이 선구자가 되어 동의 법칙을 제정하지만, 몇몇 학생은 그 이상을 원한다〉, 《뉴욕 타임스》, 2018년 2월 24일.

24. 건스 앤 로지스, 1989년. 2018년 5월 29일에 유튜브 검색.

25. 에린 블레이크모어, 〈빅 버드가 챌린저호에서 간신히 목숨을 건지다〉, History.com, 2018년 1월 26일.

26. 〈챌린저호 참사 라이브 CNN 중계〉, 1986년. 2018년 5월 29일에 유튜브 검색.

27. 공립 학교에서의 체벌은 1977년 미국 대법원 판결로 인해 노골적으로 허용되었다. 많은 주에서 체벌은 여전히 합법이지만 X세대가 입학한 후로 줄어들었다. 멀린다 D. 앤더슨, 〈교사들의 체벌이 여전히 허락되는 곳〉, 《애틀랜틱》, 2015년 12월 15일.

28. 조 코헤인, 〈우리 머릿속에서 급증하는 범죄〉, 《댈러스 뉴스》, 2010년 3월 23일.

29. 아동 범죄 연구 센터에서는 1992년 이후 아동 성추행률 하락을 최근 몇 해 동안 가장 중요한 데이터 포인트로 보고 있다. 리사 존스와 데이비드 핀켈호르, 〈아동 성 학대 사건〉, 《청소년 사법 회보》, 청소년 사법 및 비행 방지청, 2001년 1월.

30. 1990년 이후 성 학대는 63퍼센트, 신체적 학대는 56퍼센트 하락했다. 많은 연구와 여러 자료에서 볼 수 있는 전국적인 현상이다. 의학 협회와 전국 연구 의회, 《아동 학대 연구, 다음 10년간의 정책과 시행:워크숍 요약》(워싱턴 DC:내셔널 아카데미스 프레스, 2012년).

31. 테드 할스테드, 〈X세대를 위한 정치〉, 《애틀랜틱》, 1999년 8월.

32. 제프 셰솔, 〈정치가 재미있나?〉, 《워싱턴 포스트》, 1997년 3월 2일.

33. 서드 밀레니엄(더글러스 케네디 등), 〈서드 밀레니엄 선언문〉, 존 윌리엄슨 등이 편집, 《세대별 평등 토론》(뉴욕:컬럼비아 대학 출판, 1993년).

34. 미셸 미첼, 〈리드 오어 리브가 떠났다〉, NPR.org, 1996년 3월 14일.

35. 〈부시…… 혹은 고어를 위한 억만장자〉, DemocracyNow.com, 2000년 7월 31일.

36. 조지 패커, 〈몰락과 추락:미국 사회가 어떻게 흐트러지는가〉, 《가디언》, 2013년 6월 19일.

37. V. J. 펠리티, R. F. 안다 등, 〈어린 시절 학대 및 가정 기능 장애와 성인이 되었을 때 주요 사망 요인 간의 관계:부정적인 어린 시절의 경험(ACE) 연구〉, 《미국 예방 의학 저널 14》, 1998년.

38. 2018년 7월 10일, 제인 스티븐스가 저자에게 이메일로 보내 준 내용. ACEsConnection.com을 만든 스티븐스는 세대 간의 ACE를 비교하는 연구가 있는지는 전혀 아는 바가 없지만 내게 ACEs Connection 커뮤니티에 속한 2만 4000명 회원에게 연락해 보라고 했고, 나는 그렇게 했다.

39. 킴벌리 콩클, ACEs Connection 회원, 저자에게 이메일로 보내 줌, 2018년 7월 17일.

40. 〈미국에서 나이에 따른 남성과 여성 자살률, 2016년〉, 국립 정신 건강 연구소 웹 사이트. 질병 통제 예방 센터 자료 제공.

41. 〈미국 여성의 연령에 따른 주요 사망 원인, 2015년〉, 질병 통제 예방 센터.

42. 펠리티, 안다 등, 〈어린 시절 학대 및 가정 기능 장애와 성인이 되었을 때 주요 사망 요

인 간의 관계〉,《미국 예방 의학 저널 14》, 1998년.

43. 여성과 높은 ACE 점수에 대해서는 다음과 같은 책이 있다. 도나 재슨 나카자와,《멍든 아동기, 평생 건강을 결정한다》(뉴욕:아트리아 북스, 2015년). AcesTooHigh.com에 서 당신의 ACE 점수를 확인해 볼 수 있다.

44. 윌리엄 마헤디와 재닛 버나디,《동떨어진 세대》(다우너스 그로브, 일리노이주:인터바 서티 프레스, 1994년).

45. 〈X세대〉 파워포인트에 삽입된 〈X세대 부모에게 물건 팔기〉, Scouting.com. 2018년 7 월 12일에 검색.

46. 〈프레드 로저스:남을 도와주는 사람들을 찾아보라〉. 2019년 2월 12일에 유튜브 검색.

47. 〈미스터 로저스의 이웃:1969년 상원 청문회〉. 2018년 9월 19일에 유튜브 검색.

48. 〈뉴스에 나오는 불행한 사건들에 관해 이야기하는 프레드 로저스〉. 2018년 7월 7일에 유튜브 검색.

49. 데이비드 세다리스는 중년이 되면 다들 한두 가지에 미친다고 했다. 다이어트나 반려 견이나. 데이비드 세다리스,《리바이어던》,《뉴요커》, 2015년 1월 5일.

50. 브레네 브라운은 여성이 세 가지 중 하나를 한다고 말한다. 수치심에서 물러나거나 (움츠러들기), 수치심을 향해 가거나(과기능), 혹은 수치심과 반대로 가거나(다른 사람에게 수치심을 느끼게 하려고 한다). 브레네 브라운,〈수치심에 귀 기울이기〉, TED2012, TED.com, 15분.

51. 브린 샤핀, 저자와의 인터뷰, 2018년 6월 12일.

두 번째 이유:우울

1. 로런 E. 코로나 등,〈주 전체 병원들과 합동으로 시행한 연구에서 악성 종양이 없는 상 태일 때 자궁 절제술 이전에 다른 요법으로 치료하기〉,《미국 산부인과 저널 212》no. 3, 2015년 3월.

2. 베이비 붐 세대는 평균적으로 11명의 남자와 성관계를 했다. J. M. 트웨이, R. A. 셔먼, B. E. 웰스,〈미국 성인의 성적 행동과 태도의 변화, 1972~2012년〉,《성적 행동 아카이 브 44》no. 8, 2015년 11월.

세 번째 이유:돌봄 고문

1. 도로시 A. 밀러,〈샌드위치 세대:노인들의 성인 자녀〉,《사회 복지사 26》no. 5, 1981년 9월.

2. 2018년 퓨 리서치 센터의 연구 결과 미국 부모의 12퍼센트가 다른 성인을 돌보고 있 었다. 그레천 리빙스턴,〈미국 10명의 부모 중에서 1명 이상이 다른 성인을 돌보고 있 다〉, 퓨 리서치 센터, 2018년 11월 29일.

3. 제니퍼 시니어,《부모로 산다는 것》(뉴욕:하퍼콜린스, 2014년).

4. 클레어 케인 밀러, 〈현대의 가혹한 부모 노릇〉, 《뉴욕 타임스》, 2018년 12월 25일.

5. 더 재미있는 통계도 있다. 오늘날 열여덟 살 이하의 자녀를 둔 엄마의 70퍼센트는 직장에 다니고, 엄마와 아빠가 모두 있는 집의 거의 절반은 부모 모두 풀타임으로 일한다. 24퍼센트는 혼자서 아이를 키운다. 그레천 리빙스턴, 〈미국 엄마들에 대한 일곱 가지 사실〉, 퓨 리서치 센터, 2018년 5월 10일.

6. 라이먼 스톤, 〈출산율을 높이는 한 가지 방법:다른 사람의 아이를 돌봐라〉, 가족학 협회, 2018년 1월 24일.

7. 카트리나 레우프, 〈우울증, 일과 가정의 역할, 성별을 반영한 인생 과정〉, 《건강과 사회 행동 저널》, 2017년 10월 20일. 이 연구는 전미 청소년 종단 설문을 활용했다.

8. M. 리노, K. 쿠친스키, N. 로드리게즈, T. 샤프, 《가정에서 아이들에게 쓰는 비용》, 2015년. 미설레이니어스 출판. 미국 농무부, 영양 정책 및 홍보 센터, 2017년.

9. 멜리사 콘, 〈대학의 사상 최저 합격률〉, 《월 스트리트 저널》, 2019년 3월 30~31일.

10. 리디아 사아드, 〈아이들은 여자들이 집 밖으로 나가서 일하고 싶은 욕망의 주요한 요인〉, Gallup.com, 2015년 10월 7일.

11. 바클리와 퓨처캐스트, 《새로운 부모가 된 밀레니얼 세대:새로운 미국 실용주의의 부상》, 2013년 9월.

12. 그레천 리빙스턴, 〈매년 100만 명 이상의 밀레니얼 세대가 엄마가 되고 있다〉, 퓨 리서치 센터, 2018년 5월 4일.

13. 엘리 J. 핀켈, 《괜찮은 결혼》(뉴욕:더턴, 2017년).

14. 이를테면 〈비포 선셋〉(2004년)에서 이선 호크가 연기하는 인물이 자신의 결혼 생활을 이렇게 표현한다.

15. 스테퍼니 파파스, 〈왜 슈퍼맘은 진정해야 하는가〉, 라이브 사이언스, 2011년 8월 20일.

16. 애나 팔라이, 저자와의 인터뷰, 2017년 3월 14일.

17. 존 멀레이니, 〈돌아온 아이〉, 넷플릭스, 2015년. 대본은 scrapsfromtheloft.com에서 찾아볼 수 있다.

18. 리처드 슐레진저, 〈'세서미 스트리트' …… 어른용?〉, CBSNews.com, 2008년 1월 17일.

19. 이 만화는 정신적 부하가 늘어나는 과정을 잘 보여 준다. 〈부탁했어야지〉, emmaclit.com, 2017년 5월 20일.

20. 〈미국인의 시간 사용 설문 조사 요약-2017년 결과〉, 노동통계국, 2018년 6월 28일.

21. 킴 파커와 그레천 리빙스턴, 〈미국 아빠들에 대한 일곱 가지 사실〉, 퓨 리서치 센터, 2018년 6월 13일.

22. 〈양육과 살림:맞벌이 부부는 집안일을 어떻게 분담하는가〉, 퓨 리서치 센터, 2015년 11월 11일.

23. 클레어 케인 밀러, 〈남자들이 집에서 일을 많이 하지만 생각만큼은 아니다〉, 《뉴욕 타임스》, 2015년 11월 12일.

24. 마르타 머리 클로즈와 미스티 L. 헤게네스, 〈남자는 올리고 여자는 내린다:여자가 돈을 더 많이 벌 때 남편과 아내가 각자의 수입을 어떻게 신고하는가〉, 미국 인구조사국, 사회 경제 주택 통계부, 2018년 6월 6일.

25. 리처드 V. 리브스와 이저벨 V. 소힐, 〈남성 해방!〉, 《뉴욕 타임스》, 2015년 11월 14일.

26. 〈더는 우리 집 가장이 되고 싶지 않아요!〉, 디어 슈거, NPR, 2016년 11월 3일.

27. 《2015년 미국에서 이뤄지는 간병》, 전국 간병 연합회와 미국 은퇴자 협회 공공 정책 기관, 2015년 6월. 이 보고서에 따르면 소위 장시간(일주일에 24시간 이상) 간병하는 사람의 62퍼센트는 여성이었다. 그들 중 59퍼센트는 "간병 외에 달리 선택의 여지가 없다"고 느꼈다.

28. J. 월터 톰프슨 인텔리전스, 〈X세대 여성:마흔 살과 놀기〉, Slideshare.net, 2010년 5월 19일. 2018년 8월 5일에 검색.

29. 도널드 레드푸트, 린 파인버그, 아리 하우저, 〈베이비 붐 세대의 노화와 벌어지는 간병 격차:향후 가족을 간병하는 사람이 줄어드는 현상 고찰〉, 《문제 통찰 85》, 2013년 8월, 미국 은퇴자 협회 공공 정책 기관. 또한 가족을 간병하는 사람의 28퍼센트가 열여덟 살 이하의 자녀를 두고 있으며, 60퍼센트가 직업이 있다는 사실도 주목할 필요가 있다. 평균 간병 지속 기간은 4년이지만 간병인의 24퍼센트가 5년 혹은 그 이상을 간병하게 된다. 《2015년 미국에서 이뤄지는 간병》, 전국 간병 연합회와 미국 은퇴자 협회 공공 정책 기관, 2015년 6월.

30. 〈간병하는 자녀가 일할 경우에 드는 간병 비용〉, 메트라이프 연구소, 2011년 6월.

31. 《2015년 미국에서 이뤄지는 간병》, 전국 간병 연합회와 미국 은퇴자 협회 공공 정책 기관, 2015년 6월.

32. 척 레인빌, 로라 스쿠프카, 로라 메헤간, 《가족 내 간병과 현금 지출 원가:2016년 보고서》, 미국 은퇴자 협회 연구소.

33. 에이미 고이어, 저자와의 인터뷰, 2017년 8월 8일.

34. 브랜던 핀, 《밀레니얼 세대:가족 간병인으로 떠오르는 세대》, 미국 은퇴자 협회 공공 정책 기관, 2018년 5월.

35. 〈가족 및 의료 휴가법이 효과를 나타내고 있다〉, 노동부, 2013년 자료표.

36. 케이티 홀과 크리스 스필록, 〈유급 육아 휴가:미국 VS 세계〉, HuffingtonPost.com, 2013년 2월 4일.

37. 〈미국의 스트레스:보건 의료의 불확실성〉, 미국 심리학회, 2018년 1월 24일.

38. 에밀리 쿡, 〈중산층으로 근근이 살아가기〉, 《뉴욕 타임스》, 2018년 7월 9일.

39. 마이클 셔머, 〈종교 단체에 가입하지 않은 미국인의 수가 증가하고 있다〉, 《사이언티픽 아메리칸》, 2018년 4월 1일.

40. 에마 그린, 〈교회에 가기 힘들다〉, 《애틀랜틱》, 2016년 8월 23일.

41. 톰 보두앙, 《가상 신념》(샌프란시스코:조시-배스, 1998년).

42. 크리스 무니, 〈점점 더 많은 미국인이 점성술을 과학이라고 생각한다〉,《마더 존스》, 2014년 2월 11일. 국립 과학 협회가 수집한 일반 사회 설문 자료에 의하면 X세대의 대략 40퍼센트가 점성술을 '매우' 혹은 '그럭저럭' 과학적으로 생각한다.

43. 미라 프타신이 저자에게 보낸 문자, 2018년 5월 27일.

44. 미국 보건복지부에 따르면 정신 건강 전문가의 도움을 받고 싶어 하는 사람 중에서 실제로 전문가의 도움을 받는 사람의 비율은 3분의 1이 못 된다. 〈지정된 의료 종사자 부족 지역 통계〉, 미국 보건복지부, 건강 자원과 서비스 행정, 의료인력국, 2017년 12월 31일, KFF.org. 2018년 8월 9일에 검색.

45. 이민진은 재발간한 그녀의 소설《백만장자를 위한 공짜 음식》(뉴욕:그랜드 센트럴 출판, 2018년)에서도 이 일을 언급했다.

네 번째 이유 : 불안정한 직장

1. 이 트럭의 이름은 '달리는 치즈'가 되어야 마땅하다.

2. 니키 그래프, 애나 브라운, 아일린 패튼, 〈줄어들지만 결코 사라지지 않는 남녀 임금 격차〉, 퓨 리서치 센터, 2018년 4월 9일.

3. 노동통계국은 여성의 주급 중간값이 서른다섯 살에서 마흔네 살 사이의 여성이 가장 높고, 마흔다섯 살에서 쉰네 살 사이의 여성은 약간 낮다고 보고한다. 남자의 주급은 예상대로 모든 연령에서 여성보다 높은데 X세대가 많은 집단에서도 그러하다. 하지만 마흔다섯 살에서 쉰네 살 사이 남자의 수입이 서른다섯 살에서 마흔네 살 사이 남자의 수입보다 높다는 사실은 주목할 만하다. 남자에게는 정체기가 없다. 〈2016년 연령에 따른 여성과 남성의 수입〉, BLS.gov, 2017년 8월 25일.

4. 클라우디아 골딘, 〈어떻게 해야 남자와 동등한 임금을 받을 수 있을까(힌트:간단하지 않다)〉,《뉴욕 타임스》, 2017년 11월 10일.

5. 스티븐 J. 로즈와 하이디 하르트만,《여전히 남성 위주의 노동 시장:천천히 좁아지는 남녀 임금 격차》, 여성 정책 연구 협회, 2018년 11월 26일.

6. 클레어 케인 밀러, 〈아내가 남편보다 많이 벌 때 둘 다 그 사실을 인정하고 싶어 하지 않는다〉,《뉴욕 타임스》, 2018년 7월 17일.

7. 〈미국에서 연봉이 가장 높은 직업을 가진 여자들은 자신의 연봉을 줄여서 말한다〉, LinkedIn.com, 2017년 3월 29일.

8. 〈2018년의 남녀 임금 격차 상태〉, PayScale.com, 2018년.

9. 페이스 구버넌, 그렉 캐플런, 재 송, 저스틴 와이드너, 〈지난 60년간 미국에서의 생애 소득〉, 전미 경제 연구소 보고서 no. 23371, 2017년 4월.

10. 줄리아 핌슬러, 아동 언어 학습 회사 CEO이자 2013년에 더블 디짓 아카데미 설립. 강연과 워크숍, 자신이 저술한 책을 통해서 여성 사업가들이 회사를 위한 기금을 마련하고 100만 달러 수익을 내도록 돕고 있다. 2011년부터 2014년까지 조사한 결과 여성이

소유한 회사 가운데 겨우 2퍼센트만 100만 달러 수익을 냈다. 핌슬러는 벤처 자금 중에서 적어도 10퍼센트는 여성 CEO에게 가도록 노력하고 있다. 일레인 포펠트, 〈여성이 100만 달러 사업을 하는 법〉, Money.com, 2015년 9월 30일.

11. 〈리스트:S&P 500에 포함되는 여성 CEO〉, Catalyst.org, 2019년 1월 24일.

12. 저스틴 울퍼스, 〈존이라는 이름의 남자보다 더 적은 수의 여자가 대기업을 운영한다〉, 《뉴욕 타임스》, 2015년 3월 2일.

13. 전국적으로 37퍼센트:리디아 디시먼, 〈X세대 일꾼이 필요로 하는 간과된 이득〉, 《패스트 컴퍼니》, 2018년 5월 7일. 전 세계적으로 51퍼센트:2018년 전 세계 리더십 예측, 스테퍼니 닐과 리처드 웰린스, 〈밀레니얼 세대가 아닌 X세대가 일의 본질을 바꾸고 있다〉, CNBC.com, 2018년 4월 11일.

14. 앤드루 볼스, 〈기업 경영의 평등화〉, 〈회사의 평등화:기업 서열의 변하는 본질에 관한 종단 자료에서 얻은 증거〉, 전미 경제 연구소 보고서 no. 9633. 2018년 6월 20일에 NBER.org에서 검색.

15. 로런 셔먼, 〈허드슨 베이 컴퍼니가 고위 간부를 포함해 이천 개의 일자리 삭감을 발표했다〉, BusinessofFashion.com, 2017년 6월 8일.

16. 지난 5년간 X세대 리더는 평균적으로 겨우 1.2명 승진했다. 반면 밀레니얼 세대는 1.6명이고, 베이비 붐 세대는 1.4명이다. 2018년 전 세계 리더십 예측, 스테퍼니 닐과 리처드 웰린스, 〈밀레니얼 세대가 아닌 X세대가 일의 본질을 바꾸고 있다〉, CNBC.com, 2018년 4월 11일.

17. 〈메트라이프의 열일곱 번째 미국 복리 후생 제도 경향 연구〉, 2019년 3월.

18. 스텔라 페이어, 앨런 레이시, 오드리 왓슨, 〈STEM 직업:과거, 현재, 미래〉, BLS.gov, 2017년 1월.

19. 알렉시스 크리브코비치 등, 〈일터에서의 여성들〉, McKinsey.com, 2018년 10월.

20. 리아나 크리스틴 랜디바, 〈STEM 분야 직원 채용에서 성별, 인종과 히스패닉 출신의 차별〉, Census.gov, 2013년 9월.

21. 아일린 애플바움, 저자에게 보낸 이메일, 2018년 6월 10일.

22. 아일린 애플바움, 《늘어 가는 불평등 이면에 무엇이 있는가?》, 경제 정책 연구소, 2017년 9월.

23. 〈4차 산업 혁명에서의 여성과 일〉, 월드 이코노믹 포럼, 2016년. 2018년 11월 3일에 reports.weforum.org에서 검색.

24. 로런 스틸러 리클린, 〈나이 많은 여성은 일터에서 강제로 쫓겨난다〉, 《하버드 비즈니스 리뷰》, 2016년 3월 10일.

25. 테리사 길라두치, '왜 쉰 살 이상의 여성은 취업할 수 없을까', 〈PBS 뉴스아워〉, 2016년 1월 4일.

26. 디온느 시어시, 〈중년 여성에게 커리어는 손에 잡히지 않는다〉, 《뉴욕 타임스》, 2014

년 6월 23일.

27. 나탈리 키트로에프, 〈취업 시장에서 경쟁이 점점 더 심해지는 동안 실업률은 3.9퍼센트로 사상 최저치를 기록했다〉, 《뉴욕 타임스》, 2018년 5월 4일.

28. 줄리아 앵윈, 놈 샤이버, 아리아나 토빈, 〈페이스북 취업 광고가 연령 차별에 대한 우려를 일으킨다〉, 《뉴욕 타임스》, 2017년 12월 20일. 2019년 3월, 페이스북은 취업 광고를 올리는 기업이 특정 연령층에게만 광고가 보이도록 설정하는 걸 금지하겠다고 발표했다. 놈 샤이버, 마이크 이삭, 〈페이스북이 연령 차별이라는 항의에 따라 타기팅 광고를 중단한다〉, 《뉴욕 타임스》, 2019년 3월 19일.

29. 스티브 캐번디시, 〈중년 여성이 뉴스 앵커가 되기 위한 투쟁〉, 《뉴욕 타임스》, 2019년 3월 11일.

30. 윌리엄 새파이어, 〈다운사이즈라는 언어〉, 《뉴욕 타임스》, 1996년 5월 26일.

31. 마고 혼블로어, 〈소위 말하는 게으름뱅이의 위대한 유산〉, 《타임》, 1997년 6월 9일.

32. 《X 팩터 : 서른세 살에서 마흔여섯 살 세대가 가진 힘을 활용하기》의 보도 자료 〈간과되었으나 매우 중요한 X세대〉, 일과 삶 정책 센터, 2011년 9월 16일.

33. 앤 스터징거, 〈안녕 X세대 : 사과 그만하기〉, Medium.com, 2018년 3월 28일. 그녀는 이렇게 덧붙인다. "그리고 이젠 우리가 가진 특권을 확인해야 하나요? 차라리 내 엉덩이를 확인하세요."

34. 에이미 애드킨스, 〈밀레니얼 세대 : 여러 직업을 전전하는 세대〉, Gallup.com, 2016년 5월 12일.

35. 한 연구에 따르면 '세대 간 결합'은 기업이 처한 중요한 도전이라고 한다. 타니아 레넌, 〈여러 세대가 일하는 사업장 운영하기〉, 헤이 그룹, 요약본, 2015년.

36. 리베카 헨더슨, 저자와의 인터뷰, 2017년 8월 3일.

37. 2018년 캐털리스트 세미나 : 카를러 해리스 기조연설, 뉴욕 힐튼 미드타운, 2018년 3월 20일, Youtube.com, 45분.

38. 시어도어 캐플로, 루이스 힉스, 벤 J. 와튼버그, PBS 특집 다큐멘터리 〈통계로 보는 첫 세기〉의 동반 웹 사이트, PBS.org/fmc. 2018년 3월 21일에 검색. 통계 출처는 《미합중국의 통계 개요》(워싱턴 DC : 미국 인구조사국, 연감).

39. 클라우디아 골딘, 〈여성 취업과 교육, 가족을 변화시키는 조용한 혁명〉, 전미 경제 연구소 보고서 no. 11953, 2006년 1월.

40. 클라우디아 골딘, 〈위대한 성 수렴 : 마지막 장〉, 《아메리칸 이코노믹 리뷰 104》 no. 4, 2014년.

41. 그레인 피츠사이먼스, 아론 케이, 김재윤, 〈'린인'의 메시지와 통제 환상〉, 《하버드 비즈니스 리뷰》, 2018년 7월 30일.

42. 엘런 파오, 《리셋》(뉴욕 : 랜덤 하우스, 2017년).

43. 오필리 그라시아 롤리, 〈미셸 오바마는 '린인'의 절대 진리를 거부한다〉, 《더 컷》,

2018년 12월 2일.

44. 수전 치라, 〈왜 여성은 CEO가 아닌가? 거의 CEO이던 여자들의 말〉, 《뉴욕 타임스》, 7월 21일, 2017년.

45. 〈여성 지도자가 처한 진퇴양난〉, Catalyst.org, 2007년.

46. 한 여성이 월마트를 고소했다. 그녀의 상사가 "데미 무어는 임신 중에도 영화 촬영을 했다"면서 "당신도 무거운 상자를 들라"고 말했기 때문이다. 데미 무어는 돈이 많고 유명한 여배우인 데다 위험한 장면은 스턴트 배우가 했는데도 말이다. 나탈리 키트로에프와 제시 실버 그린버그, 〈미국의 최대 기업 내에서 횡행하는 임신 차별〉, 《뉴욕 타임스》, 2018년 6월 15일.

47. J. 월터 톰프슨 인텔리전스, 〈X세대 여성:마흔 살과 놀기〉, Slideshare.net, 2010년 5월 19일. 2018년 8월 5일에 검색.

48. 조안 B. 시울라, 《일의 발견》(뉴욕:스리 리버스 프레스, 2000년).

49. 조안 B. 시울라, 저자와의 인터뷰, 2018년 4월 27일.

50. 만약 CEO가 성 다양성을 우선시하지 않는다면 주 정부에서 그렇게 하도록 강요할 수 있다. 2018년 가을, 캘리포니아주에서는 임원진에 여성이 의무적으로 포함되어야 하는 법안이 처음 제정됐다. 이 법령을 따르지 않으면 벌금형에 처할 수 있다. 버네사 퓨먼스, 〈캘리포니아주가 임원진에 여성이 의무적으로 포함되어야 하는 법령을 처음으로 제정했다〉, 《월 스트리트 저널》, 2018년 9월 30일. 그렇기는 해도 아직 기뻐하기는 이르다. 임금 공정 법령은 2012년에 도입되었으나 여러 차례 통과되지 못했다. 버제스 에버렛, 〈상원에서 임금 평등 법안을 거부하다〉, Politico.com, 2014년 9월 15일.

51. 사라 호로비츠, 〈왜 남자보다 여자 프리랜서가 많을까?〉, FastCompany.com, 2015년 3월 11일.

52. 2년 전 전미 경제 연구소가 작성한 보고서에 의하면 2005~2015년에 '대체 업무 계약'을 맺은 사람의 비율은 10.7퍼센트에서 15.8퍼센트로 증가했다. 로렌스 F. 카츠와 앨런 B. 크루거, 〈1995년부터 2015년까지 미합중국 대체 업무 계약의 증가와 본질〉, 전미 경제 연구소 보고서 no. 22667, 2016년 9월.

53. 로버트 맥과이어, 〈긱 경제 데이터의 궁극적 가이드〉, Nation1099.com. 2018년 7월 16일.

54. 미샤 코프먼, 〈2020년에 노동자의 절반이 프리랜서가 되는 다섯 가지 이유〉, Forbes.com, 2014년 2월 28일.

55. 브룩 에린 더피, 《좋아하는 일을 하면서 돈 (못) 벌기:성별, 소셜 미디어, 출세 지향적인 일》(뉴헤이븐:예일 대학 출판, 2017년).

56. 브룩 에린 더피, 저자와의 인터뷰, 2018년 3월 19일.

다섯 번째 이유 : 돈에 대한 공포

1. Inequality.org 사이트에는 놀랄 만한 도표를 모아 놓았는데 미국 의회 예산처와 정책 연구소에서 가져온 자료들도 있다.

2. C. 유진 스틸리, 시그네 메리 매커넌, 캐럴라인 랫클리프, 시시 장, 〈잃어버린 세대? 젊은 미국인들의 부 축적하기〉, 어번 연구소, 2013년 3월 14일.

3. 〈대책을 마련해 두지 않는 한 노후의 현실은 녹록지 않다〉, 열다섯 번째 트랜스아메리카 노동자의 연간 퇴직 실태 조사, 2014년 8월.

4. 라지 체티, 데이비드 그루스키, 《희미해지는 아메리칸 드림 : 1940년 이후의 절대 소득 유동성 경향》, 하버드 대학 기회균등 프로젝트, 개요서, 2016년 12월. 다음 문헌도 참고하라. 라지 체티, 너새니얼 헨드렌, 매기 R. 존스, 소냐 R. 포터, 〈미국에서의 인종과 경제적 기회 : 세대 간 전망〉, 기회균등 프로젝트, equality-of-opportunity.org. 2018년 6월 27일에 검색.

5. 로버트 플뤼게, 저자와의 인터뷰, 2018년 5월 3일.

6. 〈커리어빌더의 새로운 설문 조사에 의하면 미국 노동자의 대다수가 그날 벌어서 그날 먹고산다〉, Careerbuilder.com, 2017년 8월 24일.

7. 리사 체임벌린, 《슬랙코노믹스》(케임브리지, MA : 다 카포 프레스, 2008년).

8. 대니얼 H. 핑크, 《언제 : 완벽한 타이밍의 과학적 비밀》(뉴욕 : 리버헤드 북스, 2018년).

9. 로버트 D. 맥패든, 〈일자리를 구하려는 치열한 경쟁 : 졸업생들을 기다리는 경기 침체-특별 기사〉, 《뉴욕 타임스》, 1991년 4월 22일.

10. 캐럴 클레이먼, 〈1992년도 졸업생을 기다리는 황량한 취업 시장〉, 《시카고 트리뷴》, 1991년 12월 13일.

11. 캐럴 클레이먼, 〈1993년도 졸업생에게는 쉽지 않을 구직 활동〉, 《시카고 트리뷴》, 1992년 12월 11일.

12. 립스키와 에이브럼스의 이 요약은 린퀘스트-엔디콧 설문 조사 결과에 기반한다. 나는 인용문 안에서 일부 설명을 뺐다. 데이비드 립스키와 알렉산더 에이브럼스, 《늦게 피는 꽃》(뉴욕 : 타임 북스, 1994년).

13. 〈다섯 자리 금액 : 2000년 이후 대학 졸업생이 받는 임금은 계속 줄어든다〉, 현재 인구 설문의 EPI 분석, 아웃 고잉 로테이션 그룹 마이크로데이터, 경제 정책 연구소, epi.org. 2018년 8월 9일에 검색.

14. 리사 B. 칸, 〈경제가 나쁠 때 대학을 졸업하는 일이 노동 시장에 장기간 미치는 영향〉, 《노동 경제학 17》 no. 2, 2010년. 대니얼 H. 핑크의 《언제 : 완벽한 타이밍의 과학적 비밀》에도 이 연구가 나온다.

15. 테드 할스테드, 〈X세대를 위한 정치〉, 《애틀랜틱》, 1999년 8월.

16. 조슈아 C. 핑크스턴과 제임스 R. 스플레처, 〈한 해 동안 사라진 일자리 수와 늘어난 일자리 수〉, 《월간 노동 리뷰》, 2004년 11월.

17. 〈X세대에 대해 알아야 하는 이유〉, 골드만삭스, Youtube.com, 2016년 8월 19일. 2018년 6월 25일에 검색.

18. 〈대책을 마련해 두지 않는 한 노후의 현실은 녹록지 않다〉, 열다섯 번째 트랜스아메리카 노동자의 연간 퇴직 실태 조사, 2014년 8월.

19. 세라 오브라이언, 〈젊은 일꾼 대다수가 이미 노후 자금에 손댔다〉, CNBC.com, 2018년 8월 21일.

20. 〈메트라이프의 X세대 연구:MTV 세대가 중년으로 넘어가다〉, 2013년 4월.

21. D. H. 로런스, 〈경마에서 항상 이기는 소년〉(맨케이토, MN:크리에이티브 에듀케이션 Inc., 1982년).

22. 〈미국 재정 건전성의 중요한 척도인 재정 50에서 알아낸 사실들〉, 퓨 리서치 센터, 2019년 3월 11일.

23. 예를 들면 맷 필립스, 〈수익률 곡선은 무엇인가? '리세션이 온다는 강력한 신호'가 월스트리트의 주목을 받는다〉, 《뉴욕 타임스》, 2018년 6월 25일.

24. 닐 어윈, 〈무엇이 다음 리세션을 일으킬까? 가능성이 가장 큰 세 가지 요인을 살펴보자〉, 《뉴욕 타임스》, 2018년 8월 2일.

25. 스티브 헨더슨, 〈세대별 소비 습관〉, blog.dol.gov, 2016년 11월 3일.

26. 〈알리안츠 세대별 연구〉, 알리안츠 생명, 2016년 6월 16일.

27. 암리타 자야쿠마, 〈밀레니얼 세대의 돈:신용카드 따라잡기〉, 《워싱턴 포스트》, 2018년 12월 18일.

28. 캐티 힐, 〈X세대는 재정적으로 완전히 파산했다〉, 마켓워치, 2019년 3월 11일.

29. 밥 설리번, 〈신용 상태:2017년〉, Experian.com, 2018년 1월 11일. 자동차 대출에 대해서는 다음 자료를 참고하라. 트랜스유니언:스티븐 핀레이, 〈줄어드는 서브프라임 대출:소비자 신용 점수 증가〉, WardsAuto.com, 2018년 8월 22일. 전반적인 빚에 대해서는 다음을 참고하라. 어멜리아 조지프슨, 〈연령별 평균 빚〉, 스마트 애셋, 2018년 8월 20일.

30. 브리트니 메이어, 〈연령과 세대별 평균 신용 점수를 보여 주는 세 가지 연구(2019년)〉, BadCredit.org. 2019년 3월 20일에 검색.

31. 〈새로운 재정 현실:X세대의 대차 대조표와 경제적 유동성〉, 퓨 공익 신탁, 2014년 9월.

32. 리처드 프라이, 〈집값 폭락 이후 부를 회복한 유일한 세대인 X세대〉, 퓨 리서치 센터, 2018년 7월 23일.

33. 구버넌 외, 〈지난 60년간 미국에서의 생애 소득〉, 전미 경제 연구소 보고서 no. 23371, 2017년 4월.

34. "2016년까지 중년의 미국인이 재정적으로 만족한다고 말할 확률은 12퍼센트 더 적고, 불행하다고 말할 가능성은 18퍼센트 더 많다." 로버트 게벨로프, 〈심술쟁이 세대:쉰 살이 되어서도 불행하다면 왜일까〉, 《뉴욕 타임스》, 2017년 11월 30일.

35. 주디 케틀러, 〈중년이 버겁다고? 그럼 수영을 배워라〉, 《뉴욕 타임스》, 2018년 5월 17일.

36. 〈노동통계국 통계: 2007~2009년의 리세션〉, 노동통계국, BLS.gov, 2012년 2월.

37. 레스 크리스티, 〈집값이 기록적으로 18퍼센트 떨어졌다〉, CNNMoney.com, 2008년 12월 30일.

38. 〈주택 보유 현황〉, 하버드 대학 주택 연구 합동 센터, 2015년.

39. 라이언 맥메이큰, 〈미국 집값이 인플레이션보다 두 배 빠르게 오르고 있다〉, BusinessInsider.com, 2016년 5월 2일.

40. 〈주택 인구 조사〉, Census.gov. 2018년 8월 6일에 검색.

41. 크리스 커컴, 〈X세대에게 남아 있는 집값 폭락의 잔재〉, 《월 스트리트 저널》, 2016년 4월 8일.

42. 끔찍한 쌍방향 그래픽을 보려거든 다음을 참고하라. 〈미국의 월세 주택 위기 지도〉, urban.org, 2017년 4월 27일.

43. 에빌리 배저, 〈집세를 감당할 수 없는 사람들은 왜 집세가 더 싼 집으로 이사하지 않을까?〉, 《뉴욕 타임스》, 2018년 5월 15일.

44. 벤 카설먼, 〈집값이 임금보다 더 상승하면 주택 시장이 둔화된다〉, 《뉴욕 타임스》, 2018년 9월 29일.

45. 리사 체임벌린, 저자와의 인터뷰, 2018년 3월 26일.

46. 애비 잭슨, 〈이 도표는 1980년 이후 대학 등록금이 얼마나 빠르게 폭등했는지 보여 준다〉, BusinessInsider.com, 2015년 7월 20일.

47. 칼리지 보드, 〈등록금과 수수료와 숙식비는 시간이 흐르며 변한다〉, collegeboard.com. 2017년 9월 9일에 ProCon.org가 만든 도표를 찾아 검색.

48. 앤드루 앳킨슨, 〈밀레니얼 세대는 부의 흐름에 저항한다〉, 《블룸버그 비즈니스위크》, 2018년 2월 20일.

49. M. H. 밀러, 〈너무 오랫동안 우울해서 내겐 그게 빛처럼 보여〉, 《배플러》 no. 40, 2018년 7월 5일.

50. 북미 폐경 협회, menopause.org. 2018년 8월 9일에 검색.

51. 〈여성의 건강 고찰〉, NIH.gov. 2018년 8월 9일에 검색.

52. 〈미국 여성이 유방암에 걸릴 위험〉, 국립 암 협회, Cancer.gov, 2012년 9월 24일.

53. 버지니아 T. 래드, 저자와의 인터뷰, 2017년 7월 24일.

54. 〈2018년 연례 보고서 요약: 사회 보장과 국민 건강 보험 현황〉, ssa.gov. 2019년 3월 20일에 검색.

55. 이 연구에 따르면 은퇴할 때 사회 보장 신탁 기금을 제대로 받지 못할 것으로 생각하는 X세대 비율은 70퍼센트이다. 〈메트라이프의 X세대 연구: MTV 세대가 중년으로 넘어가다〉, 2013년 4월. 트랜스아메리카에 따르면 그 수치는 83퍼센트다. 〈대책을 마련

해 두지 않는 한 노후의 현실은 녹록지 않다〉, 열다섯 번째 트랜스아메리카 노동자의 연간 퇴직 실태 조사, 2014년 8월.

56. 조 앤 젠킨스, 〈미국의 베드록 프로그램을 보호하라〉, 《미국 은퇴자 협회 회보》, 2015년 7/8월호.

57. 헬레인 올렌, 〈많은 미국인이 자신은 결코 사회 보장 신탁 기금을 못 받을 것으로 생각하지만 이는 잘못된 생각이다〉, 《워싱턴 포스트》, 6월 8일, 2018년.

58. 론 리버, 〈어떻게 해야 퇴직 연금을 많이 받을 수 있을까?〉, 《뉴욕 타임스》, 2017년 6월 15일.

59. 앤드루 오스틸랜드, 〈고문들은 30조 달러에 달하는 '위대한 부의 이전'을 준비한다〉, CNBC.com, 2016년 6월 16일.

60. 마크 로브너, 《미국의 차세대 자선사업가》, 블랙보드 연구소, 2018년 4월.

61. 〈병원비〉, LongTermCare.gov. 2016년의 전국 평균 비용. 2018년 12월 24일에 검색.

62. 리치 코언, 〈왜 X세대가 우리의 마지막이자 최상의 희망일까〉, 《배너티 페어》, 2017년 8월 11일.

63. 매슈 헤네시, 《X세대가 행동을 개시해야 할 때》(뉴욕:인카운터, 2018년).

여섯 번째 이유:선택불가 증후군

1. 데이비드 M. 그로스와 소프로니아 스콧, 〈조심스럽게 나아가기〉, 《타임》, 1990년 7월 16일.

2. 몰리 링월드, 〈'조찬 클럽'은 어쩌고요?〉, 《뉴요커》, 2018년 4월 6일.

3. 엘리자베스 언쇼, 저자와의 인터뷰, 2017년 8월 4일.

4. 이 책은 2014년에 조너선 라우시가 《애틀랜틱》에 쓴 인기 있는 기사에서 영감을 받아 썼다. 조너선 라우시, 〈중년 위기의 진짜 근원〉, 《애틀랜틱》, 2014년 12월.

5. 수전 크라우스 휘트번은 이를 "그 중년의 행복 곡선? 곡선이라기보다 직선에 가깝다"라고 요약한다. PsychologyToday.com, 2018년 9월 15일.

6. 타라 파커-포프, 〈중년의 위기는 전 세계적 현상이다〉, 《뉴욕 타임스》, 2008년 1월 30일.

7. 조너선 라우시, 《인생은 왜 50부터 반등하는가》(뉴욕:토머스 듄 북스, 2018년).

8. 로라 카스텐슨, 〈나이 든 사람이 더 행복하다〉, TEDxWomen, 2011년.

9. 〈중년의 위기?〉는 '중간 성인기' 시리즈의 일부, 배움의 씨앗, 2000년, 플랫폼:뉴욕 퍼블릭 라이브러리의 캐노피.

10. 에릭 저먼과 솔라나 파인, 〈엄마들의 전쟁〉, RetroReport.org와 Quartz.com, 2016년 6월 28일.

11. 주디 사이퍼스 브래디, 〈나도 아내가 있었으면 좋겠다:세월이 흘러도 변함없는 1970년대 페미니스트들의 선언문〉, TheCut.com에서 재발행함, 2017년 11월 22일. 원본

《뉴욕》, 1971년 12월 20일.

12. 헤더 부셰이, 《시간 찾기》(케임브리지, MA:하버드 대학 출판, 2016년).

13. 헤더 부셰이, 〈여자들이 퇴직을 선택한다고? 그 믿음이 잘못되었음을 밝힌다〉, 경제와 정책 연구 센터의 짧은 논문, 2005년 11월.

14. 톰 보두앙, 《가상 신념》(샌프란시스코:조시-배스, 1998년).

15. 메러디스 백비, 《이성적 과열:X세대가 새로운 미국 경제에 끼친 영향》(뉴욕:더틴, 1998년).

16. 〈칭얼거리는 세대〉, 《뉴스위크》, 1993년 10월 31일.

17. 칼 윌슨, 〈리프:나의 성인기〉, 《뉴욕 타임스 매거진》, 2011년 8월 4일.

18. 〈청춘 스케치〉의 아이러니한 뒷이야기에 대해서는 다음을 참고하라. 소라야 로버츠, 〈'청춘 스케치'는 완벽한 아이러니로 X세대를 사로잡았다〉, 《애틀랜틱》, 2019년 3월 6일.

19. 카밀 S. 존슨도 다음 글에서 그와 비슷한 주장을 했다. 〈로이드 도블러 효과〉, 《오늘의 심리학》, 2014년 1월 31일. 존슨은 우리가 무의식적으로 자신이 사귀는 남자를 로이드 도블러 같은 이상적인 파트너와 비교하고, 그로 인해 현실에 불만족하게 된다고 말한다.

20. X세대 인디 밴드의 전성기를 다룬 책에서 마이클 아제라드는 왜 시애틀의 파티에서는 사람들이 모여 다니기 좋아하는지 설득력 있는 이론을 인용한다. 엑스터시와 맥주에 엄청나게 취해 있기 때문이다. 마이클 아제라드, 《우리 밴드는 당신의 인생일 수 있다:1981~1991년의 미국 인디 언더그라운드 장면》(뉴욕:백베이 북스, 2002년).

21. 지니아 벨라판테, 〈'위험한 청춘'과 브렛 캐버노, 35년 뒤〉, 《뉴욕 타임스》, 2018년 9월 27일.

22. 얼라이나 투겐드, 〈너무 많은 선택지 앞에서 우리는 마비될 수 있다〉, 《뉴욕 타임스》, 2010년 2월 26일.

일곱 번째 이유 : 아이 없는 싱글

1. 세라 헤폴라, 저자와의 인터뷰, 2018년 2월 17일.

2. 〈인구 조사, 2016년 사회 및 경제 연례 부록〉, Census.gov, 2017년.

3. 조이스 A. 마틴 등, 〈출생:2017년 최종 데이터〉, 《전미 인구 동태 통계 보고서 67》 no. 8, 미국 보건복지부, 2018년 11월 7일.

4. 〈갤럽 분석:밀레니얼 세대, 결혼, 가족〉, Gallup.com, 2016년 5월 19일. 같은 해 노동통계국의 인구 조사에 따르면 한 번도 결혼한 적이 없는 X세대의 비율은 19퍼센트라고 한다. 대략 5명 중 1명꼴이다.

5. 웬디 왕과 킴 파커, 〈결혼한 적 없는 미국인의 수치가 사상 최고치〉, PewSocialTrends.org, 2014년 9월 24일.

6. 머리사 허먼슨, 〈밀레니얼 세대가 어떻게 결혼을 재정의하는가〉, Gottman.com, 2018년 7월 3일.

7. 미국 인구조사국, 10년 단위로 조사, 1890~1940년과 현재 인구 조사, 사회 및 경제 연례 부록, 1947~2018년.

8. 케이 하이모비츠 등, 〈결혼은 아직:미국에서 결혼을 미룰 때의 혜택과 비용〉, 버지니아 대학의 전미 결혼 프로젝트, 10대의 결혼을 막고 계획되지 않은 임신을 막는 전국 캠페인, 릴레이트 협회, 2013년.

9. 좋은 소식을 더 많이 보려면 다음을 참고하라. 레베카 트레이스터, 《싱글 레이디스》(뉴욕:사이먼 앤드 슈스터, 2016년).

10. 엘리너 바크혼, 〈늦게 결혼하는 편이 대졸 여성에게는 좋다〉, 《애틀랜틱》, 2013년 3월 15일.

11. 케이 하이모비츠 등, 〈결혼은 아직:미국에서 결혼을 미룰 때의 혜택과 비용〉.

12. 〈주택 생태계에서의 여성 보고서〉, 1권:〈여성의 주택 보유 현황〉, 주택과 부동산 생태계에서의 여성, 2018년.

13. 조지프 스트롬버그, 〈'솔로 되기'의 에릭 클라이넨버그〉, 《스미스소니언》, 2012년 2월.

14. 존 버거, 《데이트학》(뉴욕:워크먼 출판), 2015년.

15. 〈인구 분포〉, NYC 도시 설계부. 2019년 3월 15일에 검색.

16. 웬디 왕과 킴 파커, 〈결혼하지 않은 성인을 위한 결혼 시장〉, PewSocialTrends.org, 2014년 9월 24일.

17. 서른세 살을 기준으로 베이비 붐 세대는 남성의 17퍼센트, 여성의 14퍼센트만이 4년제 대학을 졸업했다. X세대는 남성의 18퍼센트, 여성의 20퍼센트가 4년제 대학을 졸업했다. 에린 커리어, 〈X세대가 어떻게 아메리칸 드림을 바꿀 수 있는가〉, 퓨 리서치 센터, 2018년 1월 26일.

18. 로라 E. 파크, 아리아나 F. 영, 폴 W. 이스트윅, 〈(심리적) 거리가 상대를 더 좋아하게 만든다:남성이 여성에게 끌리는 데 있어서 심리적 거리와 상대적 지성의 영향〉, 《성격 및 사회 심리학 회보 41》 no. 11, 2015년 11월 1일.

19. 수전 패튼, 〈밸런타인데이에 툭 터놓고 나누는 짧은 이야기〉, 《월 스트리트 저널》, 2014년 2월 13일.

20. 〈언리얼〉 시즌 3 제1화: '맹세', 2018년 2월 26일.

21. 데이비드 E. 블룸과 닐 G. 베넷, 〈미합중국 결혼 패턴〉, 전미 경제 연구소 보고서 no. 1701, 노동 연구, 1985년 9월.

22. 버네사 그리고리어디스, 〈베이비 패닉〉, 《뉴욕》, 2002년 5월 20일.

23. 〈새터데이 나이트 라이브〉, 2002년 5월 18일.

24. 〈커미티 오피니언 589〉, 미국 산부인과 학회, 2014년 3월. 2018년에 재확인.

25. 메건 가버, 〈'뉴스위크'가 싱글 여성의 가슴에 테러를 일으켰을 때〉, 《애틀랜틱》, 2016

년 6월 2일.

26. 브라이얼린 호퍼, 〈싱글이 되는 법〉, 《로스앤젤레스 책 리뷰》, 2016년 2월 11일.

27. 벨라 드파울루, 《싱글드 아웃》, BellaDePaulo.com에서 핵심 내용을 볼 수 있다. 2018년 7월 25일에 검색.

28. 글리니스 맥니콜, 〈나는 40대이고 아이도 없고 행복해. 그런데 왜 아무도 내 말을 안 믿지?〉, 《뉴욕 타임스》, 2018년 7월 5일.

29. 라이먼 스톤, 〈미국 여성은 자신이 원하는 것보다 아이를 더 적게 낳는다〉, 《뉴욕 타임스》, 2018년 2월 13일.

30. 클레어 케인 밀러, 〈미국인의 자녀 수가 줄고 있다. 그들이 그 이유를 말해 준다〉, 《뉴욕 타임스》, 2018년 7월 5일.

31. 브라이얼린 호퍼, 《사랑하기 힘들다》(뉴욕:블룸즈버리, 2019년).

32. 질병 통제 예방 센터, 미국 생식 의학 협회, 보조 생식 기술 협회, 《2016 보조 생식 기술 불임 전문 병원 성공률 보고서》(애틀랜타, GA:미국 보건복지부, 2018년 10월).

33. 같은 책.

34. 〈2016~2017년 입양 비용과 시기〉, AdoptiveFamilies.com. 2019년 3월 28일에 검색.

35. 〈가정 위탁 시스템을 통한 입양〉, AdoptUSKids.org. 2019년 3월 28일에 검색.

여덟 번째 이유 : 이혼

1. 애비게일 에이브럼스, 〈미국의 이혼율이 거의 40년 만에 떨어지다〉, Time.com. 2016년 12월 5일에 검색.

2. 수전 그레고리 토머스, 〈좋은 이혼〉, 《뉴욕 타임스》, 2011년 10월 28일.

3. 엘리자베스 스타빈스키, 저자와의 인터뷰, 2017년 8월 29일.

4. 로즈 맥더모트 등, 〈헤어지는 건 힘들다. 다른 사람들도 다 헤어지지 않는 한:종적 샘플에 나타난, 인간관계가 이혼에 미치는 영향〉, 《사회력 92》 2호, 2013년 12월.

5. "성별, 결혼, 인생의 한 가지 역설은 젊은 싱글 여성이 남성보다 결혼과 헌신에 대한 욕구가 강한 듯하지만 결혼한 여성은 남성보다 결혼 생활에 대한 만족감이 떨어지는 듯하다는 점이다." 마이클 J. 로즌펠드, 〈누가 결별을 원하는가? 이성애자 부부에게서 나타나는 성별과 결별〉, 《소셜 네트워크와 인생》(뉴욕:스프링어, 2018년).

6. 다프네 드 마네프, 《힘든 시기》(뉴욕:사이먼 앤드 슈스터, 2018년).

7. 다프네 드 마네프, 저자와의 인터뷰, 2017년 10월 24일.

8. 윌리엄 도허티, 저자와의 인터뷰, 2018년 7월 27일.

9. 데이팅 사이트 오케이큐피드에 따르면 "남자들은 나이를 먹을수록 상대적으로 더 어린 여자에게 메시지를 보낸다"고 한다. 남자들은 쉰다섯 살이 되면 자신보다 최소한 여덟 살은 어린 여자에게 반 이상의 메시지를 보낸다. 데일 마코위츠, 〈밝혀진 진실:남녀 관계에서 왜 이렇게 나이 차이가 크게 날까?〉, Okcupid.com, 2017년 6월 1일.

10. 엘리자베스 E. 브런치와 M. E. J. 뉴먼, 〈온라인 데이팅 시장에서의 분에 맞지 않는 상대 고르기〉, 《사이언스 어드밴스 4》 no. 8, 2018년 8월 8일.
11. 스테이시 테슬러 린다우, 저자와의 인터뷰, 2017년 8월 7일.
12. 제인 E. 브로디, 〈성욕의 하락, 폐경과 연관이 있다〉, 《뉴욕 타임스》, 2009년 3월 30일.
13. 크리스틴 P. 파크, 에릭 얀센, 로빈 R. 밀하우센, 《이성애 커플의 불륜: 인구학, 인간관계, 성격과 연결된 혼외정사 지표》, 인디애나 대학 응용 보건학, 성 건강 홍보 센터. KinseyInstitute.org 사이트에서 출판되었다. 2011년 6월 11일.
14. 켈리 로버츠, 저자와의 인터뷰, 2016년 3월 1일.
15. 이혼과 사별을 겪는 여자들의 절반 이상이 재정적 충격을 받는다. 가장 흔한 충격은 남편이 부인 몰래 돈을 쓰고, 빚을 지고, 유언을 갱신하지 않은 것이다. 수잰 울리, 〈황혼 이혼의 증가로 쉰 살 이후에는 재정 상태를 파악해야 한다〉, Bloomberg.com, 2018년 4월 13일.

아홉 번째 이유: 폐경 전후 증후군

1. 버니스 L. 뉴가튼, 〈중년의 인식〉, 《중년과 노화: 사회 심리학 독자》(시카고: 시카고 대학 출판, 1968년, 5판, 1975년).
2. '폐경 전후 증후군'은 20년 전만 해도 일반인은 거의 쓰지 않았으나 이제는 꽤 보편화되었다. 구글 엔그램에서 '폐경 전후 증후군(perimenopause)'이라는 단어를 검색하면 1975년에는 거의 사용되지 않다가 1990년부터 지금까지 사용 빈도가 꾸준히 증가했음을 알 수 있다.
3. 프레드 B. 트래빗 목사님과 프리다 던롭 화이트, 《자신감 있게 삶의 변화에 맞서는 법》(뉴욕: 엑스퍼지션 프레스, 1955년).
4. 저메인 그리어, 《변화》(런던: 해미시 해밀턴, 1991년).
5. "성적 에너지와 쾌감을 높이고 싶은 여성을 위한 물건이다. 옥으로 만든 이 돌은 우리 몸의 두 번째 차크라(심장)와 생식기를 연결해 자기애와 웰빙을 최상으로 끌어올린다." 2018년 6월 27일에 goop.com에서 검색.
6. 마이클 폴런, 《당신의 마음을 바꾸는 법》(뉴욕: 펭귄, 2018년).
7. 아옐렛 왈드먼, 《아주 좋은 하루》(뉴욕: 크노프, 2017년).
8. 힐러리 피츠제럴드 캠벨의 만화, 《뉴요커》, 2019년 1월 14일.
9. 크리스티 콜터, 〈술을 끊으니 여자들이 술을 마시는 짜증 나는 이유에 눈이 떠지다〉, Qz.com, 2016년 8월.
10. "여성이 겪는 변화에 더 많은 관심이 쏠리면서 비외과성 질 성형 수술이 증가하고 있다"고 PlasticSurgery.org의 시술 과정 설명에 적혀 있다. 2018년 6월 27일에 검색.
11. 조앤 핑커턴, 저자와의 인터뷰, 2017년 7월 26일.
12. M. 드 크루이프, A. T. 스피즈커, M. I. 몰렌다이크, 〈폐경 전후 기간의 우울증: 메타 분

석〉, 《정서 장애 저널》 206, 2016년 12월.

13. 제니퍼 울프, 〈의사들은 폐경기 증상을 어떻게 치료해야 하는지 모른다〉, 《미국 은퇴자 협회 회보》, 2018년 8/9월.

14. 전미 여성 건강 연구 등, 〈폐경 과도기에 나타나는 폐경성 혈관 운동 증상의 지속〉, 《JAMA 국제 의학 175》 no. 4, 2015년 4월.

15. 〈일본 여성은 서양인보다 폐경의 영향을 적게 받는다〉, 건강 증진 센터, 사이언스데일리, 1998년 7월 27일.

16. 치아스토 나가타 등, 〈일본 여성의 콩 제품 섭취와 안면 홍조: 지역 사회를 기반으로 한 전향적 연구 결과〉, 《미국 전염병학 저널 153》 no. 8, 2001년 4월 15일.

17. 매릴린 벤더, 〈의사들은 여성 호르몬이 간부로서의 그녀 능력에 영향을 미친다는 사실을 거부한다〉, 《뉴욕 타임스》, 1970년 7월 31일.

18. 요한 하리, 《물어봐 줘서 고마워요》 (뉴욕: 블룸즈버리, 2018년).

19. 에이저 왕, 저자와의 인터뷰, 2018년 12월 26일.

20. 줄리 홀랜드, 《우울한 년들》 (뉴욕: 펭귄, 2015년).

21. 존 라자로, 〈산부인과 의사에게는 폐경 의학 교육이 필요하다〉, 《존스 홉킨스 대학 관보》, 2013년 6월.

22. 제니퍼 울프, 〈의사들은 폐경기 증상을 어떻게 치료해야 하는지 모른다〉, 《미국 은퇴자 협회 회보》, 2018년 8/9월.

23. 사이트 주소는 menopause.org이다. 어떤 지역에서는 주위 몇백 킬로미터 안에 전문 의사가 전혀 없을 수도 있다. 거기다 보험 처리까지 되는 의사를 찾기란 더욱 어렵다.

24. 타라 올멘, 저자와의 인터뷰, 2018년 4월 11일.

25. 우티언은 2002~2012년에 에스트로겐으로 막을 수 있던 건강 문제 때문에 많게는 9만 1610명의 여성이 이른 죽음을 맞이했을 거라고 말했다. 〈닥터 울프 우티언이 호르몬 요법에 대해 말하다〉, HealthyWomen.org. 2018년 8월 9일에 검색.

26. 로버트 D. 랭어, 〈호르몬 요법의 기본 증거: 무엇을 믿어야 하나?〉, 《폐경기 2》, 2017년 4월.

27. 〈2017년 호르몬 요법에 대한 북미 폐경 협회의 공식 입장〉, 북미 폐경 협회, 2017년.

28. 부티 코스그로브-매더, 〈폐경기 증상을 줄여 주는 새로운 방법〉, CBSNews.com, 2003년 12월 29일.

29. 랜디 허터 엡스타인과 메리 제인 민킨, 저자와의 인터뷰, 2018년 3월 1일. madameovary.com에서 민킨의 훌륭한 동영상도 볼 수 있다.

30. 국립보건원은 nccih.NIH.gov에 소비자를 위해 주요 영양제의 자료표를 제공한다.

31. 랜디 허터 엡스타인, 《크레이지 호르몬》 (뉴욕: W. W. 노턴 & co., 2018년).

32. 뒷이야기: 당시 나는 《더 컷》의 객원 편집자였고, 스타인케에게 글을 써 달라고 했다. 다시 스타인케, 〈폐경이 내게 가르쳐 준 것〉, TheCut.com, 2015년 8월 23일. 스타인

케는 이 일을 책에서 설명했다.《플래시 카운트 다이어리》(뉴욕:세라 크라이턴 북스, 2019년).

33. 팸 휴스턴,《깊은 개울》(뉴욕:W. W. 노턴 & co., 2019년).

34. 에이미 조던 존스, 저자와의 인터뷰, 2018년 10월 31일.

열 번째 이유 : 소셜 미디어

1. 〈2016년 성형 수술 통계 보고서〉, 미국 성형외과 협회, Plasticsurgery.org. 2018년 6월 27일에 검색.

2. 애나 가비, 〈'오리건 트레일' 세대:주류 기술 이전과 이후의 삶〉, SocialMediaWeek. org, 2015년 4월 21일.

3. 디프테리아나 홍역, 장티푸스로 죽는 친구들도 있었다. 끝내 주게 재미있는 게임이었다. 로라 터너 개리슨, 〈지금은 다 어디에 있지? '오리건 트레일'에서 우리를 죽인 질병들〉, MentalFloss.com, 2014년 5월 28일.

4. 매슈 헤네시,《X세대가 행동을 개시해야 할 때》(뉴욕:인카운터, 2018년).

5. "페이스북의 사용은 웰빙과 부정적 연관이 있다." 홀리 B. 샤카야와 니컬러스 A. 크리스타키스, 〈페이스북과 타협된 웰빙 연관성:종단 연구〉,《미국 전염병학 저널 185》 no. 3, 2017년 2월 1일.

6. 리비 코플랜드, 〈반사회적 네트워크〉, Slate.com, 2011년 1월 26일.

7. 애덤 필립스,《놓치다》(뉴욕:퍼라, 스트라우스 앤드 지루, 2012년).

8. 니컬러스 카르는 자신의 베스트셀러《생각하지 않는 사람들》에 인터넷이 우리의 뇌를 바꿔 놓았다고 썼다. 우리를 더 차분하고 심사숙고하게 하기보다는 집중하고 깊이 생각하는 능력을 증발시키는 쪽으로. 니컬러스 카르,《생각하지 않는 사람들》(뉴욕:W. W. 노턴 & co., 2010년).

9. 최근 연구에 따르면 휴대 전화가 근처에 있는 것만으로도 우리의 인지 능력이 떨어질 정도로 정신이 산만해진다고 한다. 에드리언 F. 워드, 크리스틴 듀크, 아옐렛 그니지, 마르튼 W. 보스, 〈두뇌 유출:휴대 전화가 있는 것만으로도 활용 가능한 인지 능력이 줄어든다〉,《소비자 연구 연합 저널 2》no. 2, 2017년 4월.

10. 매슈 A. 크리스턴슨 등, 〈휴대 전화 사용 시간 직접 측정:인구 통계와 잠의 관계〉,《플로스 원》, 2016년 11월 9일.

11. 조나 엥겔 브로미치, 〈보고서에 따르면 X세대는 밀레니얼 세대보다 소셜 미디어에 더 중독되어 있다〉,《뉴욕 타임스》, 2017년 1월 27일. 여기 나오는 연구는 닐슨에서 가져왔다.

12. 애슐리 스트리클런드, 〈연구에 따르면 중년 여성은 잠을 충분히 자지 않는다〉, CNN. com, 2017년 9월 7일.

13. 로라 밴더캠, 저자와의 인터뷰, 2018년 4월 9일.

14. 셰리 터클,《외로워지는 사람들》3판(뉴욕:베이직 북스, 2017년).

15. 케빈 그랜빌,〈페이스북과 케임브리지 애널리티카:부정적인 결과가 커질 때 우리가 알아야 하는 것들〉,《뉴욕 타임스》, 2018년 3월 19일.

16. 앨리슨 베네딕트,〈푸시 알림의 해〉, Slate.com, 2017년 11월 6일.

17. 니콜 스펙터,〈'헤드라인 스트레스 장애':일주일 내내 24시간 쏟아지는 뉴스로 인한 불안을 다루는 법〉, NBCNews.com, 2017년 12월 16일. 2018년 6월 20일 업데이트. 2018년 6월 27일에 검색.

18. 얼리사 데이비스와 다이애나 리우,〈미국 대통령 선거 이후로 매일 걱정이 치솟는다〉, Gallup.com, 2017년 3월 1일.

19. 댄 위터스,〈2017년에는 미국인의 웰빙이 하락했다〉, Gallup.com, 2017년 11월 8일.

20. 〈미국의 스트레스:보건 의료의 불확실성〉, 미국 심리학회, 2018년 1월 24일.

21. 베일 라이트, 저자와의 인터뷰, 2018년 4월 9일.

22. 〈미국의 여성:사회적·경제적 웰빙 지표〉, 백악관 여성과 소녀 위원회를 위해 준비된 자료, 2011년 3월.

23. 데버라 A. 크리스텔과 수전 C. 던,〈미국 여성의 평균 옷 사이즈〉,《패션 디자인, 기술, 교육에 대한 국제 저널 10》 no. 2, 2017년.

24. 팀 건,〈팀 건:디자이너들은 미국 여성에게 맞는 옷 만들기를 거부한다. 수치스러운 일이다〉,《워싱턴 포스트》, 2016년 9월 8일.

25. 배리 슈워츠,《점심메뉴 고르기도 어려운 사람들》(뉴욕:에코, 2004년).

26. 주디스 A. 하우크, 저자와의 인터뷰, 2018년 4월 23일. 다음도 참고하라. 주디스 A. 하우크,《안절부절못하는》(케임브리지, MA:하버드 대학 출판, 2006년).

27. 올리버 버크먼,《합리적 행복》(뉴욕:퍼라, 스트라우스 앤드 지루, 2012년).

28. W. H. 오든,〈지구본〉,《염색공의 손》(뉴욕:빈티지 인터내셔널, 1989년).

29. 캐럴 허니시, 저자와의 인터뷰, 2017년 3월 10일.

30. 로버트 퍼트넘,《우리 아이들》(뉴욕:사이먼 앤드 슈스터, 2015년).

31. 〈여자들끼리 서로를 열나게 인정해 주며 격렬한 밤을 보내다〉,《어니언》, 2012년 2월 23일.

32. 알렉스 윌리엄스,〈왜 서른이 넘으면 친구 사귀기가 힘들까?〉,《뉴욕 타임스》, 2012년 7월 13일.

33. 로제테 라고,〈여자가 쉰 살 넘어 동성 친구 사귀기는 힘들 수 있다. 이 여자들이 그 문제를 해결하다〉,《뉴욕 타임스》, 2018년 12월 31일. FindYourCru.com도 참고하라.

열한 번째 이유:새로운 내러티브

1. 케이트 쇼팽,〈1시간 동안에 생긴 일〉(뉴욕:홀트, 라인하트 앤드 윈스턴, 1894년). 2018년 7월 9일에 인터넷에서 검색.

2. 샤이 다비다이와 토버스 길로비치, 〈역풍과 순풍의 불균형:장애물인지 축복인지 평가하는 데 있어서 가용성 주단법〉, 《성격 및 사회 심리학 저널 111》 no. 6, 2016년 12월.

3. 팀 민친, 졸업 연설, 웨스턴 오스트레일리아 대학, 2013년 졸업식.

4. 이브 바비츠, 《느린 나날, 스쳐 가는 인연》(뉴욕:뉴욕 리뷰 오브 북스 재판, 2016년).

5. 토냐 핀킨스와 브래드 시먼스, 〈못되고 멋진 밤〉, 그린룸 42, 2018년 12월 16일.

6. 제니퍼 J. 딜, 저자와의 인터뷰, 2018년 4월 16일.

7. 태퍼 브로데서 애크너, 〈귀네스 팰트로 되기 사업〉, 《뉴욕 타임스 매거진》, 2018년 7월 25일.

8. 우리의 태도는 삶을 좀 더 견딜 만하게 할 뿐 아니라 우리의 환경도 바꾸는 힘이 있다. 한 연구에 따르면 고통을 성장의 기회로 보는 대학생들은 성적이 더 좋았다. 타라 파커 포프, 〈중년에 회복 탄력성을 높이는 법〉, 《뉴욕 타임스》, 2017년 7월 25일.

9. 앤 보스캠프, 〈중년과 씨름하면서 한 살 더 먹을 때 이것을 기억하라〉, FoxNews.com, 2018년 8월 19일.

10. 머라 에이킨, 〈죽음 냄새가 난다:더블 데어 장애물 경기의 구강 역사〉, AV 클럽, 2016년 11월 12일.

11. 브루스 페일러, 〈우리를 하나로 묶어 주는 이야기들〉, 《뉴욕 타임스》, 2013년 3월 15일.

12. 리처드 프라이와 킴 파커, 〈초기 기준이 포스트 밀레니얼 세대가 가장 다양하고 최상의 교육을 받을 세대가 될 것임을 보여 준다〉, 퓨 리서치 센터, 2018년 11월 15일.

13. 후학 양성 욕구에 대해 연구한 사람들 가운데에는 에릭 에릭슨과 버트럼 콜러도 있다. 노스웨스턴 성격 심리학자이며 폴리 센터 인생 연구소를 운영하는 댄 매캐덤스는 내러티브 심리학이라는 분야를 만들었다. 그의 기사를 참고하라. 〈중년에서의 인생 내러티브〉, 《아동과 청소년 발전을 위한 새로운 방향 145》, 2014년. 이것은 다음 초록에서 가져왔다. "현대 연구에 따르면 미국 사회에서 후학 양성 욕구가 가장 강한 성인은 자신의 삶을 개인 구원의 내러티브로 해석하는 경향이 있다. 따라서 인생사가 중년이 된 성인에게 귀중한 심리적 자원으로 사용될 수 있다. 설사 그 이야기들이 팽배한 문화적 주제를 반영하고 굴절하더라도."

14. 댄 매캐덤스, 〈보살피는 삶, 구원의 인생사〉, 프랭클린 앤드 마셜 대학의 사랑과 인간 대행 세미나에서 한 강연, 2014년 9월 20일. 2018년 3월 29일 유튜브에서 시청. 매캐덤스는 자기 대행과 사회 구조 간의 갈등에 관해 이야기하며 '보살핌'을 중년의 주요한 주제라고 말한다. 정체를 피하기 위해서는 다음 세대를 보살펴야 한다. 그게 아이들이든 미래든. 다음도 참고하라. 댄 매캐덤스, 〈'나보다 더 오래 살아남는 것이 나다':후학 양성 욕구와 자아〉, J. A. 프레이, C. 보글러 편집, 《자기 초월과 미덕:철학, 심리학, 기술의 관점》(런던:루틀리지, 2018년 4월). 저자가 이메일로 받음.

15. 댄 매캐덤스, 저자와의 인터뷰, 2018년 4월 9일.

16. 마거릿 렌클, 〈폐경의 선물〉, 《뉴욕 타임스》, 2018년 8월 5일.

17. 애나 갈린 스펜서, 《사회 문화 속에서 여성의 몫》(뉴욕과 런던:미첼 케널리, 1913년).

18. 메리 루에플, 〈정지〉, 《그랜터 131:지도는 영토가 아니다》(런던:그랜터 출판, 2015년 6월 1일).

19. 윌리엄 스트라우스와 닐 하우, 《세대》(뉴욕:윌리엄 모로, 1991년).

20. 2006년에 연구자들은 '어린 시절의 부정적 경험' 점수가 높더라도 균형을 잡아 줄 수 있는 '보호 요인'의 척도인 회복 탄력성 점수를 계산하는 방법을 고안해 냈다. acestoohigh.com에서 당신의 점수를 확인할 수 있다.

21. "빨간 코!" 1910년에 출간된, 중년 여성의 위기를 주제로 한 덴마크 소설의 화자인 엘시 린트너가 말한다. "아름다운 여성에게 일어날 수 있는 최악의 비극이죠. 아델라이드 스반스트로엠이 독약을 먹은 것도 그 때문 아닐까요? 가여운 여자. 불행히도 그 여자는 독약을 충분히 먹지 않았어요!" 카린 미카엘리스, 《위험한 시대:편지와 여성이 쓴 일기의 단편》(에번스턴, IL:노스웨스턴 대학 출판, 1991년). 나는 아델라이드 스반스트로엠을 많이 생각한다. 그녀가 죽지 않고 무사했을 거라는 느낌이 든다.

우리가 잠들지 못하는 11가지 이유

초판 1쇄 인쇄 2022년 1월 24일
초판 1쇄 발행 2022년 2월 10일

지은이 | 에이다 칼훈
옮긴이 | 노진선

펴낸이 | 정상우
편집주간 | 주정림
펴낸곳 | (주)라이팅하우스
출판신고 | 제2014-000184호(2012년 5월 23일)
주소 | 서울시 마포구 잔다리로 109 이지스빌딩 302호
주문전화 | 070-7542-8070 팩스 | 0505-116-8965
이메일 | book@writinghouse.co.kr
홈페이지 | www.writinghouse.co.kr
한국어출판권 ⓒ 라이팅하우스, 2022
ISBN 978-89-98075-95-8 (03300)